COUNCIL   CONSEIL
OF EUROPE   DE L'EUROPE

« Apprentissage des langues et citoyenneté européenne »

UN CADRE EUROPÉEN COMMUN DE RÉFÉRENCE POUR LES LANGUES :

APPRENDRE, ENSEIGNER, ÉVALUER

DIVISION DES POLITIQUES LINGUISTIQUES, STRASBOURG

SOMMAIRE

Couverture : Nelly BENOIT

Conception maquette et mise en page : Nicole PELLIEUX

Traduction : Simone LIEUTAUD

« Le photocopillage, c'est l'usage abusif et collectif de la photocopie sans autorisation des auteurs et des éditeurs.
Largement répandu dans les établissements d'enseignement, le photocopillage menace l'avenir du livre, car il met en danger son équilibre économique. Il prive les auteurs d'une juste rémunération.
En dehors de l'usage privé du copiste, toute reproduction totale ou partielle de cet ouvrage est interdite. »
« La loi du 11 mars 1957 n'autorisant, au terme des alinéas 2 et 3 de l'article 41, d'une part, que les copies ou reproductions strictement réservées à l'usage privé du copiste et non destinées à une utilisation collective » et, d'autre part, que les analyses et les courtes citations dans un but d'exemple et d'illustration, « toute représentation ou reproduction intégrale, ou partielle, faite sans le consentement de l'auteur ou de ses ayants droit ou ayants cause, est illicite. » (alinéa 11 de l'article 40) « Cette représentation ou reproduction, par quelque procédé que ce soit, constituerait donc une contrefaçon sanctionnée par les articles 425 et suivants du Code pénal. »

© Conseil de l'Europe / Les Éditions Didier, Paris 2005   ISBN 978-2-278-05813-6   Imprimé en France

Achevé d'imprimer en septembre 2017 par Dupli-Print
Dépôt légal : 5813/10 - N° d'impression : 2017081614

NOTE PRÉLIMINAIRE

Cette version restructurée d'un *Cadre européen commun de référence* pour l'apprentissage/enseignement des langues et l'évaluation représente le dernier stade d'un processus activement mené depuis 1991 et qui doit beaucoup à la collaboration de nombreux membres de la profession enseignante à travers l'Europe et au-delà.

Le Conseil de l'Europe tient à reconnaître avec gratitude les contributions faites par

- le Groupe de Projet *Apprentissage des langues et citoyenneté européenne* représentant tous les États membres du Conseil de la coopération culturelle, ainsi que le Canada en qualité d'observateur, pour avoir suivi son développement avec attention

- le Groupe de travail mis en place par le Groupe de Projet, comprenant vingt ressortissants des États membres et représentant les divers intérêts professionnels concernés, ainsi que des représentants de la Commission européenne et de son programme LINGUA, pour leurs inestimables conseils et la supervision du projet

- le Groupe d'auteurs mis en place par le Groupe de travail, et qui comprenait Monsieur le Professeur J.L.M. Trim (Directeur de Projet), le Professeur D. Coste (École Normale Supérieure de Fontenay/Saint-Cloud, CREDIF, France), M. B. North (Eurocentres, Suisse), ainsi que M. J. Sheils (Secrétariat). Le Conseil de l'Europe exprime ses remerciements aux institutions qui ont permis aux personnes concernées de contribuer à cette importante entreprise

- la Commission permanente des directeurs cantonaux de l'éducation et le Fonds national suisse de recherche scientifique pour son soutien au travail de M. B. North et du Professeur G. Schneider (Université de Fribourg) concernant l'élaboration et l'étalonnage de descripteurs de compétences langagières pour les Niveaux communs de référence

- la Fondation Eurocentres pour avoir fourni l'expertise nécessaire à la définition et à l'étalonnage des niveaux de compétences langagières

- le US National Foreign Language Center, qui a accordé à MM. Trim et North des Bourses Mellon, ce qui a facilité leur participation à ce projet

- les nombreux collègues et institutions à travers l'Europe qui ont répondu, souvent avec beaucoup de soins et des détails concrets, à la demande de commentaires et de réactions concernant les projets précédents.

Les réactions sur la mise en pratique du *Cadre de référence* ont été recueillies auprès d'un échantillon représentatif d'utilisateurs différents. D'autres, en outre, ont été invités à communiquer au Conseil de l'Europe les résultats de leur utilisation du *Cadre* à des fins spécifiques. Les informations reçues ont été prises en compte pour la révision du *Cadre* et des *Guides* à l'usage des utilisateurs avant leur adoption dans toute l'Europe. Cette révision a été réalisée par MM. Trim et North.

AVERTISSEMENT

Ces notes ont pour but de vous aider à utiliser le plus efficacement possible le *Cadre européen commun de référence pour les langues. Apprendre, enseigner, évaluer*, que vous soyez apprenant ou praticien de l'enseignement ou de l'évaluation des langues. Elles ne traiteront pas des diverses possibilités d'utilisation du *Cadre* propres à telle ou telle catégorie d'utilisateur, enseignants, examinateurs, auteurs de manuels, formateurs, administrateurs, etc., lesquelles font l'objet de *Guides* disponibles au Conseil de l'Europe et consultables sur son site. Il s'agit ici d'une première introduction au *Cadre de référence* qui s'adresse à l'ensemble de ses utilisateurs.

Vous pouvez, bien évidemment, utiliser le *Cadre de référence* à votre guise, comme tout autre publication. En fait, nous espérons qu'il se trouvera des lecteurs pour s'engager à cet égard sur des voies que nous n'avons pas explorées. Rappelons toutefois les **deux objectifs principaux** qui ont présidé à son élaboration.

1. **Encourager les praticiens** dans le domaine des langues vivantes, quels qu'ils soient, y compris les apprenants, **à se poser un certain nombre de questions**, et notamment :
   - Que faisons-nous exactement lors d'un échange oral ou écrit avec autrui ?
   - Qu'est-ce qui nous permet d'agir ainsi ?
   - Quelle part d'apprentissage cela nécessite-t-il lorsque nous essayons d'utiliser une nouvelle langue ?
   - Comment fixons-nous nos objectifs et marquons-nous notre progrès entre l'ignorance totale et la maîtrise effective de la langue étrangère ?
   - Comment s'effectue l'apprentissage de la langue ?
   - Que faire pour aider les gens à mieux apprendre une langue ?

2. **Faciliter les échanges d'informations entre les praticiens et les apprenants** afin que les premiers puissent dire aux seconds ce qu'ils attendent d'eux en termes d'apprentissage et comment ils essaieront de les y aider.

Soyons clairs : il ne s'agit aucunement de dicter aux praticiens ce qu'ils ont à faire et comment le faire. Nous soulevons des questions, nous n'apportons pas de réponses. La fonction du *Cadre européen commun de référence* n'est pas de prescrire les objectifs que ses utilisateurs devraient poursuivre ni les méthodes qu'ils devraient utiliser. Ce qui ne veut pas dire que le Conseil de l'Europe soit indifférent à ces questions. De fait, les collègues des pays membres qui collaborent aux projets Langues vivantes du Conseil de l'Europe ont consacré, au fil des ans, beaucoup de réflexion et de travail à l'établissement de principes et à la pratique dans le domaine de l'apprentissage, de l'enseignement et de l'évaluation des langues.

Vous trouverez dans le Chapitre 1 les **principes fondamentaux** et leurs **conséquences pratiques**. Vous constaterez que le Conseil a pour souci d'améliorer la communication entre Européens de langues et de cultures différentes parce que la communication facilite la mobilité et les échanges et, ce faisant, favorise la compréhension réciproque et renforce la coopération. Le Conseil soutient également les méthodes d'enseignement et d'apprentissage qui aident les jeunes, mais aussi les moins jeunes, à se forger les savoirs, savoir-faire et attitudes dont ils ont besoin pour acquérir davantage d'indépendance dans la réflexion et dans l'action afin de se montrer plus responsables et coopératifs dans leurs relations à autrui. En ce sens, ce travail contribue à promouvoir une citoyenneté démocratique.

En accord avec ces principes fondamentaux, le Conseil encourage toutes les personnes concernées par l'organisation de l'apprentissage des langues a fonder leur action sur les besoins, les motivations, les caractéristiques et les ressources de l'apprenant. Ce qui suppose de répondre à des questions telles que :
   - Qu'est-ce que l'apprenant aura besoin de faire avec la langue ?
   - Qu'a-t-il besoin d'apprendre pour être capable d'utiliser la langue à ces fins ?
   - Qu'est-ce qui le pousse à vouloir apprendre ?
   - Qui est-il (âge, sexe, milieu social et niveau d'instruction) ?
   - Quels sont le savoir, le savoir-faire et l'expérience de l'enseignant auquel il a à faire ?
   - Dans quelle mesure a-t-il accès à des manuels, des ouvrages de référence (grammaires, dictionnaires, etc.), des moyens audiovisuels et informatiques (matériel et didacticiels) ?
   - Combien de temps peut-il, désire-t-il ou est-il capable de consacrer à l'apprentissage d'une langue ?

À partir de cette **analyse de la situation d'enseignement/apprentissage**, il est absolument essentiel de définir avec un maximum de précision des objectifs immédiatement valables au regard des besoins des apprenants et réalistes du point de vue de leurs caractéristiques et des moyens disponibles. Nombreux sont les partenaires impliqués dans l'organisation de l'apprentissage des langues : enseignants et apprenants dans la classe mais aussi administrateurs de l'enseignement, examinateurs, auteurs et éditeurs de manuels, etc. S'ils s'accordent sur des objectifs ils peuvent alors, chacun dans son domaine, œuvrer dans le même sens pour aider les apprenants à atteindre ces objectifs. Ils peuvent aussi préciser et expliciter leurs propres objectifs et leurs méthodes pour faciliter la tâche de leurs partenaires.

C'est dans ce but, comme l'expose le Chapitre 1, qu'a été élaboré le *Cadre européen commun de référence*. Pour remplir convenablement sa fonction, il lui faut **répondre à certains critères de transparence et de cohérence** et être aussi exhaustif que possible. Ces critères sont exposés et explicités dans le Chapitre 1. À propos de « l'exhaustivité » disons, pour simplifier, que vous devez trouver dans le *Cadre de référence* tout ce dont vous avez besoin pour décrire vos objectifs, vos méthodes et vos résultats.

Le **dispositif de paramètres, de catégories et d'exemples** présenté au Chapitre 3, synthétisé page 25 et détaillé dans les Chapitres 4 et 5 entend exposer clairement les compétences (savoir, savoir-faire et attitudes) que l'usager de la langue se forge au fil de son expérience et qui lui permettent de faire face aux exigences de la communication par delà les frontières linguistiques et culturelles (c'est-à-dire, effectuer des tâches et des activités communicatives dans les divers contextes de la vie sociale, compte tenu des conditions et des contraintes qui leur sont propres). Les **Niveaux communs de référence** présentés au Chapitre 3 donnent un moyen de suivre le progrès des apprenants au fur et à mesure qu'ils construisent leur compétence à travers les paramètres du schéma descriptif.

Fondé sur l'hypothèse que le but de l'apprentissage d'une langue est de faire de l'apprenant un utilisateur compétent et expérimenté, ce mode de description doit vous permettre de définir vos objectifs de manière claire et aussi complète que possible. Vous estimerez peut-être qu'il excède vos propres besoins. Cette éventualité a été prévue : à partir du Chapitre 4 vous trouverez, à la fin de chaque section, un encadré qui vous invite, suivant une série de questions, à réfléchir à sa pertinence au regard de vos objectifs et de la définition de votre pratique. La réponse peut être négative pour diverses raisons : cela ne convient pas aux apprenants dont vous vous occupez ou, bien que ce puisse être utile, les moyens dont vous disposez, notamment en matière de temps ou de ressources, vous orientent vers d'autres priorités. En revanche, si le contenu de l'encadré vous intéresse (dans le contexte où il s'inscrit, il attirera peut-être votre attention), les Chapitres 4 et 5 du *Cadre de référence* fourniront le nom des grands paramètres et des catégories dont vous pouvez avoir besoin, assortis de quelques exemples.

Ni les catégories ni les exemples ne prétendent à l'exhaustivité. Si vous voulez décrire un domaine spécialisé, il vous faudra pousser plus loin le détail de la présente classification et créer de nouvelles sous-catégories. Quant aux exemples, ils sont donnés à titre de suggestions. Vous en retiendrez certains, en écarterez d'autres et en ajouterez quelques-uns de votre cru. Vous devez vous sentir tout à fait libres sur ce point car c'est à vous qu'appartient le choix de vos objectifs et de votre démarche pratique. Mais retenez, lorsqu'un élément du *Cadre* vous paraît superflu, qu'il y figure parce qu'il peut présenter un intérêt primordial pour quelqu'un d'autre, de formation différente, travaillant dans une autre situation et responsable d'une autre population d'apprenants. Dans le cas de « Conditions et contraintes » (voir 4.1.3), par exemple, la prise en compte des bruits de fond peut sembler tout à fait inutile dans un établissement scolaire mais devient capitale pour celui dont les élèves sont des pilotes de ligne : ne pas reconnaître les chiffres à 100 % dans le bruit infernal d'une communication sol/air peut signer leur condamnation à mort (et celle de leurs passagers…) ! Songez aussi que les catégories et les énoncés que vous jugerez bon d'ajouter peuvent être utiles à d'autres. C'est pourquoi il faut voir dans la taxonomie qui figure aux Chapitres 4 et 5 du *Cadre de référence* un inventaire inachevé susceptible d'évolution à la lumière de l'expérience acquise. Ce principe vaut également pour la **description des niveaux de compétence**.

Le Chapitre 3 expose clairement que le nombre de niveaux dont peut avoir besoin un utilisateur dépend de la raison pour laquelle il veut établir une distinction et de l'usage qu'il fera de l'information obtenue. Il ne faut pas multiplier les niveaux plus que nécessaire. Le système arborescent de type « hypertexte » présenté en 3.2 (voir p. 25) permet aux praticiens de définir des niveaux dont la gradation large ou étroite dépend du degré de finesse souhaité pour établir des distinctions au sein d'une population donnée d'apprenants. Il est aussi bien sûr possible (et même courant) de distinguer les objectifs en termes de niveaux et le degré de réalisation de ces objectifs en termes de notes ou de mentions.

L'ensemble des **six niveaux** utilisés dans le document (voir 3. 2) se fonde sur la pratique courante d'un certain nombre d'organismes publics de certification. Les descripteurs proposés s'inspirent de ceux qui « *ont été reconnus clairs, utiles et pertinents par des groupes compétents de professeurs enseignant ou pas leur langue maternelle dans des secteurs éducatifs variés et avec des profils de formation et une expérience professionnelle très différents* » (voir p. 30). Mais il s'agit là de recommandations et non de prescriptions. C'est un « *document de réflexion, de discussion et de projet… Le but des exemples est d'ouvrir de nouvelles possibilités et non d'anticiper des décisions.* » *(ibid.)*. Toutefois, il apparaît clairement qu'un ensemble de niveaux communs de référence comme outil de calibrage est particulièrement bien accueilli par l'ensemble des praticiens qui, comme dans bien d'autres domaines, trouvent un avantage à travailler avec des mesures et des normes stables et reconnues.

En qualité d'usagers, vous êtes invités à utiliser cette batterie d'échelles et leurs descripteurs de manière critique. Tout rapport d'expérience communiqué à la Section des langues vivantes du Conseil de l'Europe sera le bienvenu. À noter aussi que les échelles sont prévues non seulement pour une compétence globale mais également pour chacun des paramètres étalonnables de la compétence langagière détaillée aux Chapitres 4 et 5. Ceci permet d'affiner la différenciation des profils au sein des groupes d'apprenants.

Dans le Chapitre 6, l'attention se porte sur la **méthodologie**. Comment s'acquiert ou s'apprend une nouvelle langue ? Que pouvons-nous faire pour faciliter ce processus d'apprentissage ou d'acquisition ? Là encore, le but du *Cadre de référence* n'est pas de prescrire ni même de recommander telle ou telle méthode, mais de présenter diverses options en vous invitant à réfléchir sur votre pratique courante, à prendre des décisions en conséquence et à définir en quoi consiste exactement votre action. À l'évidence, dans l'examen de vos buts et objectifs, nous ne pouvons que vous encourager à tenir compte des *Recommandations* du Comité des Ministres mais le *Cadre de référence* doit être avant tout un auxiliaire pour vous aider à prendre vos décisions.

Le Chapitre 7 est consacré à un examen du **rôle des tâches** dans l'enseignement et l'apprentissage des langues, domaine de pointe dans les dernières années.

Le Chapitre 8 examine les **principes de la construction curriculaire** qui entraîne la différenciation des objectifs d'apprentissage des langues, en particulier dans le domaine du développement de la compétence plurilingue et pluriculturelle d'un individu, pour lui permettre de faire face aux problèmes de communication que pose la vie dans une Europe multilingue et multiculturelle. Ce chapitre mérite un examen attentif de la part de ceux qui, ayant à élaborer des curriculums couvrant plusieurs langues, étudient les diverses possibilités de répartir au mieux les ressources entre diverses catégories d'apprenants.

Le Chapitre 9 traite enfin des questions d'**évaluation** en expliquant la pertinence du *Cadre de référence* pour l'évaluation de la compétence langagière et des résultats à l'aide de critères d'évaluation et selon des approches différentes de la démarche d'évaluation.

Les **Annexes** approfondissent d'autres aspects de l'étalonnage que certains utilisateurs peuvent trouver utiles. L'Annexe A traite de quelques questions théoriques générales à l'usage des utilisateurs qui souhaiteraient élaborer des échelles pour des populations spécifiques d'apprenants. L'Annexe B apporte des informations sur le projet suisse d'où sont issus les descripteurs étalonnés du *Cadre de référence*. Les Annexes C et D présentent des échelles élaborées par d'autres organismes, à savoir DIA-LANG *Language Assessment System* (Système d'évaluation en langue) et les échelles de « capacités de faire » ainsi que les seuils fonctionnels d'apprentissage de ALTE (*Association of Language Testers in Europe* : Association des centres d'évaluation en langues en Europe).

SYNOPSIS

Chapitre 1 (p. 9 à 14)

Définit les **buts**, les **objectifs** et les **fonctions** du *Cadre de référence* à la lumière de la politique générale en langues du Conseil de l'Europe et, en particulier, de la promotion du **plurilinguisme** en réponse à la diversité linguistique et culturelle de l'Europe. Ce chapitre expose ensuite les **critères** auxquels le *Cadre de référence* doit satisfaire.

Chapitre 2 (p. 15 à 22)

Développe l'**approche** retenue. Ce chapitre se fonde sur une analyse de l'usage de la langue en termes de **stratégies** utilisées par les apprenants pour mettre en œuvre les **compétences générales et communicatives** afin de mener à bien les **activités** et les **opérations** que supposent la **production** et la **réception** de textes qui traitent de **thèmes** donnés, ce qui leur rend possible l'accomplissement des **tâches** auxquelles ils se trouvent confrontés avec **les conditions et les contraintes** de **situations** qui surviennent dans les domaines variés de la vie sociale. Les termes en caractères gras indiquent les paramètres de description de l'utilisation de la langue et de la capacité de l'utilisateur/apprenant à l'utiliser.

Chapitre 3 (p. 23 à 38)

Introduit les **Niveaux communs de référence**. Le progrès dans l'apprentissage des langues au regard des paramètres du schéma descriptif peut être étalonné selon une **série mobile de seuils fonctionnels** définis par les descripteurs appropriés. Cet appareil doit être assez riche pour tenir compte de toute la gamme des besoins de l'apprenant et, en conséquence, des objectifs fixés par différents partenaires ou exigés des candidats pour une qualification en langue.

Chapitre 4 (p. 39 à 80)

Expose dans le détail (mais de manière ni exhaustive ni définitive) les catégories (étalonnées si possible) nécessaires à la description de **l'utilisation de la langue par l'apprenant/utilisateur** en fonction des paramètres identifiés et qui couvrent tour à tour : les domaines et les situations qui constituent le contexte de l'utilisation de la langue ; les tâches, buts et thèmes de la communication ; les activités, les stratégies et les opérations de communication et les textes, en particulier en relation avec les activités et les supports.

Chapitre 5 (p. 81 à 102)

Entre dans le détail des **compétences** générales et communicatives de l'utilisateur/ apprenant **étalonnées dans la mesure du possible**.

Chapitre 6 (p. 103 à 120)

Envisage les **opérations d'apprentissage et d'enseignement des langues** et traite de la relation entre acquisition et apprentissage, de la nature et du développement d'une compétence plurilingue ainsi que des options méthodologiques de type général ou plus particulier en relation aux catégories exposées dans les Chapitres 3 et 4.

Chapitre 7 (p. 121 à 128)

Présente plus en détail le rôle des **tâches** dans l'apprentissage et l'enseignement de la langue.

Chapitre 8 (p. 129 à 134)

S'intéresse aux implications de la **diversification linguistique dans la conception du curriculum** et traite de points tels que : plurilinguisme et pluriculturalisme ; objectifs d'apprentissage différenciés ; principe de conception d'un curriculum ; scénarios curriculaires ; apprentissage continu des langues ; compétences modulaires et partielles.

Chapitre 9 (p. 135 à 148)

Présente les diverses finalités de l'**évaluation** et les types d'évaluation qui y correspondent à la lumière de la nécessité de réconcilier les critères concurrents d'exhaustivité, de précision et de possibilité opératoire.

Annexe A (p. 148 à 154)

Commente l'élaboration des descripteurs de compétence langagière. On y explique les méthodes et les critères d'étalonnage ainsi que les exigences pour la formulation des descripteurs des paramètres et des catégories présentés ailleurs.
S'accompagne d'une bibliographie sélective commentée relative aux échelles de compétences langagières.

Annexe B (p. 155 à 160)

Donne une vue d'ensemble du projet qui a permis, en Suisse, de formuler et d'étalonner les exemples de descripteurs. Les échelles de démonstration du texte sont inventoriées avec leur numéro de page.

Annexe C (p. 161 à 172)

Contient les descripteurs pour l'auto-évaluation d'une série de niveaux adoptés par le Projet DIALANG de la Commission européenne pour Internet.

Annexe D (p. 173 à 184)

Contient les descripteurs entrant dans la constitution des seuils fonctionnels d'apprentissage élaborés par ALTE (Association des centres d'évaluation en langues en Europe).

Bibliographie générale
(p. 185 à 192)

Propose un choix d'ouvrages et d'articles que les utilisateurs du *Cadre de référence* consulteront pour approfondir les questions soulevées. La bibliographie renvoie aux publications du Conseil de l'Europe pertinentes ainsi qu'à des ouvrages publiés ailleurs.

CHAPITRE 1
LE *CADRE EUROPÉEN COMMUN DE RÉFÉRENCE* DANS SON CONTEXTE POLITIQUE ET ÉDUCATIF

PANORAMA

1.1 QU'EST-CE QUE LE *CADRE EUROPÉEN COMMUN DE RÉFÉRENCE* ?

Le *Cadre européen commun de référence* **offre une base commune** pour l'élaboration de programmes de langues vivantes, de référentiels, d'examens, de manuels, etc. en Europe. Il décrit aussi complètement que possible ce que les apprenants d'une langue doivent apprendre afin de l'utiliser dans le but de communiquer ; il énumère également les connaissances et les habiletés qu'ils doivent acquérir afin d'avoir un comportement langagier efficace. La description englobe aussi le contexte culturel qui soutient la langue. Enfin, le *Cadre de référence* **définit les niveaux de compétence** qui permettent de mesurer le progrès de l'apprenant à chaque étape de l'apprentissage et à tout moment de la vie.

Le *Cadre européen commun de référence* est conçu pour que soient surmontées les difficultés de communication rencontrées par les professionnels des langues vivantes et qui proviennent de la différence entre les systèmes éducatifs. Le *Cadre* **donne des outils** aux administratifs, aux concepteurs de programmes, aux enseignants, à leurs formateurs, aux jurys d'examens, etc., pour réfléchir à leur pratique habituelle afin de situer et de coordonner leurs efforts et de garantir qu'ils répondent aux besoins réels des apprenants dont ils ont la charge.

En fournissant une base commune à des descriptions explicites d'objectifs, de contenus et de méthodes, le *Cadre de référence* améliorera la transparence des cours, des programmes et des qualifications, favorisant ainsi la coopération internationale dans le domaine des langues vivantes. Donner des critères objectifs pour décrire la compétence langagière facilitera la reconnaissance mutuelle des qualifications obtenues dans des contextes d'apprentissage divers et, en conséquence, ira dans le sens de la mobilité en Europe.

Le choix pour le *Cadre* d'une présentation taxinomique constitue à coup sûr une tentative pour traiter la grande complexité du langage humain en découpant la compétence langagière selon ses différentes composantes. Ceci nous renvoie à des problèmes psychologiques et pédagogiques d'importance. La communication met tout l'être humain en jeu. Les compétences isolées et classifiées ci-après se combinent de manière complexe pour faire de chaque individu un être unique. En tant qu'acteur social, chaque individu établit des relations avec un nombre toujours croissant de groupes sociaux qui se chevauchent et qui, tous ensemble, définissent une identité. Dans une approche interculturelle, un objectif essentiel de l'enseignement des langues est de favoriser le développement harmonieux de la personnalité de l'apprenant et de son identité en réponse à l'expérience enrichissante de l'altérité en matière de langue et de culture. Il revient aux enseignants et aux apprenants eux-mêmes de construire une personnalité saine et équilibrée à partir des éléments variés qui la composeront.

Le *Cadre de référence* comprend la description de qualifications « partielles » qui conviennent à une connaissance réduite de la langue (par exemple, s'il s'agit plus de comprendre que de parler), ou lorsque le temps disponible pour l'apprentissage d'une troisième ou d'une quatrième langue est limité et que des résultats plus rentables peuvent éventuellement être atteints en visant, par exemple, la reconnaissance plutôt que des habiletés fondées sur la mémoire. La reconnaissance formelle de capacités de ce type aidera à promouvoir le plurilinguisme par l'apprentissage d'une plus grande variété de langues européennes.

1.2 LES BUTS ET LES OBJECTIFS DE LA POLITIQUE LINGUISTIQUE DU CONSEIL DE L'EUROPE

Le *Cadre européen commun de référence* concourt à l'objectif général du Conseil de l'Europe tel qu'il est défini dans les *Recommandations* R (82) 18 et R (98) 6 du Comité des Ministres : « *parvenir à une plus grande unité parmi ses membres* » et atteindre ce but « *par l'adoption d'une démarche commune dans le domaine culturel.* »

En ce qui concerne les langues vivantes, le travail du Conseil de la Coopération Culturelle du Conseil de l'Europe, structuré depuis sa fondation autour d'une série de projets à moyen terme, a fondé sa cohérence et sa continuité sur l'adhésion à **trois principes** énoncés dans le préambule de la *Recommandation* R (82) 18 du Comité des Ministres du Conseil de l'Europe considérant

- « que le riche patrimoine que représente la diversité linguistique et culturelle en Europe constitue une ressource commune précieuse qu'il convient de sauvegarder et de développer et que des efforts considérables s'imposent dans le domaine de l'éducation afin que cette diversité, au lieu d'être un obstacle à la communication, devienne une source d'enrichissement et de compréhension réciproques »
- « que c'est seulement par une meilleure connaissance des langues vivantes européennes que l'on parviendra à faciliter la communication et les échanges entre Européens de langue maternelle différente et, partant, à favoriser la mobilité, la compréhension réciproque et la coopération en Europe et à éliminer les préjugés et la discrimination »
- « que les États membres, en adoptant ou en développant une politique nationale dans le domaine de l'enseignement et de l'apprentissage des langues vivantes, pourraient parvenir à une plus grande concertation au niveau européen grâce à des dispositions ayant pour objet une coopération suivie entre eux et une coordination constante de leurs politiques. »

Afin de mettre en œuvre ces principes, le Comité des Ministres demande aux gouvernements des États membres de

- « Promouvoir la coopération à l'échelon national et international des institutions gouvernementales et non gouvernementales se consacrant à la mise au point des méthodes d'enseignement et d'évaluation dans le domaine de l'apprentissage des langues vivantes et à la production et à l'utilisation de matériel, y compris les institutions engagées dans la production et l'utilisation de matériel multimédia. » (F14)

- « Faire le nécessaire pour achever la mise en place d'un système européen efficace d'échange d'informations englobant tous les aspects de l'apprentissage et de l'enseignement des langues vivantes et de la recherche dans ce domaine et faisant pleinement usage de la technologie avancée de l'information. » (F17)

En conséquence, les activités du Conseil de la Coopération Culturelle, son Comité de l'Éducation et sa Section Langues Vivantes se sont focalisées sur l'**encouragement**, le **soutien** et la **coordination** des efforts des États membres et des organisations non gouvernementales pour améliorer l'apprentissage des langues en accord avec ces principes fondamentaux et, notamment, la démarche suivie pour mettre en œuvre les mesures générales présentées dans l'annexe à la *Recommandation* R (82) 18 :

A. Mesures de caractère général

1. Faire en sorte, autant que faire se peut, que toutes les catégories de la population disposent effectivement des moyens d'acquérir une connaissance des langues des autres États membres (ou d'autres communautés au sein de leur propre pays) et une aptitude à utiliser lesdites langues telle qu'elle leur permette de satisfaire leurs besoins de communication et plus particulièrement
   1.1 – de faire face aux situations de la vie quotidienne dans un autre pays, et d'aider les étrangers séjournant dans leur propre pays à y faire face
   1.2 – d'échanger des informations et des idées avec des jeunes et des adultes parlant une autre langue et de leur communiquer pensées et sentiments
   1.3 – de mieux comprendre le mode de vie et la mentalité d'autres peuples et leur patrimoine culturel.

2. Promouvoir, encourager et appuyer les efforts des enseignants et apprenants qui, à tous les niveaux, tendent à appliquer, selon leur situation, les principes de la mise au point de systèmes d'apprentissage des langues (tels qu'ils sont progressivement définis dans le cadre du programme « Langues Vivantes » du Conseil de l'Europe)
   2.1 – en fondant l'enseignement et l'apprentissage des langues sur les besoins, les motivations, les caractéristiques et les ressources de l'apprenant
   2.2 – en définissant, avec un maximum de précision, des objectifs valables et réalistes
   2.3 – en élaborant des méthodes et des matériels appropriés
   2.4 – en mettant au point des modalités et des instruments permettant l'évaluation des programmes d'apprentissage.

3. Promouvoir des programmes de recherche et de développement visant à introduire, à tous les niveaux de l'enseignement, les méthodes et matériels les mieux adaptés pour permettre à des apprenants de catégories différentes d'acquérir une aptitude à communiquer correspondant à leurs besoins particuliers.

Le Préambule à la *Recommandation* R (98) 6 réaffirme les objectifs politiques de ses actions dans le domaine des langues vivantes.

- Outiller tous les Européens pour les défis de l'intensification de la mobilité internationale et d'une coopération plus étroite les uns avec les autres et ceci non seulement en éducation, culture et science mais également pour le commerce et l'industrie
- promouvoir compréhension et tolérance mutuelles, respect des identités et de la diversité culturelle par une communication internationale plus efficace
- entretenir et développer la richesse et la diversité de la vie culturelle en Europe par une connaissance mutuelle accrue des langues nationales et régionales, y compris les moins largement enseignées
- répondre aux besoins d'une Europe multilingue et multiculturelle en développant sensiblement la capacité des Européens à communiquer entre eux par-delà les frontières linguistiques et culturelles ; il s'agit là de l'effort de toute une vie qui doit être encouragé, concrètement organisé et financé à tous les niveaux du système éducatif par les organismes compétents
- éviter les dangers qui pourraient provenir de la marginalisation de ceux qui ne possèdent pas les capacités nécessaires pour communiquer dans une Europe interactive.

Le Premier Sommet des Chefs d'État (8-9 octobre 1993) a mis un accent tout particulier sur cet objectif en identifiant la xénophobie et les réactions ultranationalistes brutales non seulement comme l'obstacle principal de la mobilité et de l'intégration européennes mais également comme la menace la plus grave à la stabilité européenne et au bon fonctionnement de la démocratie. Le Deuxième Sommet a fait de la préparation à la citoyenneté démocratique un objectif éducatif prioritaire, donnant ainsi une importance accrue à un autre objectif poursuivi dans des projets récents, à savoir :

« Promouvoir des méthodes d'enseignement des langues vivantes qui renforcent l'indépendance de la pensée, du jugement et de l'action combinée à la responsabilité et aux savoir-faire sociaux. »

À la lumière de ces objectifs, le Comité des Ministres a mis l'accent sur « *l'importance politique aujourd'hui et dans l'avenir du développement de domaines d'action particuliers tel que les stratégies de diversification et d'intensification de l'apprentissage des langues afin de promouvoir le plurilinguisme en contexte pan-européen* » et a attiré l'attention sur la valeur du développement des liens et des échanges éducatifs et sur l'exploitation de tout le potentiel des nouvelles technologies de l'information et de la communication.

1.3 QU'ENTEND-ON PAR « PLURILINGUISME » ?

Ces dernières années, le concept de plurilinguisme a pris de l'importance dans l'approche qu'a le Conseil de l'Europe de l'apprentissage des langues. On distingue le « plurilinguisme » du « multilinguisme » qui est la connaissance d'un certain nombre de langues ou la coexistence de langues différentes dans une société donnée. On peut arriver au multilinguisme simplement en diversifiant l'offre de langues dans une école ou un système éducatif donnés, ou en encourageant les élèves à étudier plus d'une langue étrangère, ou en réduisant la place dominante de l'anglais dans la communication internationale. Bien au-delà, **l'approche plurilingue** met l'accent sur le fait que, au fur et à mesure que l'expérience langagière d'un individu dans son contexte culturel s'étend de la langue familiale à celle du groupe social puis à celle d'autres groupes (que ce soit par apprentissage scolaire ou sur le tas), il/elle ne classe pas ces langues et ces cultures dans des compartiments séparés mais construit plutôt une compétence communicative à laquelle contribuent toute connaissance et toute expérience des langues et dans laquelle les langues sont en corrélation et interagissent. Dans des situations différentes, un locuteur peut faire appel avec souplesse aux différentes parties de cette compétence pour entrer efficacement en communication avec un interlocuteur donné. Des partenaires peuvent, par exemple, passer d'une langue ou d'un dialecte à l'autre, chacun exploitant la capacité de l'un et de l'autre pour s'exprimer dans une langue et comprendre l'autre. D'aucun peut faire appel à sa connaissance de différentes langues pour comprendre un texte écrit, voire oral, dans une langue *a priori* « inconnue », en reconnaissant des mots déguisés mais appartenant à un stock international commun. Ceux qui ont une connaissance, même faible, peuvent aider ceux qui n'en ont aucune à communiquer par la médiation entre individus qui n'ont aucune langue en commun. En l'absence d'un médiateur, ces personnes peuvent toutefois parvenir à un certain niveau de communication en mettant en jeu tout leur outillage langagier, en essayant des expressions possibles en différents dialectes ou langues, en exploitant le paralinguistique (mimique, geste, mime, etc.) et en simplifiant radicalement leur usage de la langue.

De ce point de vue, le but de l'enseignement des langues se trouve profondément modifié. Il ne s'agit plus simplement d'acquérir la « maîtrise » d'une, deux, voire même trois langues, chacune de son côté, avec le « locuteur natif idéal » comme ultime modèle. Le but est de développer un répertoire langagier dans lequel toutes les capacités linguistiques trouvent leur place. Bien évidemment, cela suppose que les langues offertes par les institutions éducatives seraient diverses et que les étudiants auraient la possibilité de développer une compétence plurilingue. En outre, une fois admis le fait que l'apprentissage d'une langue est le travail de toute une vie, le développement de la motivation, de la capacité et de la confiance à affronter une nouvelle expérience langagière hors du milieu scolaire devient primordial. La responsabilité des autorités éducatives, des jurys d'examen et des enseignants ne peut se borner à ce que soit acquis un niveau de compétence donné dans telle ou telle langue à un moment donné, aussi important cela soit-il.

Restent encore à régler et à traduire en actes toutes les conséquences d'un tel retournement de paradigme. Les développements récents du programme de langue du Conseil de l'Europe ont été pensés afin de produire les outils de promotion du plurilinguisme à l'usage de tous les membres du métier d'enseignement des langues. Le Portefeuille européen des langues (*Portfolio*) propose notamment une mise en forme des expériences interculturelles et d'apprentissage des langues les plus variées qui permet de les enregistrer et de leur donner une reconnaissance formelle. Dans ce but, le *Cadre européen de référence* fournit non seulement un barème pour l'évaluation de la compétence générale dans une langue donnée mais aussi une analyse de l'utilisation de la langue et des compétences langagières qui facilitera, pour les praticiens, la définition des objectifs et la description des niveaux atteints dans toutes les habiletés possibles, en fonction des besoins variés, des caractéristiques et des ressources des apprenants.

1.4 POURQUOI LE *CADRE DE RÉFÉRENCE* EST-IL NÉCESSAIRE ?

En novembre 1991, à l'initiative du Gouvernement fédéral helvétique, un Symposium intergouvernemental s'est tenu à Rüschlikon (Suisse) sur le thème « Transparence et cohérence dans l'apprentissage des langues en Europe : objectifs, évaluation, certification ». Le Symposium a adopté les conclusions suivantes.

1. Il faut continuer à intensifier l'apprentissage et l'enseignement des langues dans les États membres pour favoriser une plus grande mobilité, une communication internationale plus efficace qui respecte les identités et la diversité culturelle, un meilleur accès à l'information, une multiplication des échanges interpersonnels, l'amélioration des relations de travail et de la compréhension mutuelle.
2. L'apprentissage des langues doit, pour atteindre ces buts, se poursuivre toute une vie durant, et il convient de le promouvoir et de le faciliter tout au long du système éducatif, depuis le préscolaire jusqu'à l'enseignement aux adultes.
3. Il est souhaitable d'élaborer un Cadre européen commun de référence pour l'apprentissage des langues à tous les niveaux, dans le but
   – de promouvoir et faciliter la coopération entre les établissements d'enseignement de différents pays

- d'asseoir sur une bonne base la reconnaissance réciproque des qualifications en langues
- d'aider les apprenants, les enseignants, les concepteurs de cours, les organismes de certifications et les administrateurs de l'enseignement à situer et à coordonner leurs efforts.

Il faut restituer le plurilinguisme dans le contexte du pluriculturalisme. La langue n'est pas seulement une donnée essentielle de la culture, c'est aussi un moyen d'accès aux manifestations de la culture. L'essentiel de ce qui est énoncé ci-dessus s'applique également au domaine le plus général. Les différentes cultures (nationale, régionale, sociale) auxquelles quelqu'un a accédé ne coexistent pas simplement côte à côte dans sa compétence culturelle. Elles se comparent, s'opposent et interagissent activement pour produire une compétence pluriculturelle enrichie et intégrée dont la compétence plurilingue est l'une des composantes, elle-même interagissant avec d'autres composantes.

1.5 QUELLES UTILISATIONS POUR LE *CADRE DE RÉFÉRENCE* ?

1.5.1 Les utilisations

Le *Cadre européen commun de référence* servirait notamment à
- **élaborer des programmes d'apprentissage** des langues prenant en compte
  - les savoirs antérieurs supposés acquis et l'articulation de ces programmes avec les apprentissages précédents, notamment aux interfaces entre le primaire, le premier cycle du secondaire, le second cycle du secondaire, l'enseignement supérieur et l'enseignement continu
  - les objectifs
  - les contenus

- **organiser une certification en langues** à partir
  - d'examens définis en termes de contenu
  - de critères d'appréciation formulés en termes de résultats positifs, plutôt qu'en soulignant les insuffisances

- **mettre en place un apprentissage** auto-dirigé qui consiste à
  - développer chez l'apprenant la prise de conscience de l'état présent de ses connaissances et de ses savoir-faire
  - l'habituer à se fixer des objectifs valables et réalistes
  - lui apprendre à choisir du matériel
  - l'entraîner à l'auto-évaluation.

1.5.2 Typologie des programmes d'apprentissage et des certifications

Les programmes d'apprentissage et les certifications peuvent être
- **globaux**, faisant progresser l'apprenant dans tous les domaines de la compétence langagière et de la compétence à la communication
- **modulaires**, développant les compétences de l'apprenant dans un secteur limité pour un objectif bien déterminé
- **pondérés**, accordant une importance particulière à tel ou tel aspect de l'apprentissage et conduisant à un « profil » dans lequel les savoirs et savoir-faire d'un même apprenant se situent à des niveaux plus ou moins élevés
- **partiels**, ne prenant en charge que certaines activités et habiletés (la réception, par exemple) et laissant les autres de côté.

Le *Cadre commun* doit être construit de manière à pouvoir intégrer ces différentes formules.

1.5.3 Des qualifications adaptées

Lorsqu'on examine le rôle du *Cadre commun* à des niveaux avancés de l'apprentissage des langues, il convient de prendre en compte **l'évolution des besoins** des apprenants et du contexte dans lequel ils vivent, étudient et travaillent. Il existe, à un niveau au-delà du Niveau seuil, un besoin de qualifications générales que l'on peut situer par rapport au *Cadre commun*, à condition que ces qualifications soient bien définies, adaptées aux situations nationales, et qu'elles couvrent des domaines nouveaux, notamment culturels et plus spécialisés. En outre, les modules, ou groupes de modules, adaptés aux besoins, aux caractéristiques et aux ressources spécifiques des apprenants vont probablement jouer un rôle considérable.

1.6 À QUELS CRITÈRES LE *CADRE DE RÉFÉRENCE* DOIT-IL RÉPONDRE ?

1.6.1 Pour atteindre ses buts, le *Cadre européen commun* doit être **suffisamment exhaustif, transparent** et **cohérent**.

1.6.1.1 Par « **suffisamment exhaustif** », nous entendons que le *Cadre européen commun* spécifie, autant que faire se peut, toute la gamme des savoirs linguistiques, des savoir-faire langagiers et des emplois de la langue (sans toutefois essayer, bien évidemment, de prévoir *a priori*, tous les emplois possibles de la langue : tâche impossible) et que tout utilisateur devrait pouvoir décrire ses objectifs, etc., en s'y référant. Le *Cadre européen commun* devra distinguer les diverses dimensions considérées dans la description d'une compétence langagière et fournir une série de points de référence (niveaux ou échelons) permettant d'étalonner les progrès de l'apprentissage. Il convient de garder à l'esprit le fait que le développement de la compétence à communiquer prend en compte des dimensions autres que purement linguistiques (par exemple, sensibilisation aux aspects socio-culturels, imaginatifs et affectifs ; aptitude à « apprendre à apprendre », etc.).

1.6.1.2 Par « **transparent** », nous voulons dire que les informations doivent être clairement formulées et explicitées, accessibles et facilement compréhensibles par les intéressés.

1.6.1.3 Il faut entendre par « **cohérent** » le fait que l'analyse proposée ne comporte aucune contradiction interne. En ce qui concerne les systèmes éducatifs, la cohérence exige qu'il y ait des rapports harmonieux entre leurs éléments

– l'identification des besoins
– la détermination des objectifs
– la définition des contenus
– le choix ou la production de matériaux
– l'élaboration de programmes d'enseignement/apprentissage
– le choix des méthodes d'enseignement et d'apprentissage à utiliser
– l'évaluation et le contrôle.

1.6.2 La construction d'un Cadre exhaustif, transparent et cohérent pour l'apprentissage et l'enseignement des langues n'entraîne pas nécessairement l'adoption d'un système unique et uniforme. Au contraire, le *Cadre commun* doit être ouvert et flexible de façon à pouvoir être appliqué à des situations particulières moyennant les adaptations qui s'imposent. Le *Cadre de référence* doit être

– **à usages multiples** : on pourra l'utiliser à toutes fins possibles dans la planification et la mise à disposition des moyens nécessaires à l'apprentissage d'une langue
– **souple** : on pourra l'adapter à des conditions différentes
– **ouvert** : il pourra être étendu et affiné
– **dynamique** : il sera en constante évolution en fonction des feed backs apportés par son utilisation
– **convivial** : il sera présenté de façon à être directement compréhensible et utilisable par ceux à qui il est destiné
– **non dogmatique** : il n'est rattaché de manière irrévocable et exclusive à aucune des théories ou pratiques concurrentes de la linguistique ou des sciences de l'éducation.

CHAPITRE 2
APPROCHE RETENUE

PANORAMA

2.1 UNE PERSPECTIVE ACTIONNELLE

Un Cadre de référence pour l'apprentissage, l'enseignement et l'évaluation des langues vivantes, transparent, cohérent et aussi exhaustif que possible, doit se situer par rapport à une représentation d'ensemble très générale de l'usage et de l'apprentissage des langues. La perspective privilégiée ici est, très généralement aussi, de type actionnel en ce qu'elle considère avant tout l'usager et l'apprenant d'une langue comme des acteurs sociaux ayant à accomplir des tâches (qui ne sont pas seulement langagières) dans des circonstances et un environnement donnés, à l'intérieur d'un domaine d'action particulier. Si les actes de parole se réalisent dans des activités langagières, celles-ci s'inscrivent elles-mêmes à l'intérieur d'actions en contexte social qui seules leur donnent leur pleine signification. Il y a « tâche » dans la mesure où l'action est le fait d'un (ou de plusieurs) sujet(s) qui y mobilise(nt) stratégiquement les compétences dont il(s) dispose(nt) en vue de parvenir à un résultat déterminé. La perspective actionnelle prend donc aussi en compte les ressources cognitives, affectives, volitives et l'ensemble des capacités que possède et met en œuvre l'acteur social.

De ce point de vue, on admettra ici que toute forme d'usage et d'apprentissage d'une langue peut être caractérisée par une proposition telle que celle-ci.

> ### Caractéristiques de toute forme d'usage et d'apprentissage d'une langue
>
> L'usage d'une langue, y compris son apprentissage, comprend les actions accomplies par des gens qui, comme individus et comme acteurs sociaux, développent un ensemble de **compétences générales** et, notamment une **compétence à communiquer langagièrement**. Ils mettent en œuvre les compétences dont ils disposent dans des **contextes** et des **conditions** variés et en se pliant à différentes **contraintes** afin de réaliser des **activités langagières** permettant de traiter (en réception et en production) des **textes** portant sur des thèmes à l'intérieur de **domaines** particuliers, en mobilisant les **stratégies** qui paraissent le mieux convenir à l'accomplissement des **tâches** à effectuer. Le contrôle de ces activités par les interlocuteurs conduit au renforcement ou à la modification des compétences.

- **Les compétences** sont l'ensemble des connaissances, des habiletés et des dispositions qui permettent d'agir.

- **Les compétences générales** ne sont pas propres à la langue mais sont celles auxquelles on fait appel pour des activités de toutes sortes, y compris langagières.

- **Le contexte** renvoie à la multitude des événements et des paramètres de la situation (physiques et autres), propres à la personne mais aussi extérieurs à elle, dans laquelle s'inscrivent les actes de communication.

- **Les activités langagières** impliquent l'exercice de la compétence à communiquer langagièrement, dans un domaine déterminé, pour traiter (recevoir et/ou produire) un ou des textes en vue de réaliser une tâche.

- **Le processus langagier** renvoie à la suite des événements neurologiques et physiologiques qui participent à la réception et à la production d'écrit et d'oral.

- **Est définie comme texte** toute séquence discursive (orale et/ou écrite) inscrite dans un domaine particulier et donnant lieu, comme objet ou comme visée, comme produit ou comme processus, à activité langagière au cours de la réalisation d'une tâche.

- **Par domaine** on convient de désigner de grands secteurs de la vie sociale où se réalisent les interventions des acteurs sociaux. Au niveau le plus général, on s'en tient à des catégorisations majeures intéressant l'enseignement/apprentissage des langues : domaine éducationnel, domaine professionnel, domaine public, domaine personnel.

- **Est considéré comme stratégie** tout agencement organisé, finalisé et réglé d'opérations choisies par un individu pour accomplir une tâche qu'il se donne ou qui se présente à lui.

• **Est définie comme tâche** toute visée actionnelle que l'acteur se représente comme devant parvenir à un résultat donné en fonction d'un problème à résoudre, d'une obligation à remplir, d'un but qu'on s'est fixé. Il peut s'agir tout aussi bien, suivant cette définition, de déplacer une armoire, d'écrire un livre, d'emporter la décision dans la négociation d'un contrat, de faire une partie de cartes, de commander un repas dans un restaurant, de traduire un texte en langue étrangère ou de préparer en groupe un journal de classe.

Si l'on pose que les diverses dimensions ci-dessus soulignées se trouvent en interrelation dans toute forme d'usage et d'apprentissage d'une langue, on pose aussi que tout acte d'apprentissage/enseignement d'une langue est concerné, en quelque manière, par chacune de ces dimensions : stratégies, tâches, textes, compétences individuelles, compétence langagière à communiquer, activités langagières et domaines.

Complémentairement, dans toute intervention d'apprentissage et d'enseignement, il peut y avoir focalisation particulière quant à l'objectif et donc quant à l'évaluation, sur telle ou telle dimension ou tel sous-ensemble de dimensions (les autres dimensions étant alors considérées comme moyens par rapport aux objectifs, ou comme à privilégier à d'autres moments, ou comme non pertinentes en la circonstance). Apprenants, enseignants, responsables de programmes d'études, auteurs de supports pédagogiques et concepteurs de tests s'inscrivent nécessairement dans ce jeu entre focalisation sur une dimension, et degré et mode de prise en compte des autres. Des exemples illustreront plus loin cette assertion. Mais il est aisé de remarquer dès à présent que, si la visée souvent affichée (parce que la plus représentative d'une approche méthodologique ?) est le développement d'une compétence à communiquer, certains programmes d'enseignement/apprentissage visent de fait un développement qualitatif ou quantitatif des activités langagières en langue étrangère, d'autres insistent sur la performance dans un domaine particulier, d'autres encore sur l'épanouissement de certaines compétences générales individuelles, d'autres sur l'affinement de stratégies. Le constat que « tout se tient » n'interdit pas que les objectifs puissent être différenciés.

On peut diviser chacune des catégories ci-dessus en sous-catégories elles-mêmes encore très générales et que l'on étudiera dans les chapitres suivants. On ne s'intéressera ici qu'aux différentes dimensions des compétences générales, de la compétence communicative et aux activités et domaines langagiers.

2.1.1 Compétences générales individuelles

Les compétences générales individuelles du sujet apprenant ou communiquant (voir 5.1) reposent notamment sur les **savoirs**, **savoir-faire** et **savoir-être** qu'il possède, ainsi que sur ses **savoir-apprendre**.

• **Les savoirs, ou connaissance déclarative** (voir 5.1.1) sont à entendre comme des connaissances résultant de l'expérience sociale (savoirs empiriques) ou d'un apprentissage plus formel (savoirs académiques). Toute communication humaine repose sur une connaissance partagée du monde. En relation à l'apprentissage et à l'usage des langues, les savoirs qui interviennent ne sont pas, bien entendu, seulement ceux qui ont à voir directement avec les langues et cultures. Les connaissances académiques d'un domaine éducationnel, scientifique ou technique, les connaissances académiques ou empiriques d'un domaine professionnel sont évidemment d'importance dans la réception et la compréhension de textes en langue étrangère relevant des domaines en question. Mais les connaissances empiriques relatives à la vie quotidienne (organisation de la journée, déroulement des repas, modes de transport, de communication et d'information), aux domaines public ou personnel, sont tout aussi fondamentales pour la gestion d'activités langagières en langue étrangère. La connaissance des valeurs et des croyances partagées de certains groupes sociaux dans d'autres régions ou d'autres pays telles que les croyances religieuses, les tabous, une histoire commune, etc., sont essentielles à la communication interculturelle. Les multiples domaines du savoir varient d'un individu à l'autre. Ils peuvent être propres à une culture donnée ; ils renvoient néanmoins à des constantes universelles.

Si l'on admet que toute connaissance nouvelle ne vient pas seulement s'adjoindre à des connaissances préexistantes mais, d'une part, dépend pour son intégration de la nature, de la richesse et de la structuration de ces dernières et, d'autre part, contribue comme en retour à les modifier et à les restructurer, ne serait-ce que localement, alors il va de soi que les savoirs dont dispose l'individu intéressent directement l'apprentissage d'une langue. Dans de nombreux cas, les méthodes d'enseignement et d'apprentissage présupposent que cette connaissance du monde existe. Toutefois, dans certains contextes (expériences d'immersion, scolarisation ou poursuite d'études universitaires en langue autre que maternelle), il y a enrichissement simultané et articulé de connaissances linguistiques et de connaissances autres. Les relations entre savoirs et compétence à communiquer demandent qu'on les considère attentivement.

• **Les habiletés et savoir-faire** (voir 5.1.2), qu'il s'agisse de conduire une voiture, jouer du violon ou présider une réunion, relèvent de la maîtrise procédurale plus que de la connaissance déclarative, mais cette maîtrise a pu nécessiter, dans l'apprentissage préalable, la mise en place de savoirs ensuite « oubliables » et s'accompagne de formes de savoir-être, tels que détente ou tension dans l'exécution.
Ainsi, pour s'en tenir au cas de la conduite automobile ce qui est devenu, par l'accoutumance et l'expérience, un enchaînement quasi automatique de procédures (débrayer, passer les vitesses, etc.) a demandé à l'origine, une décomposition explicite d'opérations conscientes et verbalisables (Vous relâchez doucement la pédale d'embrayage, vous passez en troisième…) et la mise en place initiale de savoirs (il y a trois pédales dans une voiture non automatique, qui se situent les unes par rapport aux autres de telle manière, etc.) auxquels il n'est plus besoin de faire appel consciemment en tant que tels lorsque l'on « sait conduire ». Pendant l'apprentissage de la conduite, une attention forte a généralement été requise, une conscience de soi et de son corps d'autant plus vive que l'image de soi (risque d'échec, de raté, de manifestation d'incompétence) se trouve particulièrement exposée. Une fois la maîtrise atteinte, on attendra du conducteur ou de la conductrice une manière d'être marquant l'aisance et la confiance en soi, sauf à inquiéter les passagers ou les autres

automobilistes. Il est clair que l'analogie avec certaines dimensions de l'apprentissage d'une langue pourrait ici être facilement établie (par exemple, la prononciation ou certaines parties de la grammaire telle que la conjugaison des verbes).

- **Les savoir-être** (voir 5.1.3), sont à considérer comme des dispositions individuelles, des traits de personnalité, des dispositifs d'attitudes, qui touchent, par exemple, à l'image de soi et des autres, au caractère introverti ou extraverti manifesté dans l'interaction sociale. On ne pose pas ces savoir-être comme des attributs permanents d'une personne et ils sont sujets à des variations. Y sont inclus les facteurs provenant de différentes sortes d'acculturation et ils peuvent se modifier.

Il est à noter que ces traits de personnalité, ces manières d'être, ces dispositions, se trouvent souvent pris en compte dans les considérations relatives à l'apprentissage et à l'enseignement des langues. C'est en cela aussi que, même si ils constituent un ensemble difficile à cerner et à désigner, ils doivent trouver leur place dans un Cadre de référence. D'autant plus si on les catégorise comme relevant des compétences générales individuelles et donc comme, d'une part, constitutifs aussi des capacités de l'acteur social et comme, d'autre part, acquérables ou modifiables dans l'usage et l'apprentissage mêmes (par exemple, d'une ou de plusieurs langues), la formation à ces manières d'être peut devenir un objectif. Comme le constat en est fréquent, les savoir-être se trouvent culturellement inscrits et constituent dès lors des lieux sensibles pour les perceptions et les relations entre cultures : telle manière d'être que tel membre d'une culture donnée adopte comme propre à exprimer chaleur cordiale et intérêt pour l'autre peut être reçue par tel membre d'une autre culture comme marque d'agressivité ou de vulgarité.

- **Les savoir-apprendre** (voir 5.1.4) mobilisent tout à la fois des savoir-être, des savoirs et des savoir-faire et s'appuient sur des compétences de différents types. En la circonstance, « savoir-apprendre » peut aussi être paraphrasé comme « savoir/être disposé à découvrir l'autre », que cet autre soit une autre langue, une autre culture, d'autres personnes ou des connaissances nouvelles.

Si la notion de « savoir apprendre » est valable dans tous les domaines, elle trouve un écho particulier à propos de l'apprentissage des langues. Selon les apprenants, savoir apprendre renvoie à des **combinaisons** différentes à différents degrés de certains aspects du savoir-être, du savoir-faire et du savoir. Savoir apprendre se combine à
- *savoir-être* : par exemple une disposition à prendre des initiatives, voire des risques dans la communication en face à face, de manière à se donner des occasions de prise de parole, à provoquer une aide éventuelle de l'interlocuteur, à demander à ce dernier des reformulations facilitantes, etc. ; par exemple aussi des qualités d'écoute, d'attention à ce que dit l'autre, de conscience éveillée aux possibilités de malentendu culturel dans la relation avec l'autre
- *savoir* : par exemple savoir quels types de relations morpho-syntaxiques correspondent à des variations de déclinaisons pour telle langue à cas ; autre exemple : savoir que les pratiques alimentaires et amoureuses peuvent comporter des tabous ou des rituels particuliers variables suivant les cultures ou marqués par la religion
- *savoir-faire* : par exemple, se repérer rapidement dans un dictionnaire ou dans un centre documentaire ; savoir manipuler des supports audiovisuels ou informatiques offrant des ressources pour l'apprentissage.

Suivant les apprenants, les savoir-apprendre peuvent présenter des compositions et des pondérations variables entre savoir-être, savoirs et savoir-faire ainsi que la capacité à gérer l'inconnu.
Savoir apprendre peut présenter des **pondérations** en fonction de
- *variations suivant les objets* : selon qu'il a affaire à de nouvelles personnes, à un secteur de connaissance vierge pour lui, à une culture très peu familière, à une langue étrangère
- *variations suivant les projets* : face à un même objet (par exemple, les rapports parents/enfants dans une communauté donnée), les procédures de découverte, de recherche de sens ne seront sans doute pas les mêmes pour un ethnologue, un touriste, un missionnaire, un journaliste, un éducateur, un médecin, intervenant chacun dans leur perspective propre
- *variations suivant les moments et l'expérience antérieure* : les savoir-apprendre mis en œuvre pour une cinquième langue étrangère ont quelque chance d'être différents de ceux qui avaient été mis en œuvre pour une première langue étrangère.

Il faudra examiner ces variations au même titre que des concepts tels que « style d'apprentissage » ou « profil de l'apprenant » pour autant que ces derniers ne soient pas considérés comme immuablement fixés une fois pour toutes.

Dans une visée d'apprentissage, les stratégies que l'individu sélectionne pour accomplir une tâche donnée peuvent jouer de la diversité des savoir-apprendre qu'il a à sa disposition. Mais c'est aussi au travers de la diversité des expériences d'apprentissage, dès lors que celles-ci ne sont ni cloisonnées entre elles ni strictement répétitives, qu'il enrichit ses capacités à apprendre.

2.1.2 Compétence à communiquer langagièrement

La compétence à communiquer langagièrement peut être considérée comme présentant plusieurs composantes : une **composante linguistique**, une **composante sociolinguistique**, une **composante pragmatique**. Chacune de ces composantes est posée comme constituée notamment de savoirs, d'habiletés et de savoir-faire.

- **La compétence linguistique** est celle qui a trait aux savoirs et savoir-faire relatifs au lexique, à la phonétique, à la syntaxe et aux autres dimensions du système d'une langue, pris en tant que tel, indépendamment de la valeur sociolinguistique de ses variations et des fonctions pragmatiques de ses réalisations. Cette composante, considérée sous l'angle ici retenu de la compétence à communiquer langagièrement d'un acteur donné, a à voir non seulement avec l'étendue et la qualité des connaissances (par exemple en termes de distinctions phonétiques établies ou d'étendue et de précision du lexique), mais aussi avec l'organisation cognitive et le mode de stockage mémoriel de ces connaissances (par exemple les réseaux associatifs de divers ordres dans lesquels un élément lexical peut se trouver inclus pour ce locuteur) et avec leur accessibilité (activation, rappel et disponibilité). Les connaissances peuvent être conscientes et explicitables ou non (par exemple, là encore, quant à la maîtrise d'un système phonétique). Leur organisation et leur accessibilité varient d'un individu à l'autre et, pour un même individu, connaissent aussi des variations internes (par exemple, pour un individu plurilingue, selon les variétés entrant dans sa compétence plurilingue). On considérera aussi que l'organisation cognitive du lexique, le stockage de locutions, etc. dépendent, entre autres facteurs, des caractéristiques culturelles de la (ou des) communauté(s) où se sont opérés la socialisation de l'acteur et ses divers apprentissages.

- **La compétence sociolinguistique** renvoie aux paramètres socioculturels de l'utilisation de la langue. Sensible aux normes sociales (règles d'adresse et de politesse, régulation des rapports entre générations, sexes, statuts, groupes sociaux, codification par le langage de nombre de rituels fondamentaux dans le fonctionnement d'une communauté), la composante sociolinguistique affecte fortement toute communication langagière entre représentants de cultures différentes, même si c'est souvent à l'insu des participants eux-mêmes.

- **La compétence pragmatique** recouvre l'utilisation fonctionnelle des ressources de la langue (réalisation de fonctions langagières, d'actes de parole) en s'appuyant sur des scénarios ou des scripts d'échanges interactionnels. Elle renvoie également à la maîtrise du discours, à sa cohésion et à sa cohérence, au repérage des types et genres textuels, des effets d'ironie, de parodie. Plus encore pour cette composante que pour la composante linguistique, il n'est guère besoin d'insister sur les incidences fortes des interactions et des environnements culturels dans lesquels s'inscrit la construction de telles capacités.

Toutes les catégories utilisées ici ont pour but de caractériser les domaines et les types de compétences qu'un acteur social a intégrés, à savoir les représentations, les mécanismes et les capacités dont on peut considérer que la réalité cognitive rend compte de comportements et de réalisations observables. Simultanément, tout processus d'apprentissage facilitera le développement ou la transformation de ces représentations internes, de ces mécanismes et de ces capacités.

On étudiera plus en détail chacune de ces composantes dans le Chapitre 5.

2.1.3 Activités langagières

La compétence à communiquer langagièrement du sujet apprenant et communiquant est mise en œuvre dans la réalisation d'activités langagières variées pouvant relever de la **réception**, de la **production**, de l'**interaction**, de la **médiation** (notamment les activités de traduction et d'interprétation), chacun de ces modes d'activités étant susceptible de s'accomplir soit à l'oral, soit à l'écrit, soit à l'oral et à l'écrit.

- Pour autant, les activités langagières de **réception** (orale et/ou écrite) ou de **production** (orale et/ou écrite) sont évidemment premières car indispensables dans le jeu même de l'interaction. Toutefois, dans ce *Cadre de référence*, l'usage de ces termes pour des activités langagières se limitera au rôle qu'elles jouent lorsqu'elles sont isolées. Les activités de réception supposent le silence et l'attention au support. Elles tiennent également une grande place dans bien des formes d'apprentissage (comprendre le contenu d'un cours, consulter des manuels, des ouvrages de référence et des documents). Les activités de production ont une fonction importante dans nombre de secteurs académiques et professionnels (présentations et exposés oraux, études et rapports écrits) et dans l'évaluation sociale à laquelle elles donnent particulièrement lieu (jugements portés sur les prestations écrites ou sur la fluidité, l'aisance des prises de parole et de l'exposition orale).

- Dans l'**interaction**, au moins deux acteurs participent à un échange oral et/ou écrit et alternent les moments de production et de réception qui peuvent même se chevaucher dans les échanges oraux. Non seulement deux interlocuteurs sont en mesure de se parler mais ils peuvent simultanément s'écouter. Même lorsque les tours de parole sont strictement respectés, l'auditeur est généralement en train d'anticiper sur la suite du message et de préparer une réponse. Ainsi, apprendre à interagir suppose plus que d'apprendre à recevoir et à produire des énoncés. On accorde généralement une grande importance à l'interaction dans l'usage et l'apprentissage de la langue étant donné le rôle central qu'elle joue dans la communication.

- Participant à la fois de la réception et de la production, les activités écrites et/ou orales de **médiation**, permettent, par la traduction ou l'interprétariat, le résumé ou le compte rendu, de produire à l'intention d'un tiers une (re)formulation accessible d'un texte premier auquel ce tiers n'a pas d'abord accès direct. Les activités langagières de médiation, (re)traitant un texte déjà là, tiennent une place considérable dans le fonctionnement langagier ordinaire de nos sociétés.

2.1.4 Domaines

Ces activités langagières s'inscrivent à l'intérieur de domaines eux-mêmes très divers mais où, en relation à l'apprentissage des langues, il est pertinent de séparer quatre secteurs majeurs : le **domaine public**, le **domaine professionnel**, le **domaine éducationnel** et le **domaine personnel**.

- Sous **domaine public**, on situe tout ce qui relève des échanges sociaux ordinaires (relations commerçantes et civiles ; services publics, activités culturelles, de loisir dans des lieux publics, relations aux médias, etc.). Complémentairement, le **domaine personnel** sera caractérisé aussi bien par les relations familiales que par les pratiques sociales individuelles.

- **Le domaine professionnel** recouvre tout ce qui concerne les interventions et relations des acteurs dans l'exercice de leur activité professionnelle. Le **domaine éducationnel** est celui où l'acteur se trouve dans un contexte (le plus souvent institutionnalisé) de formation et est censé y acquérir des connaissances ou des habiletés définies.

2.1.5 Tâches, stratégies et textes

Communication et apprentissage passent par la réalisation de **tâches** qui ne sont pas uniquement langagières même si elles impliquent des activités langagières et sollicitent la compétence à communiquer du sujet. Dans la mesure où ces tâches ne sont ni routinières ni automatisées, elles requièrent le recours à des **stratégies** de la part de l'acteur qui communique et apprend. Dans la mesure où leur accomplissement passe par des activités langagières, elles comportent le traitement (par la réception, la production, l'interaction, la médiation) de **textes** oraux ou écrits.

Le **modèle** d'ensemble ainsi esquissé est **de type résolument actionnel**. Il se trouve centré sur la relation entre, d'un côté, les stratégies de l'acteur elles-mêmes liées à ses compétences et à la perception/représentation qu'il a de la situation où il agit et, d'un autre côté, la ou les tâche(s) à réaliser dans un environnement et des conditions donnés.

Ainsi, quelqu'un qui doit déplacer une armoire (tâche) peut essayer de la pousser, la démonter pour la transporter plus facilement et la remonter, faire appel à une main-d'œuvre extérieure, renoncer et se convaincre que ça peut attendre demain, etc. (autant de stratégies). Suivant la stratégie retenue, l'exécution (ou l'évitement, le report, la redéfinition) de la tâche, passera ou non par une activité langagière et un traitement de texte (lire une notice de démontage, passer un coup de téléphone, etc.). De même un élève qui doit traduire un texte de langue étrangère (tâche) peut rechercher s'il existe déjà une traduction, demander à un autre élève de lui montrer ce qu'il a fait, recourir à un dictionnaire, reconstruire vaille que vaille un sens à partir de quelques mots ou agencements syntaxiques qu'il connaît, imaginer une bonne excuse pour ne pas rendre ce devoir, etc. (stratégies multiples).

Pour tous les cas ici envisagés, il y aura nécessairement, cette fois, activité langagière et traitement de texte (traduction/médiation, négociation verbale avec un camarade, lettre ou paroles d'excuse au professeur, etc.).

La relation entre stratégies, tâche et texte est fonction de la nature de la tâche. Celle-ci peut être essentiellement langagière, c'est-à-dire que les actions qu'elle requiert sont avant tout des activités langagières et que les stratégies mises en œuvre portent d'abord sur ces activités langagières (par exemple : lire un texte et en faire un commentaire, compléter un exercice à trous, donner une conférence, prendre des notes pendant un exposé). Elle peut comporter une composante langagière, c'est-à-dire que les actions qu'elle requiert ne sont que pour partie des activités langagières et que les stratégies mises en œuvre portent aussi ou avant tout sur autre chose que ces activités (par exemple : confectionner un plat à partir de la consultation d'une fiche-recette).

La tâche peut s'effectuer aussi bien sans recours à une activité langagière ; dans ce cas, les actions qu'elle requiert ne relèvent en rien de la langue et les stratégies mobilisées portent sur d'autres ordres d'actions.

Par exemple, le montage d'une tente de camping par plusieurs personnes compétentes peut se faire en silence. Il s'accompagnera éventuellement de quelques échanges oraux liés à la procédure technique, se doublera, le cas échéant, d'une conversation n'ayant rien à voir avec la tâche en cours, voire d'airs fredonnés par tel ou tel. L'usage de la langue s'avère nécessaire lorsqu'un membre du groupe ne sait plus ce qu'il doit faire ou si, pour une raison quelconque, la procédure habituelle ne marche pas.

Dans la perspective retenue, stratégies de communication et stratégies d'apprentissage ne sont donc que des stratégies parmi d'autres, tout comme tâches communicationnelles et tâches d'apprentissage ne sont que des tâches parmi d'autres. De même, textes « authentiques » ou textes fabriqués à des fins pédagogiques, textes de manuels ou textes produits par les apprenants ne sont que des textes parmi d'autres.

Les chapitres suivants proposent une présentation détaillée de chaque dimension et des sous-catégories, accompagnée d'exemples et de barèmes s'il y a lieu.
- Le Chapitre 4 traite de la dimension de l'utilisation de la langue – ce qu'on exige qu'un apprenant ou un utilisateur sache faire.
- Le Chapitre 5 traite des compétences qui permettent à un usager de la langue d'agir.

2.2 NIVEAUX COMMUNS DE RÉFÉRENCE D'UNE COMPÉTENCE LANGAGIÈRE

Outre la description commentée ci-dessus, le Chapitre 3 fournit une « dimension verticale » et présente une série ascendante de niveaux de référence communs pour décrire la compétence de l'apprenant. Les catégories descriptives qu'introduisent les Chapitres 4 et 5 tracent les grandes lignes d'une « dimension horizontale » constituée de paramètres d'activité communicative et de compétence langagière communicative. Il est courant de présenter une série de niveaux dans une série de paramètres sous forme d'une grille avec une entrée horizontale et une entrée verticale. Il s'agit là, bien sûr, d'une simplification considérable puisqu'il suffirait, par exemple, d'ajouter le domaine pour donner une troisième dimension et transformer cette grille en cube notionnel. Représenter le degré de multidimensionnalité en cause sur un diagramme constituerait un véritable défi, peut-être une impossibilité.

L'addition d'une dimension verticale au *Cadre de référence* permet néanmoins de dessiner ou d'ébaucher l'espace d'apprentissage de façon simplifiée certes, mais utile pour un certain nombre de raisons.
- L'effort de définition de la compétence de l'apprenant en regard des catégories utilisées dans le *Cadre de référence* peut aider à rendre plus concret ce qu'il est approprié d'attendre à différents niveaux de réalisation en fonction de ces catégories. En retour, cela peut faciliter la rédaction d'énoncés clairs et réalistes d'objectifs généraux d'apprentissage.

- L'apprentissage à moyen ou long terme doit s'organiser en unités qui tiennent compte de la progression et assurent un suivi. Les programmes et les supports doivent se situer les uns par rapport aux autres. Un cadre de référence de niveaux peut faciliter cette opération.
- Les efforts d'apprentissage relatifs à ces objectifs et à ces unités doivent aussi se placer sur cette ligne verticale de progrès, c'est-à-dire être évalués en fonction de la compétence acquise. L'existence d'énoncés de compétences ou de savoir-faire peut faciliter cette opération.
- Une évaluation de ce type doit tenir compte des apprentissages aléatoires, hors système scolaire, tels que les enrichissements marginaux évoqués précédemment. L'existence d'un ensemble d'énoncés de compétences qui dépassent les limites d'un programme donné peut faciliter cette opération.
- L'apport d'une batterie d'énoncés de compétences facilitera la comparaison des objectifs, des niveaux, du matériel, des tests et des réalisations dans des situations et des systèmes différents.
- Un cadre de référence qui prend en compte à la fois la dimension horizontale et la dimension verticale facilite la définition d'objectifs partiels et la reconnaissance de compétences partielles et de profils non équilibrés en termes d'aptitudes.
- Un cadre de niveaux et de catégories qui facilite l'établissement du profil d'objectifs peut être un outil pour l'inspecteur. Un cadre de référence de ce type peut aider à évaluer si les apprenants travaillent au niveau convenable dans différents domaines et si leur performance dans ces domaines se situe dans une norme correspondant à leur niveau d'apprentissage, à leurs buts immédiats et, à plus long terme, aux résultats plus larges escomptés en termes de compétence langagière réelle et de développement personnel.
- Enfin, durant leur carrière d'apprenants de langues, les étudiants seront amenés à fréquenter un certain nombre d'institutions éducatives et d'organismes offrant des cours de langue ; l'existence d'une échelle de niveaux peut faciliter la collaboration de ces secteurs entre eux. Avec une mobilité personnelle accrue, il est de plus en plus courant que des apprenants passent d'un système éducatif à un autre à la fin, voire au milieu, d'un cycle. Ce phénomène rend encore plus importante l'existence d'une échelle commune qui rende compte de leurs acquisitions.

En examinant la dimension verticale du *Cadre de référence*, il ne faut pas oublier que le processus d'apprentissage d'une langue est continu et individuel. Il n'y a pas deux usagers d'une langue, qu'ils soient locuteurs natifs ou apprenants étrangers, qui aient exactement les mêmes compétences ou qui les développent de la même façon. Toute tentative pour définir des « niveaux » de compétence est arbitraire, dans une large mesure, comme elle le serait dans tout autre domaine de savoir ou de savoir-faire. Toutefois, il est utile, pour des raisons pratiques, de **mettre en place une échelle de niveaux** afin de segmenter le processus d'apprentissage en vue de l'élaboration de programmes, de rédaction d'examens, etc. Leur nombre et le niveau qu'ils atteignent dépendront largement de l'organisation particulière de tel ou tel système éducatif et de l'objectif qui a présidé à leur élaboration. On peut définir les démarches et les critères pour l'étalonnage et la formulation des descripteurs comme pour caractériser les niveaux successifs de compétence. Les questions soulevées et les options possibles sont approfondies dans l'Annexe A. On recommande vivement aux utilisateurs de ce *Cadre de référence* de consulter cette partie et la bibliographie qui l'accompagne avant de prendre leurs propres décisions quant à l'étalonnage.

Il faut également se souvenir que les niveaux ne reflètent qu'une dimension verticale. Ils ne tiennent que très peu compte du fait que l'apprentissage d'une langue se joue sur un progrès horizontal autant que vertical, au fur et à mesure que les apprenants deviennent performants dans une gamme plus large d'activités. Le progrès ne consiste pas seulement à gravir une échelle verticale. Il n'y a pas d'obligation logique particulière, pour un apprenant, de passer par tous les niveaux élémentaires d'une échelle. Il peut prendre une entrée horizontale (en passant par une catégorie voisine) en élargissant ses aptitudes plutôt qu'en les accroissant dans une même catégorie. Réciproquement, l'expression « approfondir ses connaissances » reconnaît que l'on peut, à un moment donné, ressentir le besoin de consolider ses gains pragmatiques par un « retour aux sources » (en l'occurrence, les niveaux élémentaires) dans un domaine dans lequel on s'est déplacé latéralement.

Enfin, il faut **être prudent dans l'interprétation** d'un ensemble de niveaux et d'échelles de la compétence langagière et ne pas les considérer comme un instrument de mesure semblable à un mètre. Il n'existe pas d'échelle ni d'ensemble de niveaux qui puisse se prévaloir d'être ainsi linéaire. Selon les termes des séries de spécifications du contenu du Conseil de l'Europe, même si le *Waystage* (*Niveau intermédiaire ou de survie*) se situe à mi-parcours du *Niveau seuil* (*Threshold*) sur une échelle de niveaux, et le *Niveau seuil* (*Threshold*) à mi-parcours du *Vantage* (*Niveau avancé ou indépendant*), l'expérience que l'on a des échelles existantes tend à prouver que les apprenants prendront plus de deux fois le temps nécessaire pour atteindre le *Niveau seuil* qu'ils ne l'avaient fait pour atteindre le *Waystage*, et probablement aussi plus de deux fois le temps qu'il leur a fallu pour le *Niveau seuil* avant d'atteindre le *Vantage* – et ce même si ces niveaux paraissent équidistants sur l'échelle. La cause en est l'indispensable élargissement de la gamme des activités, des aptitudes et des discours. Cet état de fait se reflète dans la présentation fréquente d'une échelle de niveaux sous la forme d'un diagramme qui ressemble à un cornet de glace, un cône en trois dimensions qui s'élargit vers le haut. Il faut user d'une extrême prudence lorsqu'on utilise une échelle de niveaux, quelle qu'elle soit, pour calculer le temps moyen de « face à face » nécessaire pour atteindre des objectifs donnés.

2.3 APPRENTISSAGE ET ENSEIGNEMENT DE LA LANGUE

2.3.1 De tels exposés des objectifs d'apprentissage ne révèlent rien des opérations par lesquelles les apprenants deviennent capables d'agir comme il se doit, ou de celles par lesquelles ils construisent ou développent les compétences qui rendent les actes langagiers possibles. Ils ne disent rien non plus des moyens utilisés par les enseignants pour faciliter le processus d'acquisition et d'apprentissage de la langue. Cependant, puisque l'une des fonctions principales du *Cadre de référence* est d'**encourager** tous les différents partenaires de l'enseignement et de l'apprentissage des langues et de leur **donner les moyens**

d'informer les autres de manière aussi transparente que possible, non seulement de leurs buts et de leurs objectifs mais aussi des méthodes qu'ils utilisent et des résultats réellement obtenus, il apparaît clairement que le *Cadre de référence* ne peut se limiter au savoir, aux aptitudes et aux attitudes que les apprenants doivent acquérir afin de fonctionner en utilisateurs compétents de la langue, mais qu'il doit aussi **traiter du processus d'acquisition et d'apprentissage** de la langue ainsi que des méthodes d'enseignement. Ces questions seront traitées au Chapitre 6.

2.3.2 Il faut toutefois clarifier une fois encore le rôle du *Cadre de référence* eu égard à l'acquisition, l'apprentissage et l'enseignement des langues. En accord avec les principes fondamentaux d'une démocratie plurielle, le *Cadre de référence* se veut aussi exhaustif que possible, ouvert, dynamique et non dogmatique. C'est pour cela qu'il ne peut prendre position d'un côté ou de l'autre dans les débats théoriques actuels sur la nature de l'acquisition des langues et sa relation à l'apprentissage ; pas plus qu'il ne saurait préconiser une approche particulière de l'enseignement. Il a pour fonction d'encourager **tous** ceux qui s'inscrivent comme partenaires dans le processus d'enseignement/apprentissage à énoncer de manière aussi explicite et claire que possible leurs propres bases théoriques et leurs démarches pratiques. Afin de jouer ce rôle, il **dresse un inventaire de paramètres, de catégories, de critères et d'échelles** dans lesquels les utilisateurs peuvent puiser ; cet inventaire peut aussi éventuellement les stimuler à prendre en considération un choix d'options plus large ou à mettre en question les hypothèses traditionnelles sur lesquelles ils fonctionnent et qu'ils n'avaient pas examinées auparavant. Cela ne signifie en aucune façon que ces hypothèses soient fausses mais seulement que tous ceux qui sont responsables de planification ont à gagner d'un réexamen de la théorie et de la pratique dans lequel ils prendront en compte les décisions que d'autres partenaires ont prises de leur côté et, notamment, dans d'autres pays d'Europe.

Un Cadre de référence ouvert et « neutre » ne suppose pas, bien évidemment, une absence de politique. En proposant ce *Cadre de référence*, le Conseil de l'Europe ne s'éloigne en aucune façon des principes énoncés plus haut dans le Chapitre 1 ou dans les *Recommandations* R (82) 18 et R (98) 6 que le Comité des Ministres a adressées aux gouvernements membres.

2.3.3 Les Chapitres 4 et 5 traitent essentiellement des actes de parole et des compétences exigés d'un apprenant/utilisateur par rapport à une langue donnée afin de communiquer avec les autres usagers de cette langue.

L'essentiel du Chapitre 6 porte sur la façon de développer les capacités nécessaires et comment faciliter ce développement.

Le Chapitre 7 s'intéresse plus particulièrement au rôle des tâches dans l'utilisation et l'apprentissage de la langue. Toutefois, il reste à explorer toutes les répercussions de l'adoption d'une approche plurilingue et pluriculturelle.

En conséquence, le Chapitre 8 étudie plus en détail d'abord la nature et le développement d'une compétence plurilingue et, ensuite, ses conséquences sur la diversification des politiques éducatives et en matière d'enseignement des langues.

2.4 ÉVALUATION

Le titre complet du *Cadre européen commun de référence pour les langues* mentionne également : *apprendre, enseigner, évaluer*. Jusqu'ici, on a mis l'accent sur la nature de l'utilisation de la langue et sur celle de l'utilisateur ainsi que sur les répercussions sur l'enseignement et l'apprentissage.

Le Chapitre 9 (et dernier) s'occupe plus particulièrement des fonctions du *Cadre de référence* par rapport à l'évaluation de la compétence en langue. Ce chapitre signale **trois directions possibles d'utilisation** du *Cadre de référence*
1. pour la définition du contenu des tests et examens
2. pour l'exposé des critères de réalisation des objectifs d'apprentissage, par rapport à la fois à l'évaluation d'une performance orale ou écrite donnée et à l'évaluation continue qu'elle soit auto-évaluation, paritaire ou magistrale
3. pour la description des niveaux de compétence dans les tests et examens existants, permettant ainsi de comparer des systèmes différents de qualifications.

Le chapitre expose ensuite en détail **les choix** qui ont été faits par ceux qui dirigent les **opérations d'évaluation**. Ces choix sont présentés en opposition par deux. Dans chaque cas, les termes utilisés sont clairement définis et l'on présente les avantages et les inconvénients relatifs par rapport au but de l'évaluation dans son contexte éducatif. Les conséquences du choix de l'une ou de l'autre option sont également énoncées.

Le chapitre se poursuit par l'étude de la **faisabilité en évaluation**. L'approche retenue se fonde sur l'observation qu'un système pratique d'évaluation ne saurait être trop compliqué. Il faut faire preuve de bon sens en ce qui concerne la quantité de détails à y faire entrer, par exemple dans la publication d'un programme d'examen, par rapport aux décisions extrêmement détaillées que l'on doit prendre en rédigeant un sujet d'examen ou en réalisant une banque d'items. Les examinateurs, en particulier à l'oral, travaillent sous tension en temps limité et ne peuvent manipuler qu'un nombre restreint de critères. Les apprenants qui souhaitent évaluer leur propre capacité pour savoir, par exemple, ce qu'ils doivent faire ensuite, disposent de plus de temps ; mais ils devront être sélectifs quant aux composantes de la compétence communicative générale significative pour eux. Ceci est une illustration du principe plus général selon lequel le *Cadre de référence* doit être aussi exhaustif que possible mais que ses utilisateurs doivent être sélectifs. Leur mode de sélection peut se fonder sur l'usage d'un système de classification plus simple qui, comme nous l'avons vu relativement aux « activités communicatives », peut effectuer un regroupement de catégories séparées dans le système général. D'un autre côté, les buts de l'utilisateur peuvent le conduire à développer certaines catégories dans des domaines qui les concernent plus particulièrement. Le chapitre commente les questions soulevées et illustre le commentaire en présentant des ensembles de critères adoptés pour l'évaluation de la compétence par un certain nombre de centres d'examens.

Le Chapitre 9 permettra à de nombreux utilisateurs de considérer les programmes et instructions des examens publics de façon plus éclairée et plus critique et d'avoir des attentes plus exigeantes en ce qui concerne l'information que les centres d'examen devraient fournir sur les objectifs, le contenu, les critères et les démarches des diplômes certifiants aux niveaux national et international (par exemple ALTE [*Association of Language Testers in Europe*], ICC [*International Certificate Conference* – Francfort]). Les formateurs trouveront ce chapitre utile pour accroître la prise de conscience des questions posées par l'évaluation des enseignants en formation initiale ou continue. Toutefois, les enseignants deviennent de plus en plus responsables de l'évaluation formative autant que sommative de leurs élèves et étudiants à tous les niveaux. On fait également de plus en plus appel à l'auto-évaluation des apprenants, que ce soit pour organiser et planifier leur apprentissage ou pour rendre compte de leur capacité à communiquer dans des langues qu'ils n'ont pas apprises de manière formelle mais qui contribuent à leur développement plurilingue.

On étudie à l'heure actuelle la présentation et l'usage d'un *Portfolio* ou **Portefeuille européen des langues à validité internationale**. Ce *Portfolio* permettrait aux apprenants d'apporter la preuve de leur progrès vers une compétence plurilingue en enregistrant toutes les sortes d'expériences d'apprentissage qu'ils ont eues dans un grand éventail de langues, progrès qui, sans cela, resterait méconnu et non certifié. L'idée est que le *Portfolio* encouragera les apprenants à faire régulièrement la mise à jour de leur auto-évaluation pour chaque langue et à l'archiver. Il sera essentiel pour la crédibilité du document que les témoignages de progrès soient apportés de façon responsable et transparente. La référence au *Cadre commun* sera garante de la validité.

Tous ceux qui sont impliqués professionnellement dans l'élaboration de tests ou dans l'administration et la mise en œuvre d'examens publics pourront consulter le Chapitre 9 en même temps que le *Guide de l'examinateur* (document CC-LANG (96) 10 rév), plus spécialisé. Ce guide, qui traite dans le détail de la conception d'examens et de l'évaluation, est complémentaire du Chapitre 9. Il contient également des suggestions bibliographiques, une annexe sur l'analyse d'items et un glossaire.

PANORAMA

3.1 CRITÈRES POUR LES DESCRIPTEURS DES NIVEAUX COMMUNS DE RÉFÉRENCE

L'un des buts du *Cadre de référence* est d'aider les partenaires à décrire les niveaux de compétence exigés par les normes, les tests et les examens existants afin de faciliter la comparaison entre les différents systèmes de qualifications. C'est à cet effet que l'on a conçu le **Schéma descriptif** et les **Niveaux communs de référence**. Ensemble, ils fournissent une grille conceptuelle que les utilisateurs exploiteront pour décrire leur système.

Échelle de niveaux de référence

Idéalement, une échelle de niveaux de référence dans un cadre commun devrait répondre aux **quatre critères** suivants. Deux d'entre eux relèvent de problèmes de description et les deux autres de problèmes de mesure.

Problèmes de description

- **L'échelle** d'un cadre commun de référence devrait être **hors contexte** afin de prendre en compte les résultats généralisables de situations spécifiques différentes. C'est-à-dire, par exemple, qu'il ne faudrait pas produire une échelle pour un milieu scolaire spécifique et l'appliquer ensuite à des adultes ou *vice versa*. Pourtant, **les descripteurs** d'une échelle commune de référence doivent, en même temps, être **pertinents par rapport au contexte**, rattachables à chacun des contextes pertinents et transférables dans ces contextes – ainsi qu'appropriés à la fonction pour laquelle on les y utilise. Cela signifie que les catégories par lesquelles on décrit ce que les apprenants sont capables de faire dans des situations différentes d'utilisation doivent pouvoir être rattachées aux contextes cibles d'utilisation de groupes d'apprenants différents dans l'ensemble de la population cible.

- Il faut aussi que **la description** se fonde sur des **théories** relatives à la compétence langagière bien que la théorie et la recherche actuellement disponibles soient inadéquates pour fournir une base. Toutefois, il faut que la description et la catégorisation s'appuient sur une théorie. Tout en se rapportant à la théorie, la **description** doit aussi rester **conviviale** – accessible aux praticiens – et elle devrait les encourager à approfondir leur réflexion sur le sens de « compétence » dans leur propre situation.

Problèmes de mesure

- **Les degrés de l'échelle** sur lesquels sont placées les compétences définies dans l'échelle commune d'un cadre de référence devraient être **objectivement fixés**, en ce sens qu'ils doivent se fonder sur une théorie de mesure. Ceci afin d'éviter de systématiser les erreurs par l'adoption de règles non fondées et de mécanismes empiriques chez leurs auteurs, les groupes particuliers de praticiens ou les échelles existantes qui sont consultés.

- **Le nombre de niveaux** adopté devrait pouvoir refléter la progression dans différents secteurs mais, pour chaque situation particulière, ne devrait pas excéder le nombre de niveaux que l'on peut raisonnablement et sûrement distinguer. Cela peut avoir pour conséquence l'adoption de degrés de dimensions différentes ou une approche avec deux gradations, l'une plus large pour les niveaux communs classiques, et l'autre, plus étroite et plus pédagogique, pour les niveaux locaux.

Élaboration des concepts

Il n'est pas facile de satisfaire à ces critères mais ils fournissent des orientations utiles. On peut en fait y parvenir en combinant les méthodes intuitives, qualitatives et quantitatives, ce qui contraste avec les façons purement intuitives qui président généralement à l'élaboration d'échelles de compétence langagière. Les méthodes intuitives peuvent suffire dans le cas de systèmes dans des contextes particuliers mais elles ont leurs limites s'il s'agit du développement d'une échelle dans un cadre commun de référence. Dans les approches intuitives, la fiabilité pêche d'abord par le fait qu'une formulation donnée à un niveau donné soit subjective. En second lieu, il ne faut pas écarter la possibilité que des utilisateurs venant de secteurs différents aient des perspectives différentes selon les besoins de leurs apprenants. Une échelle, comme un test, n'est valide que relativement aux contextes dans lesquels il a été prouvé qu'elle fonctionnait. La validation – qui suppose une analyse quantitative – est un processus suivi et, théoriquement, sans fin. La méthodologie adoptée pour l'élaboration des *Niveaux communs de référence* et de leurs descripteurs a donc été relativement rigoureuse. On y a mis en œuvre la **combinaison systématique de méthodes intuitives, qualitatives et quantitatives**. On a d'abord analysé le contenu des échelles existantes à la lumière des catégories de description du *Cadre de référence*. Ensuite, au cours d'une phase intuitive, ce matériel a été révisé, on a créé de nouveaux descripteurs et l'ensemble a été soumis à des experts. Après quoi, on a utilisé des méthodes qualitatives pour vérifier que les enseignants reconnaissaient les catégories descriptives choisies et que les descripteurs décrivaient bien les catégories qu'ils étaient censés décrire. On a enfin étalonné les meilleurs descripteurs selon des méthodes quantitatives. L'exactitude de cet étalonnage a depuis été contrôlée par des études similaires.

Les questions techniques relatives au développement et à l'étalonnage des descriptions des compétences langagières sont examinées en annexe.
- L'Annexe A introduit la question des échelles et de l'échelonnage ainsi que les méthodologies que l'on peut mettre en œuvre pour les élaborer.
- L'Annexe B donne une brève vue d'ensemble du projet du Fonds national suisse de recherche scientifique qui a développé les *Niveaux communs de référence* et les descripteurs correspondants dans des secteurs éducatifs différents.
- Enfin les Annexes C et D présentent deux projets européens similaires qui ont, depuis, suivi une semblable démarche pour concevoir et valider des descripteurs à l'intention de jeunes adultes.

L'Annexe C décrit le projet DIALANG. Dans le cadre d'un outil d'évaluation plus large, DIALANG a étendu et adapté à l'auto-évaluation les descripteurs du *Cadre européen commun*.

Dans l'Annexe D, c'est le projet de ALTE (*Association of Language Testers in Europe* – Association des centres d'évaluation en langues en Europe) sur les *Seuils fonctionnels d'apprentissage* qui est présenté. Cette recherche a conçu et validé un ensemble important de descripteurs que l'on peut également mettre en relation avec les *Niveaux communs de référence*. Ces descripteurs viennent compléter ceux du *Cadre de référence* puisqu'ils sont organisés en fonction de domaines d'utilisation pertinents pour des adultes.

Les projets présentés en annexe témoignent d'une large communauté d'intérêt avec, à la fois, les *Niveaux communs de référence* proprement dits et les concepts étalonnés sur différents niveaux dans les exemples de descripteurs. Il en ressort qu'un nombre croissant de preuves témoigne que les critères mentionnés ci-dessus sont au moins partiellement satisfaits.

3.2 NIVEAUX COMMUNS DE RÉFÉRENCE

En fait, il semble qu'il y ait un large consensus (encore que non universel) sur le nombre et la nature des niveaux appropriés pour l'organisation de l'apprentissage en langues et une reconnaissance publique du résultat. Tout cela permet de penser qu'un cadre de référence sur six niveaux généraux couvrirait complètement l'espace d'apprentissage pertinent pour les apprenants européens en langues.

Un cadre de référence en six niveaux

- **Le Niveau introductif ou découverte** (*Breakthrough*) correspond à ce que Wilkins appelait « *compétence formule* » dans sa proposition de 1978 et Trim « *compétence introductive* » dans la même publication[1].

- **Le Niveau intermédiaire ou de survie** (*Waystage*) reflète la spécification de contenus actuellement en vigueur au sein du Conseil de l'Europe.

- **Le Niveau seuil** (*Threshold*) reflète la spécification de contenus actuellement en vigueur au sein du Conseil de l'Europe.

- **Le Niveau avancé** (*Vantage*) **ou utilisateur indépendant**, supérieur au *Niveau seuil*, a été présenté comme étant une « *compétence opérationnelle limitée* » par Wilkins et par Trim comme une « *réponse appropriée dans des situations courantes* ».

- **Le Niveau autonome ou de compétence opérationnelle effective**, qui a été présentée par Trim comme « *compétence efficace* » et comme « *compétence opérationnelle adéquate* » par Wilkins, correspond à un niveau de compétence avancé convenable pour effectuer des tâches ou des études plus complètes.

---

1. Trim, J.L.M., *Des voies possibles pour l'élaboration d'une structure générale d'un système européen d'unités capitalisables pour l'apprentissage des langues vivantes par les adultes*, Conseil de l'Europe, 1979.

FRENCH

1001 - A0-A1

1002 - A1-A2

1100 - B1-B2

2100 - B2-C1

SPSS - stats thing

…ilkins : « *compétence opérationnelle globale* ») correspond à l'examen le plus …clure le niveau encore plus élevé de compétence interculturelle atteint par de …

…néraux

…tefois qu'ils correspondent à des interprétations supérieures ou inférieures de …ermédiaire et niveau avancé. En outre, il apparaît que les intitulés du Conseil … prêtent mal à la traduction. C'est pourquoi le système proposé adopte **une** … d'une division initiale **en trois niveaux généraux** A, B et C :

		B		C	
		Utilisateur indépendant		**Utilisateur expérimenté**	
		B1	B2	C1	C2
Introductif ou découverte	Intermédiaire ou de survie	Niveau seuil	Avancé ou indépendant	Autonome	Maîtrise

Figure 1

3.3 PRÉSENTATION DES NIVEAUX COMMUNS DE RÉFÉRENCE

L'élaboration d'un ensemble de points de référence communs ne limite en aucune façon les choix que peuvent faire des secteurs différents, relevant de cultures pédagogiques différentes, pour organiser et décrire leur système de niveaux. On peut aussi espérer que la formulation précise de l'ensemble de points communs de référence, la rédaction des descripteurs, se développeront avec le temps, au fur et à mesure que l'on intègre dans les descriptions l'expérience des États membres et des organismes compétents dans le domaine.

Il est également souhaitable que les points communs de référence soient présentés de manières différentes dans des buts différents (voir 8.3). Dans certains cas, il conviendra de résumer l'ensemble des *Niveaux communs de référence* dans un document de synthèse. Une présentation « globale » simplifiée de ce type facilitera la communication relative au système avec les utilisateurs non-spécialistes et donnera des lignes directrices aux enseignants et aux concepteurs de programmes.

UTILISATEUR EXPÉRIMENTÉ	**C2**	Peut comprendre sans effort pratiquement tout ce qu'il/elle lit ou entend. Peut restituer faits et arguments de diverses sources écrites et orales en les résumant de façon cohérente. Peut s'exprimer spontanément, très couramment et de façon précise et peut rendre distinctes de fines nuances de sens en rapport avec des sujets complexes.
	C1	Peut comprendre une grande gamme de textes longs et exigeants, ainsi que saisir des significations implicites. Peut s'exprimer spontanément et couramment sans trop apparemment devoir chercher ses mots. Peut utiliser la langue de façon efficace et souple dans sa vie sociale, professionnelle ou académique. Peut s'exprimer sur des sujets complexes de façon claire et bien structurée et manifester son contrôle des outils d'organisation, d'articulation et de cohésion du discours.
UTILISATEUR INDÉPENDANT	**B2**	Peut comprendre le contenu essentiel de sujets concrets ou abstraits dans un texte complexe, y compris une discussion technique dans sa spécialité. Peut communiquer avec un degré de spontanéité et d'aisance tel qu'une conversation avec un locuteur natif ne comportant de tension ni pour l'un ni pour l'autre. Peut s'exprimer de façon claire et détaillée sur une grande gamme de sujets, émettre un avis sur un sujet d'actualité et exposer les avantages et les inconvénients de différentes possibilités.
	B1	Peut comprendre les points essentiels quand un langage clair et standard est utilisé et s'il s'agit de choses familières dans le travail, à l'école, dans les loisirs, etc. Peut se débrouiller dans la plupart des situations rencontrées en voyage dans une région où la langue cible est parlée. Peut produire un discours simple et cohérent sur des sujets familiers et dans ses domaines d'intérêt. Peut raconter un événement, une expérience ou un rêve, décrire un espoir ou un but et exposer brièvement des raisons ou explications pour un projet ou une idée.
UTILISATEUR ÉLÉMENTAIRE	**A2**	Peut comprendre des phrases isolées et des expressions fréquemment utilisées en relation avec des domaines immédiats de priorité (par exemple, informations personnelles et familiales simples, achats, environnement proche, travail). Peut communiquer lors de tâches simples et habituelles ne demandant qu'un échange d'informations simple et direct sur des sujets familiers et habituels. Peut décrire avec des moyens simples sa formation, son environnement immédiat et évoquer des sujets qui correspondent à des besoins immédiats.
	A1	Peut comprendre et utiliser des expressions familières et quotidiennes ainsi que des énoncés très simples qui visent à satisfaire des besoins concrets. Peut se présenter ou présenter quelqu'un et poser à une personne des questions la concernant – par exemple, sur son lieu d'habitation, ses relations, ce qui lui appartient, etc. – et peut répondre au même type de questions. Peut communiquer de façon simple si l'interlocuteur parle lentement et distinctement et se montre coopératif.

Tableau 1 - Niveaux communs de compétences – Échelle globale

		A1	A2	B1
C O M P R E N D R E	**Écouter**	Je peux comprendre des mots familiers et des expressions très courantes au sujet de moi-même, de ma famille et de l'environnement concret et immédiat, si les gens parlent lentement et distinctement.	Je peux comprendre des expressions et un vocabulaire très fréquent relatifs à ce qui me concerne de très près (par exemple moi-même, ma famille, les achats, l'environnement proche, le travail). Je peux saisir l'essentiel d'annonces et de messages simples et clairs.	Je peux comprendre les points essentiels quand un langage clair et standard est utilisé et s'il s'agit de sujets familiers concernant le travail, l'école, les loisirs, etc. Je peux comprendre l'essentiel de nombreuses émissions de radio ou de télévision sur l'actualité ou sur des sujets qui m'intéressent à titre personnel ou professionnel si l'on parle d'une façon relativement lente et distincte.
	Lire	Je peux comprendre des noms familiers, des mots ainsi que des phrases très simples, par exemple dans des annonces, des affiches ou des catalogues.	Je peux lire des textes courts très simples. Je peux trouver une information particulière prévisible dans des documents courants comme les publicités, les prospectus, les menus et les horaires et je peux comprendre des lettres personnelles courtes et simples.	Je peux comprendre des textes rédigés essentiellement dans une langue courante ou relative à mon travail. Je peux comprendre la description d'événements, l'expression de sentiments et de souhaits dans des lettres personnelles.
P A R L E R	**Prendre part à une conversation**	Je peux communiquer, de façon simple, à condition que l'interlocuteur soit disposé à répéter ou à reformuler ses phrases plus lentement et à m'aider à formuler ce que j'essaie de dire. Je peux poser des questions simples sur des sujets familiers ou sur ce dont j'ai immédiatement besoin, ainsi que répondre à de telles questions.	Je peux communiquer lors de tâches simples et habituelles ne demandant qu'un échange d'informations simple et direct sur des sujets et des activités familiers. Je peux avoir des échanges très brefs même si, en règle générale, je ne comprends pas assez pour poursuivre une conversation.	Je peux faire face à la majorité des situations que l'on peut rencontrer au cours d'un voyage dans une région où la langue est parlée. Je peux prendre part sans préparation à une conversation sur des sujets familiers ou d'intérêt personnel ou qui concernent la vie quotidienne (par exemple famille, loisirs, travail, voyage et actualité).
	S'exprimer oralement en continu	Je peux utiliser des expressions et des phrases simples pour décrire mon lieu d'habitation et les gens que je connais.	Je peux utiliser une série de phrases ou d'expressions pour décrire en termes simples ma famille et d'autres gens, mes conditions de vie, ma formation et mon activité professionnelle actuelle ou récente.	Je peux m'exprimer de manière simple afin de raconter des expériences et des événements, mes rêves, mes espoirs ou mes buts. Je peux brièvement donner les raisons et explications de mes opinions ou projets. Je peux raconter une histoire ou l'intrigue d'un livre ou d'un film et exprimer mes réactions.
É C R I R E	**Écrire**	Je peux écrire une courte carte postale simple, par exemple de vacances. Je peux porter des détails personnels dans un questionnaire, inscrire par exemple mon nom, ma nationalité et mon adresse sur une fiche d'hôtel.	Je peux écrire des notes et messages simples et courts. Je peux écrire une lettre personnelle très simple, par exemple de remerciements.	Je peux écrire un texte simple et cohérent sur des sujets familiers ou qui m'intéressent personnellement. Je peux écrire des lettres personnelles pour décrire expériences et impressions.

Tableau 2 - Niveaux communs de compétences – Grille pour l'auto-évaluation

B2	C1	C2
Je peux comprendre des conférences et des discours assez longs et même suivre une argumentation complexe si le sujet m'en est relativement familier. Je peux comprendre la plupart des émissions de télévision sur l'actualité et les informations. Je peux comprendre la plupart des films en langue standard.	Je peux comprendre un long discours même s'il n'est pas clairement structuré et que les articulations sont seulement implicites. Je peux comprendre les émissions de télévision et les films sans trop d'effort.	Je n'ai aucune difficulté à comprendre le langage oral, que ce soit dans les conditions du direct ou dans les médias et quand on parle vite, à condition d'avoir du temps pour me familiariser avec un accent particulier.
Je peux lire des articles et des rapports sur des questions contemporaines dans lesquels les auteurs adoptent une attitude particulière ou un certain point de vue. Je peux comprendre un texte littéraire contemporain en prose.	Je peux comprendre des textes factuels ou littéraires longs et complexes et en apprécier les différences de style. Je peux comprendre des articles spécialisés et de longues instructions techniques même lorsqu'ils ne sont pas en relation avec mon domaine.	Je peux lire sans effort tout type de texte, même abstrait ou complexe quant au fond ou à la forme, par exemple un manuel, un article spécialisé ou une œuvre littéraire.
Je peux communiquer avec un degré de spontanéité et d'aisance qui rende possible une interaction normale avec un locuteur natif. Je peux participer activement à une conversation dans des situations familières, présenter et défendre mes opinions.	Je peux m'exprimer spontanément et couramment sans trop apparemment devoir chercher mes mots. Je peux utiliser la langue de manière souple et efficace pour des relations sociales ou professionnelles. Je peux exprimer mes idées et opinions avec précision et lier mes interventions à celles de mes interlocuteurs.	Je peux participer sans effort à toute conversation ou discussion et je suis aussi très à l'aise avec les expressions idiomatiques et les tournures courantes. Je peux m'exprimer couramment et exprimer avec précision de fines nuances de sens. En cas de difficulté, je peux faire marche arrière pour y remédier avec assez d'habileté pour que cela passe inaperçu.
Je peux m'exprimer de façon claire et détaillée sur une grande gamme de sujets relatifs à mes centres d'intérêt. Je peux développer un point de vue sur un sujet d'actualité et expliquer les avantages et les inconvénients de différentes possibilités.	Je peux présenter des descriptions claires et détaillées de sujets complexes, en intégrant des thèmes qui leur sont liés, en développant certains points et en terminant mon intervention de façon appropriée.	Je peux présenter une description ou une argumentation claire et fluide dans un style adapté au contexte, construire une présentation de façon logique et aider mon auditeur à remarquer et à se rappeler les points importants.
Je peux écrire des textes clairs et détaillés sur une grande gamme de sujets relatifs à mes intérêts. Je peux écrire un essai ou un rapport en transmettant une information ou en exposant des raisons pour ou contre une opinion donnée. Je peux écrire des lettres qui mettent en valeur le sens que j'attribue personnellement aux événements et aux expériences.	Je peux m'exprimer dans un texte clair et bien structuré et développer mon point de vue. Je peux écrire sur des sujets complexes dans une lettre, un essai ou un rapport, en soulignant les points que je juge importants. Je peux adopter un style adapté au destinataire.	Je peux écrire un texte clair, fluide et stylistiquement adapté aux circonstances. Je peux rédiger des lettres, rapports ou articles complexes, avec une construction claire permettant au lecteur d'en saisir et de mémoriser les points importants. Je peux résumer et critiquer par écrit un ouvrage professionnel ou une œuvre littéraire.

Tableau 2 - Niveaux communs de compétences – Grille pour l'auto-évaluation

	ÉTENDUE	CORRECTION	AISANCE	INTERACTION	COHÉRENCE
C2	Montre une grande souplesse dans la reformulation des idées sous des formes linguistiques différentes lui permettant de transmettre avec précision des nuances fines de sens afin d'insister, de discriminer ou de lever l'ambiguïté. A aussi une bonne maîtrise des expressions idiomatiques et familières.	Maintient constamment un haut degré de correction grammaticale dans une langue complexe, même lorsque l'attention est ailleurs (par exemple, la planification ou l'observation des réactions des autres).	Peut s'exprimer longuement, spontanément dans un discours naturel en évitant les difficultés ou en les rattrapant avec assez d'habileté pour que l'interlocuteur ne s'en rende presque pas compte.	Peut interagir avec aisance et habileté en relevant et en utilisant les indices non verbaux et intonatifs sans effort apparent. Peut intervenir dans la construction de l'échange de façon tout à fait naturelle, que ce soit au plan des tours de parole, des références ou des allusions, etc.	Peut produire un discours soutenu cohérent en utilisant de manière complète et appropriée des structures organisationnelles variées ainsi qu'une gamme étendue de mots de liaisons et autres articulateurs.
C1	A une bonne maîtrise d'une grande gamme de discours parmi lesquels il peut choisir la formulation lui permettant de s'exprimer clairement et dans le registre convenable sur une grande variété de sujets d'ordre général, éducational, professionnel ou de loisirs, sans devoir restreindre ce qu'il/elle veut dire.	Maintient constamment un haut degré de correction grammaticale ; les erreurs sont rares, difficiles à repérer et généralement auto-corrigées quand elles surviennent.	Peut s'exprimer avec aisance et spontanéité presque sans effort. Seul un sujet conceptuellement difficile est susceptible de gêner le flot naturel et fluide du discours.	Peut choisir une expression adéquate dans un répertoire courant de fonctions discursives, en préambule à ses propos, pour obtenir la parole ou pour gagner du temps pour la garder pendant qu'il/elle réfléchit.	Peut produire un texte clair, fluide et bien structuré, démontrant un usage contrôlé de moyens linguistiques de structuration et d'articulation.
B2+					
B2	Possède une gamme assez étendue de langue pour pouvoir faire des descriptions claires, exprimer son point de vue et développer une argumentation sans chercher ses mots de manière évidente.	Montre un degré assez élevé de contrôle grammatical. Ne fait pas de fautes conduisant à des malentendus et peut le plus souvent les corriger lui/elle-même.	Peut parler relativement longtemps avec un débit assez régulier ; bien qu'il/elle puisse hésiter en cherchant structures ou expressions, l'on remar-que peu de longues pauses.	Peut prendre l'initiative de la parole et son tour quand il convient et peut clore une conversation quand il le faut, encore qu'éventuellement sans élégance. Peut faciliter la poursuite d'une discussion sur un terrain familier en confirmant sa compréhension, en sollicitant les autres, etc.	Peut utiliser un nombre limité d'articulateurs pour lier ses phrases en un discours clair et cohérent bien qu'il puisse y avoir quelques « sauts » dans une longue intervention.
B1+					
B1	Possède assez de moyens linguistiques et un vocabulaire suffisant pour s'en sortir avec quelques hésitations et quelques périphrases sur des sujets tels que la famille, les loisirs et centres d'intérêt, le travail, les voyages et l'actualité.	Utilise de façon assez exacte un répertoire de structures et « schémas » fréquents, courants dans des situations prévisibles.	Peut discourir de manière compréhensible, même si les pauses pour chercher ses mots et ses phrases et pour faire ses corrections sont très évidentes, particulièrement dans les séquences plus longues de production libre.	Peut engager, soutenir et clore une conversation simple en tête-à-tête sur des sujets familiers ou d'intérêt personnel. Peut répéter une partie de ce que quelqu'un a dit pour confirmer une compréhension mutuelle.	Peut relier une série d'éléments courts, simples et distincts en une suite linéaire de points qui s'enchaînent.
A2+					
A2	Utilise des structures élémentaires constituées d'expressions mémorisées, de groupes de quelques mots et d'expressions toutes faites afin de communiquer une information limitée dans des situations simples de la vie quotidienne et d'actualité.	Utilise des structures simples correctement mais commet encore systématiquement des erreurs élémentaires.	Peut se faire comprendre dans une brève intervention même si la reformulation, les pauses et les faux démarrages sont évidents.	Peut répondre à des questions et réagir à des déclarations simples. Peut indiquer qu'il/elle suit mais est rarement capable de comprendre assez pour soutenir la conversation de son propre chef.	Peut relier des groupes de mots avec des connecteurs simples tels que « et », « mais » et « parce que ».
A1	Possède un répertoire élémentaire de mots et d'expressions simples relatifs à des situations concrètes particulières.	A un contrôle limité de quelques structures syntaxiques et de formes grammaticales simples appartenant à un répertoire mémorisé.	Peut se débrouiller avec des énoncés très courts, isolés, généralement stéréotypés, avec de nombreuses pauses pour chercher ses mots, pour prononcer les moins familiers et pour remédier à la communication.	Peut répondre à des questions simples et en poser sur des détails personnels. Peut interagir de façon simple, mais la communication dépend totalement de la répétition avec un débit plus lent, de la reformulation et des corrections.	Peut relier des mots ou groupes de mots avec des connecteurs très élémentaires tels que « et » ou « alors ».

Tableau 3 - Niveaux communs de compétences – Aspects qualitatifs de l'utilisation de la langue parlée

Toutefois, afin de **guider les apprenants**, les enseignants et les autres utilisateurs dans le cadre du système éducatif vers un but pratique, il faudra sans doute une vision d'ensemble plus détaillée. Cette vue générale peut être présentée sous forme d'une grille qui montre les principales catégories d'utilisation de la langue à chacun des six niveaux.

L'exemple du Tableau 2 ébauche un **outil d'auto-évaluation** fondé sur les six niveaux (voir p. 24). Il a pour but d'aider les apprenants à retrouver leurs principales compétences langagières afin de savoir à quel niveau d'une liste de contrôle ils doivent chercher des descripteurs plus détaillés pour auto-évaluer leur niveau de compétence.

Dans un tout autre but, il peut être souhaitable de se focaliser sur **une gamme de niveaux** et un ensemble de catégories données. En réduisant l'éventail des niveaux et des catégories à ceux dont on a besoin dans un but particulier, on pourra ajouter plus de détails : niveaux et catégories seront affinés. À ce niveau de détail, on pourra comparer les grandes lignes d'un ensemble de modules à un autre et aussi le situer par rapport au *Cadre de référence*.

Alternativement, au lieu de tracer des catégories d'activités communicatives, on peut souhaiter **évaluer une performance** sur la base des aspects de la compétence communicative langagière que l'on peut en déduire. Le Tableau 3 a été conçu pour évaluer la capacité à l'oral. Il se concentre sur des aspects qualitatifs différents de l'utilisation de la langue.

3.4 EXEMPLES DE DESCRIPTEURS

Les trois tableaux qui introduisent les *Niveaux communs de référence* sont résumés à partir d'**une banque « d'exemples de descripteurs »** conçus et validés pour le *Cadre européen commun* lors du projet de recherche décrit dans l'Annexe B. On a étalonné mathématiquement ces spécifications à ces niveaux en analysant la façon dont elles avaient été interprétées lors de l'évaluation d'une large population d'apprenants.

Pour en faciliter la consultation, les échelles de descripteurs sont mises en regard des catégories pertinentes du schéma descriptif des Chapitres 4 et 5. Les descripteurs renvoient aux trois métacatégories du schéma descriptif présentées ci-dessous.

Métacatégories du schéma descriptif

Activités communicatives

Les descripteurs de « capacité à faire » existent pour la **réception**, l'**interaction** et la **production**. Il peut ne pas y avoir de descripteurs pour toutes les sous-catégories à chaque niveau puisque certaines activités ne peuvent pas être entreprises tant qu'on n'a pas atteint un niveau de compétence donné, tandis que d'autres ne sont plus un objectif au-dessus d'un certain niveau.

Stratégies

Les descripteurs de « capacité à faire » sont proposés pour certaines des stratégies mises en œuvre dans la réalisation d'activités communicatives. Les stratégies sont considérées comme la charnière entre les ressources de l'apprenant (ses compétences) et ce qu'il/elle peut en faire (les activités communicatives). Les trois principes de **a.** planification de l'action, **b.** équilibre des ressources et compensation des déficiences au cours de l'exécution et, **c.** contrôle des résultats et remédiation le cas échéant sont décrits dans les sections du Chapitre 4 qui traitent des stratégies de production et d'interaction.

Compétences communicatives langagières

Des descripteurs étalonnés sont proposés pour des aspects de la compétence linguistique et de la compétence communicative ainsi que pour la compétence sociolinguistique. Il semble que certains aspects de la compétence ne puissent faire l'objet d'une définition à tout niveau ; on a établi des distinctions lorsque cela était significatif.

Spécifications des descripteurs

Les descripteurs doivent rester globaux afin de donner une vue d'ensemble ; les listes détaillées de micro-fonctions, de formes grammaticales et de vocabulaire sont présentées dans les spécifications linguistiques pour chaque langue donnée (par exemple, *Threshold Level 1990*). L'analyse des fonctions, des notions, de la grammaire et du vocabulaire nécessaires pour réaliser les tâches communicatives décrites dans les échelles peut faire partie d'un processus de développement de nouvelles batteries de spécifications linguistiques. **Les Compétences générales** comprises dans un tel module (par exemple, *Connaissance du monde, Capacités cognitives*) peuvent faire l'objet d'une liste semblable.

Les descripteurs mis en regard du texte dans les Chapitres 4 et 5
- s'appuient, en ce qui concerne leur formulation, sur l'expérience de nombreux organismes de recherche dans le domaine de la définition de niveaux de capacité
- ont été élaborés simultanément au modèle présenté dans les Chapitres 4 et 5 par le biais d'une interaction entre **a.** le travail théorique du groupe d'auteurs, **b.** l'analyse d'échelles de compétences existantes et, **c.** les ateliers conduits avec les enseignants. Même si elle n'englobe pas de manière exhaustive l'ensemble des catégories présentées aux Chapitres 4 et 5, la batterie donne une idée de ce à quoi un ensemble de descripteurs pourrait ressembler
- ont été harmonisés avec l'ensemble des *Niveaux communs de référence*
  - A1 (*Breakthrough*) : Niveau introductif ou découverte
  - A2 (*Waystage*) : Niveau intermédiaire ou de survie
  - B1 (*Threshold*) : Niveau seuil
  - B2 (*Vantage*) : Niveau avancé ou utilisateur indépendant

- C1 (*Effective Operational Proficiency*) : Niveau autonome
- C2 (*Mastery*) : Maîtrise

– répondent aux critères énoncés dans l'Annexe A sur la forme des descripteurs en ce sens que chacun est bref, clair et transparent et formulé de manière positive, qu'il décrit quelque chose de défini et est autonome, c'est-à-dire que son interprétation ne dépend pas des autres descripteurs

– ont été reconnus clairs, utiles et pertinents par des groupes de professeurs enseignant ou pas leur langue maternelle dans des secteurs éducatifs variés et avec des profils de formation et une expérience professionnelle très différents. Il semble que les enseignants comprennent les descripteurs de la batterie qui a été affinée avec eux au cours des ateliers à partir d'un fonds de plusieurs milliers d'exemples

– sont appropriés à la description de la performance des apprenants du premier et du second cycle du secondaire, de l'enseignement technique et de l'éducation des adultes. Ils peuvent constituer ainsi des objectifs réalistes ;

– ont été « calibrés objectivement » sur une échelle commune, à quelques exceptions près dûment signalées. Cela signifie que la place de la plus grande partie des descripteurs de l'échelle résulte de la façon dont ils ont été interprétés pour évaluer la performance des apprenants et pas seulement de l'opinion de leurs auteurs

– fournissent une banque de critères sur le suivi de l'apprentissage des langues que l'on peut exploiter avec souplesse pour développer une évaluation critériée. Ils peuvent être mis en relation avec les systèmes locaux, conçus en fonction de l'expérience locale et/ou utilisés pour mettre en place de nouvelles batteries d'objectifs.

Même si elle n'est pas exhaustive et que l'étalonnage ne se soit fait que par rapport à un seul contexte (certes plurilingue et multi-sectoriel) d'apprentissage des langues étrangères en milieu institutionnel, l'**ensemble** ici présenté est **souple et cohérent**.

Souple : cette même batterie de descripteurs peut s'organiser – comme c'est ici le cas – autour des « niveaux classiques » larges identifiés lors du Symposium de Rüschlikon, utilisés par le projet DIALANG de la Commission européenne (voir Annexe C) ainsi que par ALTE (voir Annexe D). Ils peuvent aussi se présenter comme des « niveaux pédagogiques » étroits.

Cohérent : du point de vue du contenu. Des éléments semblables ou identiques inclus dans différents descripteurs se sont révélés avoir la même valeur sur l'échelle. Dans une large mesure, ces valeurs confirment aussi les intentions des auteurs des échelles de compétences que l'on a utilisées comme sources. Il semble également qu'elles soient cohérentes par rapport aux spécifications du Conseil de l'Europe et par rapport aux niveaux proposés par DIALANG et ALTE (*Association of Language Testers in Europe*).

3.5 SOUPLESSE D'UNE APPROCHE ARBORESCENTE

Le Niveau A1 (*Introductif ou découverte, Breakthrough*) est sans doute le « niveau » le plus élémentaire que l'on puisse identifier de capacité à produire de la langue. Cependant, avant d'en arriver là, les apprenants peuvent réaliser efficacement, avec une gamme de moyens linguistiques très limités, un certain nombre de tâches particulières qui correspondent à leurs besoins.

L'enquête du Fonds national suisse de recherche scientifique de 1994-1995 qui a conçu et étalonné les exemples de descripteurs a repéré une utilisation de la langue limitée à la réalisation de tâches isolées que l'on peut supposer incluse dans la définition du Niveau A1. Dans certaines situations, par exemple avec de jeunes apprenants, il peut s'avérer utile d'isoler cette « borne ».

Les descripteurs qui suivent renvoient à des tâches simples et globales que l'on a classées au-dessous du Niveau A1 mais qui peuvent représenter des objectifs utiles pour des débutants.

– Peut faire un achat simple si il/elle peut montrer du doigt ou faire un autre geste pour appuyer le référent verbal.
– Peut dire et demander le jour, l'heure et la date.
– Peut saluer de manière simple.
– Peut dire oui, non, excusez-moi, s'il vous plaît, pardon.
– Peut remplir un formulaire simple avec son nom, son adresse, sa nationalité et son état-civil.
– Peut écrire une carte postale simple.

Il s'agit là de tâches authentiques de la « vie réelle » en situation de touriste. En milieu scolaire, on pourrait penser à une liste différente ou complémentaire d'activités « pédagogiques » incluant les aspects ludiques de la langue, notamment à l'école primaire.

En outre, les résultats empiriques de l'étude suisse suggèrent une échelle sur neuf niveaux cohérents et à peu près égaux (voir Figure 2). Cette échelle propose des étapes entre A2 (*Niveau intermédiaire ou de survie*) et B1 (*Niveau seuil*), entre B1 et B2 (*Niveau avancé ou indépendant*), et entre B2 et C1 (*Niveau autonome ou de compétence opérationnelle effective*). Le fait qu'il puisse exister des niveaux plus étroits a de l'intérêt en situation d'apprentissage mais peut encore être mis en relation avec les niveaux conventionnels plus larges en situation d'évaluation.

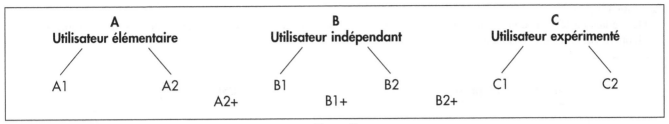

Figure 2

Dans les exemples de descripteurs, on distingue les « niveaux critériés » (par exemple, A2 ou A2.1) et les « niveaux avancés » (par exemple, A2+ ou A2.2). Ils sont séparés par un trait horizontal comme dans le Tableau 4, extrait de l'échelle « Compréhension générale de l'oral ».

A2	Peut comprendre assez pour répondre à des besoins concrets à condition que la diction soit claire et le débit lent.
	Peut comprendre des expressions et des mots porteurs de sens relatifs à des domaines de priorité immédiate (par exemple, information personnelle et familiale de base, achats, géographie local, emploi).

Tableau 4 - Niveaux A2.1 et A2.2 (A2+) : compréhension de l'oral

Ceci met en évidence le fait que la frontière entre les niveaux est toujours un lieu subjectif. Certaines institutions préfèrent des degrés larges, d'autres les préfèrent étroits. L'avantage d'une approche de type hypertexte est qu'un ensemble de niveaux et/ou de descripteurs peut être « découpé » par différents utilisateurs selon les niveaux locaux qui existent en fait, et en des points différents, afin de répondre aux besoins locaux et de rester pourtant relié au système général.

Avec un système d'arborescence souple comme celui qui est proposé, les institutions peuvent développer les branches qui correspondent à leur cas jusqu'au degré de finesse qui leur convient afin de situer et/ou de décrire les niveaux utilisés dans leur système dans les termes du *Cadre commun de référence*.

Exemple 1
Une école primaire et jusqu'au premier cycle du secondaire, ou des cours du soir pour adultes, dans lesquels il faut prendre des dispositions pour que les progrès aux niveaux les plus faibles soient rendus visibles peuvent développer la *branche Utilisateur élémentaire* en un rameau de six branches avec un affinement de la discrimination en A2 où l'on va trouver un grand nombre d'apprenants.

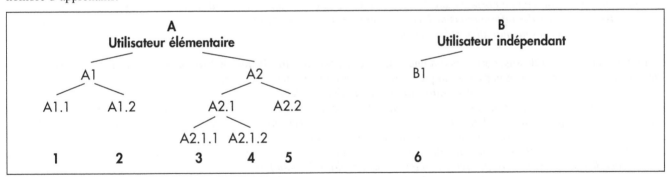

Figure 3

Exemple 2
Si la langue est apprise dans le milieu dans lequel elle est parlée, on tendra à développer la *branche Utilisateur indépendant* pour plus de finesse d'analyse en divisant les niveaux médians de l'échelle :

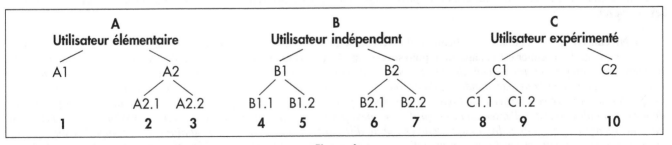

Figure 4

Exemple 3

Des cadres de référence visant à encourager les aptitudes langagières de niveau supérieur pour des usages professionnels développeraient vraisemblablement la branche C2

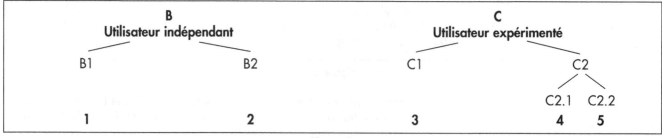

Figure 5

3.6 COHÉRENCE DU CONTENU DES NIVEAUX COMMUNS DE RÉFÉRENCE

Une analyse des fonctions, des notions, de la grammaire et du vocabulaire nécessaires pour réaliser les tâches communicatives décrites dans les échelles pourrait faire partie des opérations de développement de nouvelles batteries de spécifications langagières.

Le Niveau A1 (*introductif ou de découverte – Breakthrough*) est **le niveau le plus élémentaire** d'utilisation de la langue à titre personnel – celui où l'apprenant *est capable d'interactions simples ; peut répondre à des questions simples sur lui-même, l'endroit où il vit, les gens qu'il connaît et les choses qu'il a, et en poser ; peut intervenir avec des énoncés simples dans les domaines qui le concernent ou qui lui sont familiers et y répondre également*, en ne se contentant pas de répéter des expressions toutes faites et préorganisées.

Le Niveau A2 (*intermédiaire ou de survie*) semble correspondre à la spécification du **niveau *Waystage***. C'est à ce niveau que l'on trouvera la plupart des descripteurs qui indiquent les **rapports sociaux** tels que : *utilise les formes quotidiennes de politesse et d'adresse ; accueille quelqu'un, lui demande de ses nouvelles et réagit à la réponse ; mène à bien un échange très court ; répond à des questions sur ce qu'il fait professionnellement et pour ses loisirs et en pose de semblables ; invite et répond à une invitation ; discute de ce qu'il veut faire, où, et fait les arrangements nécessaires ; fait une proposition et en accepte une.* C'est ici que l'on trouvera également les descripteurs relatifs aux sorties et aux déplacements, version simplifiée de l'ensemble des **spécifications transactionnelles** du *Niveau seuil* pour adultes vivant à l'étranger telles que : *mener à bien un échange simple dans un magasin, un bureau de poste ou une banque ; se renseigner sur un voyage ; utiliser les transports en commun : bus, trains et taxis, demander des informations de base, demander son chemin et l'indiquer, acheter des billets ; fournir les produits et les services nécessaires au quotidien et les demander.*

Le Niveau A2 +, au-dessus, correspond à une **capacité supérieure au niveau du *Waystage*** (*Niveau intermédiaire ou de survie*). On remarquera ici une participation plus active, encore que limitée et accompagnée d'aide, par exemple : *est capable de lancer, poursuivre et clore une conversation simple à condition qu'elle soit en face à face ; comprend assez bien pour se débrouiller dans des échanges simples et courants sans effort excessif ; se fait comprendre pour échanger des idées et des informations sur des sujets familiers dans des situations quotidiennes prévisibles, à condition que l'interlocuteur aide, le cas échéant ; arrive à communiquer sur des sujets élémentaires à condition de pouvoir demander de l'aide pour exprimer ce qu'il/elle veut ; se débrouille dans les situations quotidiennes dont le contenu est prévisible bien qu'en devant adapter le message et chercher ses mots ; interagit avec une relative aisance dans des situations structurées, en étant aidé(e), mais la participation à une discussion ouverte est beaucoup plus limitée ;* et, de manière plus significative, une meilleure capacité à poursuivre un monologue, par exemple, *exprime ses impressions en termes simples ; fait une longue description des données quotidiennes de son environnement comme les gens, les lieux, une expérience professionnelle ou académique ; décrit des activités passées et des expériences personnelles ; décrit des occupations quotidiennes et des habitudes ; décrit des projets et leur organisation ; explique ce qu'il/elle aime ou n'aime pas ; fait une description simple et courte d'événements et d'activités ; décrit des objets et animaux familiers ; utilise une langue descriptive simple pour parler brièvement d'objets et de choses qu'il/elle possède et les comparer.*

Le Niveau B1 correspond aux spécifications du **Niveau seuil** pour un visiteur en pays étranger. Deux traits le caractérisent particulièrement. Le premier est la capacité à **poursuivre une interaction** et à obtenir ce que l'on veut dans des situations différentes, par exemple : *en règle générale, suit les points principaux d'une discussion assez longue à son sujet, à condition que la diction soit claire et la langue standard ; donne ou sollicite des avis et opinions dans une discussion informelle entre amis ; fait passer de manière compréhensible l'opinion principale qu'il veut transmettre ; puise avec souplesse dans un large éventail de formes simples pour dire l'essentiel de ce qu'il veut ; peut poursuivre une conversation ou une discussion même si il/elle est quelquefois difficile à comprendre lorsqu'il/elle essaie de dire exactement ce qu'il/elle souhaite ; reste compréhensible, même si la recherche des mots et des formes grammaticales ainsi que la remédiation sont évidentes, notamment au cours de longs énoncés.* Le deuxième trait est la capacité de **faire face** habilement aux problèmes de la vie quotidienne, par exemple : *se débrouiller dans une situation imprévue dans les transports en commun ; faire face à l'essentiel de ce qui peut arriver lors de l'organisation d'un voyage chez un voyagiste ou au cours du voyage ; intervenir sans préparation dans des conversations sur* *des sujets familiers ; faire une réclamation ; prendre des initiatives lors d'un entretien ou d'une consultation (par exemple, aborder un sujet nouveau) encore que l'on reste très dépendant de l'interlocuteur dans l'interaction ; demander à quelqu'un d'éclaircir ou de préciser ce qu'il/elle vient de dire.*

Le Niveau B1 + correspond à un **degré élevé du Niveau seuil**. On y retrouve les deux mêmes traits caractéristiques auxquels s'ajoute un certain nombre de descripteurs qui se concentrent sur la **quantité d'information** échangée, par exemple : *prend des messages sur des demandes de renseignements ou explique une difficulté ; apporte l'information concrète exigée dans un entretien ou une consultation (par exemple, décrit des symptômes à un médecin) mais avec une précision limitée ; explique pourquoi quelque chose pose problème ; donne son opinion sur une nouvelle, un article, un exposé, une discussion, un entretien, un documentaire et répond à des questions de détail complémentaires – les résume ; mène à bien un entretien préparé en vérifiant et confirmant l'information même s'il fait parfois faire répéter l'interlocuteur dans le cas où sa réponse est longue ou rapidement énoncée ; décrit comment faire quelque chose et donne des instructions détaillées ; échange avec une certaine assurance une grande quantité d'informations factuelles sur des questions habituelles ou non dans son domaine.*

Le Niveau B2 correspond à un **niveau intermédiaire**, à la même distance au-dessus de B1 (*Niveau seuil*) que A2 (*Niveau intermédiaire et de survie – Waystage*) est au-dessous. Il vise à rendre compte des spécifications du Niveau avancé ou utilisateur indépendant (*Vantage*). D'après le dictionnaire de traduction anglais-français de Robert et Collins, « *vantage* » signifie : avantage, supériorité. Le *Concise Oxford Dictionnary* donne « *advantage* » comme synonyme (et précise que le terme est surtout utilisé en tennis).

La métaphore est que, après avoir lentement mais sûrement progressé sur le plateau intermédiaire, l'apprenant découvre qu'il est arrivé quelque part, qu'il voit les choses différemment et qu'il a acquis une nouvelle perspective. Il semble que ce concept soit largement confirmé par les descripteurs de ce niveau-ci. Ils marquent une coupure importante avec ce qui précède. Par exemple, le degré élémentaire de ce niveau se concentre sur l'**efficacité de l'argumentation** : *rend compte de ses opinions et les défend au cours d'une discussion en apportant des explications appropriées, des arguments et des commentaires ; développe un point de vue sur un sujet en soutenant tout à tour les avantages et les inconvénients des différentes options ; construit une argumentation logique ; développe une argumentation en défendant ou en accablant un point de vue donné ; expose un problème en signifiant clairement que le partenaire de la négociation doit faire des concessions ; s'interroge sur les causes, les conséquences, les situations hypothétiques ; prend une part active dans une discussion informelle dans un contexte familier, fait des commentaires, exprime clairement son point de vue, évalue les choix possibles, fait des hypothèses et y répond.*

En second lieu, si l'on parcourt le niveau, on constate **deux nouveaux points de convergence**.

– Le premier est d'être capable de faire mieux que se débrouiller dans le discours social, par exemple : *parler avec naturel, aisance et efficacité ; comprendre dans le détail ce que l'on vous dit dans une langue standard courante même dans un environnement bruyant ; prendre l'initiative de la parole, prendre son tour de parole au moment voulu et clore la conversation lorsqu'il faut, même si cela n'est pas toujours fait avec élégance ; utiliser des phrases toutes faites (par exemple « C'est une question difficile ») pour gagner du temps et garder son tour de parole en préparant ce que l'on va dire ; intervenir avec un niveau d'aisance et de spontanéité qui rend possibles les échanges avec les locuteurs natifs sans imposer de contrainte à l'une ou l'autre des parties ; s'adapter aux changements de sens, de style et d'insistance qui apparaissent normalement dans une conversation ; poursuivre des relations avec des locuteurs natifs sans les amuser ou les irriter alors qu'on ne le souhaite pas ou exiger d'eux qu'ils se conduisent autrement qu'ils le feraient avec un locuteur natif.*

– Le second point de convergence porte sur un nouveau degré de conscience de la langue : *corriger les fautes qui ont débouché sur des malentendus ; prendre note des « fautes préférées » et contrôler consciemment le discours pour les traquer ; en règle générale, corriger les fautes et les erreurs aussitôt qu'on en prend conscience ; prévoir ce qu'on va dire et la façon dont on va le dire en tenant compte de l'effet sur le(s) destinataire(s).* Tout bien considéré, il semble qu'il y ait là un nouveau seuil que l'apprenant devra franchir.

Au Niveau suivant **B2 +** – qui correspond *au degré supérieur du Niveau avancé ou utilisateur indépendant (Vantage)* – on a mis l'accent sur l'**argumentation**, un discours social efficace, et la conscience de la langue qui apparaît en B2 se poursuit ici. Néanmoins, on peut aussi interpréter l'accent mis sur l'argumentation et le discours social comme une importance nouvelle accordée aux capacités discursives. Ce nouveau degré de compétence discursive apparaît dans la gestion de la conversation (stratégies de coopération) : *est capable de donner un feed-back et une suite aux déclarations et aux déductions des autres locuteurs et, ce faisant, de faciliter l'évolution de la discussion ; de mettre en relation adroitement sa propre contribution et celle des autres locuteurs.*

Il apparaît également dans la **relation logique/cohésion** : *utilise un nombre limité d'articulateurs pour relier les phrases en un discours clair et suivi ; utilise une variété de mots de liaison efficacement pour indiquer le lien entre les idées ; soutient systématiquement une argumentation qui met en valeur les points significatifs et les points secondaires pertinents.* Enfin, c'est à ce niveau que se concentrent les descripteurs portant sur la **négociation** : *expose une demande de dédommagement en utilisant un discours convaincant et des arguments simples afin d'obtenir satisfaction ; énonce clairement les limites d'une concession.*

Le Niveau suivant **C1** est intitulé **Niveau autonome**. Ce niveau semble être caractérisé par le bon accès à une large gamme de discours qui permet une communication aisée et spontanée comme on le verra dans les exemples suivants : *peut s'exprimer avec aisance et spontanéité presque sans effort. A une bonne maîtrise d'un répertoire lexical large dont les lacunes sont facilement comblées par des périphrases. Il y a peu de recherche notable de certaines expressions ou de stratégies d'évitement ; seul un sujet conceptuellement difficile peut empêcher que le discours ne se déroule naturellement.*

Les **capacités discursives** qui caractérisent le niveau précédent se retrouvent au Niveau C1 avec encore plus d'aisance, par exemple : *peut choisir une expression adéquate dans un répertoire disponible de fonctions du discours pour introduire ses commentaires afin de mobiliser l'attention de l'auditoire ou de gagner du temps en gardant cette attention pendant qu'il/elle* *réfléchit ; produit un discours clair, bien construit et sans hésitation qui montre l'utilisation bien maîtrisée des structures, des connecteurs et des articulateurs.*

Bien que **le Niveau C2** ait été intitulé **Maîtrise**, on n'a pas l'ambition d'égaler la compétence du locuteur natif ou presque. Le but est de caractériser le degré de précision, d'adéquation et d'aisance de la langue que l'on trouve dans le discours de ceux qui ont été des apprenants de haut niveau. Les descripteurs inventoriés ici comprennent : *transmettre les subtilités de sens avec précision en utilisant, avec une raisonnable exactitude, une gamme étendue de modalisateurs ; avoir une bonne maîtrise des expressions idiomatiques et familières accompagnée de la conscience des connotations ; revenir en arrière et reformuler une difficulté sans heurts de sorte que l'interlocuteur s'en aperçoive à peine.*

Les *Niveaux communs de référence* peuvent se présenter et être exploités sous des **formes variées** et avec plus ou moins de détails. Néanmoins, l'existence même de points de **référence fixes** offre transparence et cohérence, un outil pour la planification future et une base pour le suivi du développement. L'intention de fournir un ensemble concret d'exemples de descripteurs, s'ajoutant aux critères et méthodologies pour le suivi du développement des descripteurs, devrait aider les décideurs à concevoir les applications qui conviennent à leur situation.

3.7 COMMENT LIRE LES ÉCHELLES D'EXEMPLES DE DESCRIPTEURS

Les niveaux utilisés sont les six niveaux principaux déjà présentés au chapitre 3.
A1 (*Breakthrough*) : Niveau introductif ou découverte
A2 (*Waystage*) : Niveau intermédiaire ou de survie
B1 (*Threshold*) : Niveau seuil
B2 (*Vantage*) : Niveau avancé ou utilisateur indépendant
C1 (Effective Operational Proficiency) : Niveau autonome
C2 (*Mastery*) : Maîtrise.

À propos de la présentation, certains lecteurs préfèrent qu'une liste de descripteurs aille du niveau inférieur au niveau supérieur ; d'autres préfèrent l'inverse. Pour des raisons d'harmonisation, **toutes les échelles ont été présentées de haut** (C2 : *Maîtrise*) **en bas** (A1 : *Niveau découverte*).

– Les niveaux moyens A2 (*intermédiaire, Waystage*), B1 (*Niveau seuil*) et B2 (*avancé, Vantage*) sont souvent subdivisés par un trait fin comme mentionné plus haut (voir p. 31). Dans ce cas, ce sont les descripteurs situés au-dessous du trait qui correspondent au critère de référence du niveau en question.
– Les descripteurs placés au-dessus de ce trait correspondent à un niveau de compétence sensiblement supérieur à celui du niveau de référence mais inférieur à la norme du niveau supérieur. Cette distinction est fondée sur l'étalonnage empirique.
– En l'absence de subdivision en A2 (*niveau intermédiaire, Waystage*), B1 (*Niveau seuil*) et B2 (*niveau avancé, Vantage*), le descripteur correspond au niveau de référence : on n'a trouvé aucune formulation qui tombe entre les deux niveaux.

Il faut considérer que chaque niveau recouvre les niveaux qui lui sont inférieurs. Cela signifie qu'un usager au niveau B1 (*Niveau seuil*) est capable de tout ce qui est décrit en A2 (*intermédiaire ou survie, Waystage*) et est meilleur que cela. Cela veut dire que les conditions d'une performance de niveau A2 (*Niveau survie*), par exemple : « *à condition que l'élocution soit lente et claire* » auront moins d'impact ou ne seront pas applicables à une performance de niveau B1 (*Niveau seuil*).

On ne répète pas tous les éléments ou aspects d'un descripteur au niveau suivant. Cela signifie que les entrées de chaque niveau décrivent sélectivement les traits considérés comme nouveaux ou saillants ; on ne répète pas automatiquement tous les éléments du niveau inférieur avec une formulation modalisée pour indiquer la difficulté accrue.

Chaque niveau n'est pas décrit sur toutes les échelles. On peut difficilement tirer des conséquences de l'absence d'un domaine à un niveau donné. En effet, des raisons diverses peuvent en être cause ou la combinaison d'un certain nombre d'entre elles
– le domaine existe à ce niveau : certains descripteurs se trouvaient dans le projet de recherche mais ont été abandonnés au moment du contrôle de qualité
– le domaine existe probablement à ce niveau et l'on pourrait rédiger des descripteurs mais on ne l'a pas fait
– il se peut que le domaine existe à ce niveau mais la formulation paraît très difficile, voire impossible
– le domaine n'existe pas ou n'a pas de pertinence à ce niveau. On ne peut établir de distinction.

Si les utilisateurs du *Cadre de référence* souhaitent exploiter la banque de descripteurs, il leur faudra se faire une opinion sur cette question de lacunes dans les descripteurs proposés. Il peut arriver que des lacunes soient comblées par une exploration plus complète du domaine en question et/ou en introduisant du matériel provenant du système de l'utilisateur. D'un autre côté, certaines lacunes peuvent, à juste titre, demeurer. Par exemple au cas où une catégorie donnée n'est pas pertinente vers le bas ou le sommet de l'ensemble des niveaux. Une lacune au milieu d'une échelle peut indiquer, en revanche, l'impossibilité de formuler une distinction significative.

3.8 COMMENT UTILISER LES ÉCHELLES DE DESCRIPTEURS DE COMPÉTENCE LANGAGIÈRE

Les *Niveaux communs de référence* pour lesquels les tableaux 1, 2 et 3 fournissent des exemples constituent une échelle de compétence verbale. Les questions techniques soulevées par **l'élaboration d'échelles** de ce type sont reprises dans l'Annexe A. Le Chapitre 9 sur l'évaluation décrit la **façon d'utiliser l'échelle** des *Niveaux communs* de référence comme instrument de ressources en rapport avec l'évaluation de la compétence langagière. Cependant, un point très important dans le débat autour des échelles de compétence langagière est d'**identifier** exactement **le but** qu'elles permettent d'atteindre et de faire coïncider convenablement l'énoncé des descripteurs et ce but.

On a pu établir **une distinction fonctionnelle entre trois types d'échelles** de compétence **a.** centrées sur l'utilisateur ; **b.** centrées sur l'examinateur et **c.** centrées sur le concepteur (Alderson, 1991). Des problèmes peuvent surgir quand une échelle destinée à une fonction est utilisée pour une autre – à moins que sa formulation ne soit adéquate.

a. Les échelles centrées sur l'utilisateur ont pour fonction de **rendre compte** des comportements typiques ou probables des candidats à n'importe quel niveau donné. Ces énoncés tendent à **définir ce que l'apprenant est capable de faire** et à être formulés de manière positive, même aux niveaux inférieurs

> « Peut comprendre le français de quelqu'un qui s'adresse à lui/elle en prenant soin de parler lentement et saisir les points essentiels d'annonces ou de messages courts, simples et clairs. »
>
> *Échelle de compétence langagière des Eurocentres, 1993 : Compréhension de l'oral – Niveau 2.*

Quelquefois des limites peuvent néanmoins être exprimées

> « Parvient à communiquer dans des tâches et situations simples et habituelles. Peut comprendre des messages écrits simples à l'aide d'un dictionnaire. Sans dictionnaire, peut en comprendre l'idée générale. Sa compétence langagière limitée provoque des ruptures de communication et des malentendus en situation inhabituelle. »
>
> *Échelle de compétence langagière sur neuf niveaux., Finlande 1993 – Niveau 2*

Les échelles centrées sur l'utilisateur sont **globales** et offrent un descripteur par niveau. L'échelle finlandaise de référence est de ce type. Le Tableau 1 présenté plus haut dans ce chapitre afin d'introduire les *Niveaux communs de référence* propose également un résumé global de compétence type pour chaque niveau. Les échelles centrées sur l'utilisateur peuvent aussi renvoyer aux quatre habiletés, comme c'est le cas dans l'échelle des Eurocentres mentionnée ci-dessus, mais la simplicité reste la caractéristique essentielle des échelles conçues dans ce but.

b. Les échelles centrées sur l'examinateur ont pour fonction de **guider la notation**, et les descripteurs expriment normalement les aspects qualitatifs de la performance attendue. Il s'agit ici d'évaluation sommative d'une performance donnée. Des échelles de ce type se concentrent sur **la qualité de la performance de l'apprenant** et sont souvent formulées de manière négative aux niveaux élevés, notamment lorsque la formulation se fait en référence à la norme exigée pour obtenir la note d'admission à un examen

> « Un discours incohérent et des hésitations fréquentes gênent la compréhension et imposent constamment un effort à l'auditeur. »
>
> *Certificate in Advanced English 1991 (University of Cambridge Local Examination Syndicate), Épreuve 5 (oral)*
> *Critère d'évaluation : l'aisance : degré 1 – 2 (niveau inférieur de quatre degrés).*

Dans une très large mesure, néanmoins, une formulation négative peut être évitée si l'on utilise une approche de développement qualitatif dans laquelle sont analysés et décrits les traits caractéristiques d'échantillons de performance.

Certaines échelles à l'usage de l'examinateur sont **globales** et présentent un descripteur par niveau. D'autres, par ailleurs, sont des **échelles analytiques** qui se concentrent sur des aspects différents de la performance tels que l'étendue, la précision, l'aisance, la prononciation. Le Tableau 3 présenté plus haut dans ce chapitre est un exemple d'échelle centrée sur l'examinateur formulée positivement, composée d'exemples de descripteurs du *Cadre commun de référence*.

D'autres échelles analytiques ont un nombre important de catégories afin de dessiner le contour de la compétence. On a dit de ces approches qu'elles étaient moins appropriées pour l'évaluation parce que les examinateurs trouvent généralement difficile de traiter plus de trois à cinq catégories. On a pu, en conséquence, décrire les échelles analytiques du Tableau 3 comme **centrées sur le diagnostic** puisqu'elles ont pour but d'esquisser la position présente, de situer les besoins et les buts dans des catégories pertinentes et de déterminer ce qu'il faudra faire pour les atteindre.

c. Les échelles centrées sur le concepteur ont pour fonction de **guider l'élaboration de tests** aux niveaux appropriés. Leurs énoncés expriment naturellement les tâches communicatives spécifiques que l'apprenant pourra être amené à exécuter dans un test. Ce type d'échelles ou listes de spécifications se concentre aussi **sur ce que l'apprenant est capable de faire**.

> « Peut donner une information détaillée sur sa propre famille, ses conditions de vie, sa formation scolaire ou universitaire ; peut décrire les faits quotidiens de son environnement et en discuter (par exemple, le quartier où il/elle réside, le temps) ; peut décrire son activité professionnelle présente ou passée ; peut communiquer spontanément avec ses collègues de travail ou son supérieur hiérarchique immédiat (par exemple, poser des questions sur le travail, se plaindre des conditions de travail, des horaires, etc.) ; peut transmettre des messages simples au téléphone ; peut donner des consignes et des instructions pour des tâches simples de la vie quotidienne (par exemple à un commerçant). Peut essayer d'utiliser les formes polies de la demande comme, par exemple, « Je voudrais – Pourriez-vous ». Peut blesser quelquefois par une agressivité ou une familiarité involontaires ou agacer par un formalisme excessif là où le locuteur natif attend de la simplicité. »
>
> *Australian Second Language Proficiency Ratings 1982 : Production orale : niveau 2.*
> *Exemples de tâches spécifiques en anglais langue seconde (une colonne sur trois).*

Ce descripteur global pourrait se décomposer en descripteurs courts dans les catégories : *échange d'information* (Domaines personnel et professionnel) ; *description ; conversation ; téléphone ; donner des instructions et des directives ; socioculturel*.

En fin de compte, les listes de contrôle ou échelles de descripteurs utilisées pour l'évaluation formative – ou l'auto-évaluation – sont les plus performantes quand les descripteurs précisent non seulement **ce que** les apprenants peuvent faire mais aussi **comment** ils doivent le faire. L'absence d'information adéquate sur la qualité de la performance attendue des apprenants a posé des problèmes avec des versions antérieures d'une part du Programme national anglais (*English National Curriculum*) en ce qui concerne les objectifs à atteindre et, d'autre part, les profils du Programme australien (*Australian Curriculum*). Il semble que les enseignants préfèrent que des détails soient donnés relativement aux tâches curriculaires (un lien avec la centration sur le concepteur) d'une part et, d'autre part, relativement aux critères qualitatifs (un lien avec la centration sur le diagnostic). De même, les descripteurs pour l'auto-évaluation seront d'autant plus rentables qu'ils indiquent quel degré de qualité est attendu dans la réalisation des tâches à différents niveaux.

En résumé, on peut considérer que les échelles de compétence langagière ont une des orientations suivantes ou plusieurs.

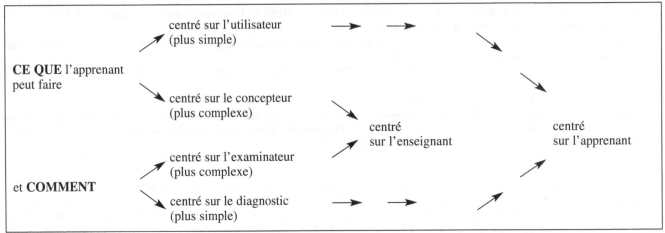

Figure 6

Ces **quatre orientations** peuvent être considérées comme pertinentes pour un cadre commun de référence.

Une autre façon de considérer les orientations présentées ci-dessus consiste à dire
- qu'une échelle centrée sur l'utilisateur est une version moins détaillée d'une échelle centrée sur le concepteur qui a pour finalité de donner une vision d'ensemble
- qu'une échelle centrée sur l'examinateur est une version moins détaillée d'une échelle centrée sur le diagnostic qui aide un examinateur à parvenir à une vue d'ensemble.

Certaines échelles centrées sur l'utilisateur poussent à sa conclusion logique ce processus de réduction des détails au profit d'une vue d'ensemble et présentent une échelle « globale » qui décrit les compétences à chaque niveau. Dans certains cas, cela remplace un rapport détaillé (par exemple la grille finlandaise cité plus haut) ; dans d'autres cas, cela donne du sens à une série de chiffres affectés à des aptitudes séparées (par exemple IELTS : *International English Language Testing System*). Dans d'autres cas encore, c'est un point de départ ou une vue générale d'un système plus détaillé donnant un profil et des spécifications (par exemple, les Eurocentres). Dans tous ces cas, la façon de voir est semblable à celle des présentations d'un hypertexte d'ordinateur. On présente à l'utilisateur une information pyramidale qui lui donne une vue d'ensemble, une perspective claire, s'il observe la couche supérieure du système hiérarchisé (ici l'échelle « globale »). On peut détailler à l'infini en s'enfonçant dans les couches du système mais, à tout moment, ce que l'on regarde tient sur un ou deux écrans, ou une ou deux feuilles de papier. On peut ainsi présenter la complexité sans encombrer le lecteur avec des détails non pertinents, ni simplifier au risque de banaliser. Le détail est là si on en a besoin.

L'hypertexte est une analogie utile pour penser un système de description. C'est le choix qui a été fait par l'ESU (*English-speaking Union* – « l'anglophonie ») pour l'échelle du cadre de référence des examens d'anglais langue étrangère (EFL). Cette approche est poursuivie plus avant dans les échelles des Chapitres 4 et 5. Par exemple, en ce qui concerne les activités communicatives, l'échelle *Interaction* résume les échelles de cette catégorie.

> Les utilisateurs du *Cadre de référence* envisageront et expliciteront selon le cas
> - dans quelle mesure ils ont le souci de mettre en relation les niveaux et les objectifs d'apprentissage, le programme, les instructions officielles et le contrôle continu (centrées sur le concepteur)
> - dans quelle mesure ils ont le souci de mettre en relation les niveaux et un accroissement de la fiabilité des jugements en fournissant des critères définis pour les niveaux d'aptitude (centrées sur l'examinateur)
> - dans quelle mesure ils ont le souci de mettre en relation les niveaux et la présentation des résultats aux employeurs, aux autres secteurs éducatifs, aux parents et aux apprenants eux-mêmes (centrées sur l'apprenant).

3.9 NIVEAUX DE COMPÉTENCE ET NIVEAUX DE RÉSULTATS

Échelle de compétence

Avant d'entamer une discussion sur les niveaux, il faut toutefois faire une distinction importante entre la définition des niveaux de compétence, comme dans une échelle de *Niveaux communs de référence* et l'évaluation des degrés de savoir-faire relatifs à un objectif donné à un niveau donné.

Une échelle de compétence comme les *Niveaux communs de référence*, **définit une série croissante de degrés de compétence**. Elle peut couvrir toute l'étendue conceptuelle de la compétence de l'apprenant ou ne recouvrir que la gamme de compétences propres à une institution ou un secteur éducatif. Être classé au Niveau B2 peut constituer un véritable exploit pour un apprenant (placé au Niveau B1 seulement deux mois plus tôt) mais n'être qu'une performance médiocre pour un autre (déjà à ce Niveau B2 deux ans plus tôt).

On peut placer un objectif donné à un certain niveau. Dans la Figure 7, l'examen « Y » vise à couvrir les degrés de compétence représentés par les niveaux 4 et 5 sur l'échelle des compétences. Il se peut qu'il y ait d'autres examens visant des niveaux différents et l'on peut utiliser l'échelle de compétence pour éclairer leur relation. C'est cette idée qui guide le projet de Cadre de référence de l'ESU (*English-Speaking Union*) pour l'anglais langue étrangère (EFL) et le travail de ALTE pour comparer les examens en langues en Europe.

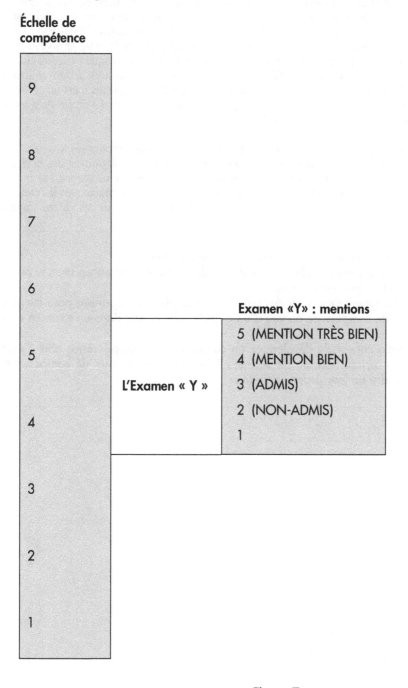

Figure 7

Le résultat obtenu à l'examen « Y » peut être mesuré sur une échelle de niveaux ; par exemple de 1 à 5 où « 3 » représente la norme qui correspond à une réussite. Une échelle de niveaux de ce type peut être utilisée directement pour l'évaluation de la performance dans des épreuves notées de manière subjective – notamment pour la production écrite et la production orale – et/ou pour rendre compte des résultats de l'examen. L'examen « Y » peut faire partie d'un ensemble d'examens « X », « Y » et « Z ». Chaque examen peut avoir une échelle de niveaux du même type – mais il est évident qu'un Niveau 4 à l'examen « X » n'a pas le même sens qu'un Niveau 4 à l'examen « Y » en termes de compétences langagières.

Si les examens « X », « Y » et « Z » ont tous été placés sur une échelle commune de compétences, on devrait alors pouvoir, à moyen terme, établir la relation entre les niveaux atteints à un examen de cet ensemble avec ceux des autres. On y parviendra par une procédure de recueil d'expertises, d'analyse de spécifications, de comparaison d'échantillons officiels et d'étalonnage des résultats des candidats.

Il est possible, de la sorte, d'**établir une relation** entre les niveaux atteints aux examens et les niveaux de compétence car les examens ont, par définition, des normes et un jury, c'est-à-dire un groupe d'examinateurs formés capables de les interpréter. Il faut **expliciter les normes** communes et les rendre transparentes, **donner des exemples** qui les rendent opérationnelles et, enfin, les **étalonner**.

Évaluation

L'évaluation des résultats dans les écoles de nombreux pays se fait par l'attribution de notes, quelquefois de 1 à 6 avec 4 comme note d'admission, quelquefois de 1 à 20, avec 10 (la « moyenne ») comme note d'admission. La signification des notes est intériorisée par les enseignants mais rarement définie. La nature de la relation entre les notes d'évaluation de ce type attribuées par l'enseignant et les niveaux de compétence est, en principe, du même ordre que celle entre le niveau des examens et les niveaux de compétence ; mais elle se complique du fait qu'il y a une myriade de normes puisque chaque classe dans chaque type d'école dans chaque académie se constitue une norme différente. Et ceci mis à part la question de la forme de l'évaluation mise en œuvre et le degré d'accord sur l'interprétation des notes auquel parviennent les enseignants dans un contexte donné. En France, par exemple, un 10 en fin de troisième n'a de toute évidence pas le même sens qu'un 10 en fin de quatrième dans le même collège, ni qu'un 10 en fin de troisième dans un collège différent.

Toutefois, on peut établir une relation approximative entre la gamme des normes en usage pour les niveaux de compétence dans un secteur donné en cumulant un certain nombre de techniques telles que de donner la définition des normes pour différents niveaux de résultats pour un même objectif, demander aux enseignants de reporter le résultat moyen sur une échelle ou un tableau de compétence tel que le Tableau 1 ou le Tableau 2, recueillir des échantillons de performances et les étalonner au cours de réunions d'évaluation, demander aux enseignants d'utiliser leur mode habituel de notation sur des vidéos standardisées.

Les utilisateurs du *Cadre de référence* envisageront et expliciteront selon le cas
- **dans quelle mesure ils se préoccupent d'établir une batterie de niveaux pour enregistrer le progrès des savoir-faire dans le cadre de leur propre système**
- **dans quelle mesure ils se préoccupent de fournir des critères d'évaluation transparents pour les notes attribuées pour un niveau donné de compétence en vue d'un objectif, que ce soit dans un examen ou en évaluation en classe**
- **dans quelle mesure ils se préoccupent de développer un cadre commun de référence afin d'établir des relations cohérentes entre un certain nombre de secteurs éducatifs, des niveaux de compétence et des types d'évaluation dans le cadre de leur propre système.**

CHAPITRE 4
L'UTILISATION DE LA LANGUE ET L'APPRENANT/UTILISATEUR

PANORAMA

INTRODUCTION

Spécificités des chapitres 4 et 5

À la suite des trois premiers chapitres d'introduction et d'exposition, les Chapitres 4 et 5 présentent maintenant un **classement** relativement détaillé **de catégories** pour décrire l'utilisation de la langue et son utilisateur. En conformité avec l'approche actionnelle retenue, on part du principe que l'**apprenant** de langue est en train de devenir un **usager** de la langue de sorte que les mêmes catégories pourront s'appliquer aux deux. On doit cependant apporter une modification importante. L'apprenant d'une deuxième langue (ou langue étrangère) et d'une deuxième culture (ou étrangère) ne perd pas la compétence qu'il a dans sa langue et sa culture maternelles. Et la nouvelle compétence en cours d'acquisition n'est pas non plus totalement indépendante de la précédente. L'apprenant n'acquiert pas deux façons étrangères d'agir et de communiquer. Il devient **plurilingue** et apprend l'**interculturalité**. Les compétences linguistiques et culturelles relatives à chaque langue sont modifiées par la connaissance de l'autre et contribuent à la prise de conscience interculturelle, aux habiletés et aux savoir-faire. Elles permettent à l'individu de développer une personnalité plus riche et plus complexe et d'accroître sa capacité à apprendre d'autres langues étrangères et à s'ouvrir à des expériences culturelles nouvelles. On rend aussi les apprenants capables de **médiation** par l'interprétation et la traduction entre des locuteurs de deux langues qui ne peuvent communiquer directement. Les sections 4.4.4 ainsi que 5.1.1.2, 5.1.1.3 et 5.1.4 réservent bien sûr une place à ces activités et à ces compétences qui différencient l'apprenant de langue du locuteur natif monolingue.

Rôle des encadrés

À partir d'ici, les lecteurs constateront que chaque section est suivie d'un encadré dans lequel on invite l'utilisateur du *Cadre de référence* à « *envisager et expliciter* » les réponses à une question (ou plus) qui suit. L'alternative « *sera capable de/sera outillé pour/devra le faire* » renvoie respectivement à l'apprentissage, à l'enseignement et à l'évaluation. L'énoncé contenu dans l'encadré est formulé en termes d'invitation plutôt que d'instruction afin de mettre en évidence le **parti-pris de non-directivité** du *Cadre de référence*. Si un utilisateur considère qu'il n'est pas concerné par un certain domaine, il n'a pas à s'attacher à chaque section dans le détail. Cependant, nous espérons que, dans la plupart des cas, l'utilisateur du *Cadre de référence* réfléchira à la question soulevée dans chaque encadré et prendra position dans un sens ou dans l'autre. S'il s'agit d'une décision d'une certaine importance, il pourra la formuler en utilisant les catégories et les exemples fournis et en apportant des compléments, le cas échéant, pour l'objectif en question.

Apports du chapitre 4

L'analyse de l'utilisation de la langue et de son utilisateur que présente le **Chapitre 4** est fondamentale pour l'usage que l'on fera du *Cadre de référence* puisqu'elle propose **un ensemble de paramètres et de catégories** qui devrait permettre à tous ceux qui sont impliqués dans l'apprentissage, l'enseignement et l'évaluation des langues vivantes d'examiner et d'exposer, en termes concrets et au niveau de détail qu'ils souhaitent, ce qu'ils attendent que les apprenants dont ils ont la responsabilité soient capables de faire avec la langue en question et ce qu'ils devraient savoir pour être capables d'une activité langagière. Le *Cadre de référence* veut couvrir la question aussi complètement que possible mais ne peut prétendre être exhaustif. Les concepteurs de programmes, les auteurs de manuels, les enseignants et les examinateurs devront prendre des décisions concrètes très précises quant au contenu des textes, des exercices, des activités, des tests, etc. Cette démarche ne saurait en aucun cas se réduire à un choix sur un menu. À ce niveau, les décisions sont, et doivent être, entre les mains des praticiens concernés qui feront appel à leur jugement et à leur créativité. Néanmoins, ils devraient trouver ici tous les aspects essentiels de l'utilisation de la langue et de la compétence dont ils doivent tenir compte.

La structure d'ensemble du Chapitre 4 qui figure en tête du chapitre est une sorte de liste de contrôle (*check-list*). Nous recommandons aux utilisateurs du *Cadre de référence* de se familiariser avec cette liste et de s'y référer lorsqu'ils se posent des questions telles que, par exemple :
- Puis-je prévoir dans quels domaines mes apprenants opéreront et à quelles situations ils devront faire face ? Si oui, quels rôles joueront-ils ?
- À qui auront-ils affaire ?
- Quelles seront leurs relations personnelles et institutionnelles et dans quel cadre institutionnel ?
- À quels objets auront-ils besoin de faire référence ?
- Quelles tâches devront-ils accomplir ?
- Quels thèmes auront-ils besoin de traiter ?
- Devront-ils parler ou seulement écouter et lire en comprenant le sens ?
- Qu'est-ce qu'ils écouteront ou liront ?
- Dans quelles conditions devront-ils agir ?
- À quelle connaissance du monde ou d'une autre culture devront-ils faire appel ?

De toute évidence, le *Cadre de référence* n'est pas en mesure d'apporter les réponses à ces questions. En fait, c'est justement parce que les réponses reposent complètement sur l'analyse que l'on fera de la situation d'enseignement/apprentissage, et surtout essentiellement des besoins, des motivations, des caractéristiques et des ressources des apprenants et autres partenaires, qu'il faut diversifier les dispositions à prendre. Les chapitres suivants ont pour fonction d'organiser la question de telle sorte que les différents points puissent être traités et, le cas échéant, discutés de manière rationnelle et transparente pour que l'on puisse faire connaître les décisions clairement et concrètement à tous ceux qu'elles concernent.

4.1 LE CONTEXTE DE L'UTILISATION DE LA LANGUE

Il est depuis longtemps admis que l'usage de la langue varie très largement selon les exigences du contexte dans lequel elle apparaît. De ce point de vue, la langue n'est pas une expression neutre de la pensée comme peuvent l'être, par exemple, les mathématiques. Le besoin et le désir de communiquer naissent d'une situation donnée et la forme comme le contenu de la communication répondent à cette situation. En conséquence, la première section du Chapitre 4 est consacrée aux **différents aspects du contexte**.

4.1.1 Domaines

Tout acte de parole s'inscrit dans le contexte d'une situation donnée, dans le cadre de l'un des domaines (**sphères d'activité** ou **centres d'intérêt**) de la vie sociale. Le choix des domaines pour lesquels on rend l'apprenant opérationnel a des conséquences qui vont loin dans la sélection des situations, des buts, des tâches, des thèmes et des textes autant pour l'enseignement que pour le matériel d'évaluation et les activités. Il est bon que les utilisateurs gardent présente à l'esprit la motivation que crée le choix de domaines immédiatement pertinents relativement à leur utilité future.

Par exemple, on peut motiver des enfants en se concentrant sur leurs centres d'intérêt présents mais ils risquent de se trouver mal préparés plus tard à communiquer dans un environnement adulte. En formation continue, il peut y avoir des conflits d'intérêt entre, d'une part, des employeurs qui financent les cours et s'attendent à ce qu'ils soient consacrés au domaine professionnel et, d'autre part, des étudiants qui seraient plus intéressés à développer le domaine des relations personnelles.

Le nombre des **domaines** possibles est indéterminé ; en effet, n'importe quel centre d'intérêt ou sphère d'activité peut constituer le domaine d'un usager donné ou un programme de cours. Toutefois, en ce qui concerne l'enseignement et l'apprentissage des langues en général, on peut utilement distinguer au moins les domaines suivants
- le domaine **personnel**, qui est celui de la vie privée du sujet, centrée sur le foyer, la famille et les amis et dans lequel il s'engage également dans des activités proprement individuelles telles que lire pour le plaisir, tenir un journal, pratiquer un passe-temps ou se consacrer à un intérêt particulier, etc.
- le domaine **public**, qui est celui où le sujet est engagé, comme tout citoyen, ou comme membre d'un organisme, dans des transactions diverses pour des buts différents
- le domaine **professionnel** dans lequel le sujet est engagé dans son métier ou sa profession
- le domaine **éducationnel** dans lequel le sujet est impliqué dans un système éducatif, notamment (mais pas obligatoirement) dans une institution d'enseignement.

Il faut noter que nombre de situations relèvent de plusieurs domaines. Pour l'enseignant, les domaines professionnel et éducationnel se chevauchent. Le domaine public, avec tout ce que cela implique en termes d'interactions et de transactions sociales et administratives ainsi que de contacts avec les médias, empiète sur les autres domaines. Dans les deux domaines éducatif et professionnel, de nombreuses interactions et activités langagières entrent dans le cadre normal du fonctionnement social d'un groupe sans lien particulier avec des tâches professionnelles ou d'apprentissage. De même, on ne doit en aucune façon considérer le domaine personnel comme un lieu fermé (pénétration des médias dans la vie personnelle et familiale, distribution de documents « publics » variés dans des boîtes à lettres « privées », publicité, notices et modes d'emploi sur l'emballage de produits de la vie quotidienne, etc.).

Par ailleurs, le domaine personnel personnalise et individualise les actes relevant d'autres domaines. Sans cesser d'être des acteurs sociaux, les gens impliqués se situent en tant qu'individus ; un rapport technique, un exposé scolaire, un achat permettent heureusement à une « personnalité » de s'exprimer autrement que dans la seule relation aux domaines professionnel, éducationnel ou public dont relève l'activité langagière à un moment donné.

> **Les utilisateurs du** *Cadre de référence* **envisageront et expliciteront selon le cas les domaines dans lesquels l'apprenant aura besoin d'agir ou devra agir ou devra être linguistiquement outillé pour agir.**

4.1.2 Situations

Dans chaque domaine, on peut décrire les situations extérieures dans les termes suivants :
- le **lieu** et le **moment** où elles se produisent
- les **institutions** ou les **organismes** dont la structure ou le fonctionnement déterminent l'essentiel de ce qui peut normalement arriver
- les **acteurs**, notamment les rôles sociaux pertinents dans leur relation à l'utilisateur/apprenant
- les **objets** (humains et non humains) présents physiquement dans l'environnement
- les **événements** qui ont lieu
- les **opérations** effectuées par les acteurs
- les **textes** rencontrés dans le cadre de la situation.

Le Tableau 5 illustre les catégories situationnelles citées ci-avant, classées selon les domaines que l'on a toutes chances de croiser dans la plupart des pays européens. Il est donné à titre d'exemple et de suggestion et ne prétend nullement à l'exhaustivité. Il ne peut notamment pas tenir compte de la dynamique des situations interactives dans lesquelles les participants identifient les traits pertinents de toute situation d'utilisation de la langue, au fur et à mesure qu'elle évolue et sont plus intéressés à les changer qu'à les décrire. La relation entre les partenaires d'un acte de communication est plus détaillée en 4.1.4 et 4.1.5. Sur la structure interne de l'interaction communicative, voir 5.2.2.3. Sur les aspects socioculturels, voir 5.1.1.2, sur les stratégies de l'usager, voir 4.4.

Les utilisateurs du *Cadre de référence* envisageront et expliciteront selon le cas
- **les situations que l'apprenant aura besoin de traiter, ou qu'il devra traiter ou pour lesquelles il devra être linguistiquement outillé**
- **les lieux, institutions/organisations, personnes, objets, événements et actions qui concerneront l'apprenant.**

4.1.3 Conditions et contraintes

Le cadre extérieur dans lequel la communication a lieu impose différentes contraintes, par exemple :
- **conditions matérielles**
  a. pour l'oral
  - clarté de la prononciation (diction)
  - bruit ambiant (trains, avions, parasites, etc.)
  - interférences (rue bondée, marchés, cafés, soirées, discothèques, etc.)
  - distorsions (mauvaises lignes téléphoniques, réception par radio, systèmes de sonorisation)
  - conditions météorologiques (vent, froid extrême, etc.).
  b. pour l'écrit
  - imprimé de mauvaise qualité
  - écriture peu lisible
  - éclairage faible, etc.
- **conditions sociales**
  - nombre d'interlocuteurs et la familiarité qu'ils ont entre eux
  - statut relatif des participants (pouvoir et solidarité, etc.)
  - présence/absence de public ou d'oreilles indiscrètes
  - nature des relations entre les participants (par exemple, amitié/inimitié, coopération)
- **contraintes de temps**
  - contraintes différentes pour le locuteur et l'auditeur (temps réel) ou le scripteur et le lecteur (plus souple)
  - temps de préparation (pour discours, rapports, etc.)
  - limites imposées sur le temps imparti pour les prises de parole et les interactions (par exemple, par des règles, les frais encourus, les événements concomitants et les responsabilités engagées, etc.)
- **autres contraintes**
  - financières ; angoissantes (situation d'examen), etc.

La capacité de tout locuteur, et plus particulièrement d'un apprenant, de mettre en œuvre sa compétence langagière dépend très largement des conditions physiques dans lesquelles la communication a lieu. La compréhension du discours est rendue beaucoup plus difficile par le bruit, les interférences et les distorsions dont on trouvera des exemples. L'aptitude à fonctionner de manière efficace et fiable dans des conditions difficiles peut avoir une importance cruciale : ainsi des pilotes d'avion qui reçoivent les instructions d'atterrissage ne disposent d'aucune marge d'erreur. Ceux qui apprennent à faire des annonces publiques en langue étrangère doivent avoir une diction particulièrement soignée, répéter les mots clés, etc. pour être sûrs d'être compris. Il est souvent arrivé que des laboratoires de langues utilisent des copies de copies dans lesquelles le niveau de distorsion et de parasitage ne serait pas acceptable s'il s'agissait d'un document visuel et qui gêne sérieusement l'apprentissage de la langue.

Il faut s'assurer que tous les candidats à un test de compréhension de l'oral jouissent des mêmes conditions. De même, il faut tenir compte des données équivalentes en ce qui concerne la compréhension de l'écrit et sa production. Les enseignants et les examinateurs doivent aussi prendre conscience de l'effet des conditions sociales et des contraintes de temps sur le processus d'apprentissage, l'interaction en classe ainsi que sur la compétence de l'apprenant et sa capacité à agir langagièrement dans une situation donnée.

Les utilisateurs du *Cadre de référence* envisageront et expliciteront selon le cas
- **comment les conditions matérielles dans lesquelles l'apprenant sera amené à communiquer affecteront ce qu'il doit faire**
- **comment le nombre et la nature des interlocuteurs affecteront ce que l'apprenant doit faire**
- **avec quelles contraintes de temps l'apprenant devra opérer.**

Domaine	Personnel	Public	Professionnel	Éducationnel
Lieux	maison : pièces, jardin... * chez soi * dans la famille * chez des amis * chez des inconnus espace privé dans une auberge, à l'hôtel... campagne, littoral, etc.	lieux publics : rue, place, parc, etc. ; transports en commun, magasins, (super) marchés, hôpitaux, cabinets médicaux, centres médicaux, stades, terrains, salle de sport, théâtre, cinéma, loisirs, restaurant, café, hôtel, lieux de culte	bureaux, usines, ateliers, ports, gares, fermes, aéroports, magasins, boutiques, etc. sociétés de services, hôtels, fonction publique	écoles, auditorium, salles de classes, cours de récréation, terrains de sports, couloirs, ét. d'enseignement supérieur : universités, salles de conférence, salles de séminaire, association des étudiants, résidences universitaires, laboratoires, restaurants universitaires
Institutions	la famille réseaux sociaux	les autorités, organismes politiques, justice, santé publique, associations, sociétés caritatives, partis politiques, groupes religieux/confessionnels	entreprises : - de la fonction publique, - multinationales, - nationalisées, syndicats	école, ét. d'enseignement supérieur, université, sociétés savantes, associations professionnelles, organismes de formation continue
Personnes	(grand) parents, enfants, frères et sœurs tantes, oncles, cousins et cousines, belle-famille, époux, intimes, amis, connaissances	simples citoyens, représentants officiels, vendeurs dans un magasin, police, armée, forces de sécurité, conducteurs, contrôleurs, passagers, joueurs, supporters, spectateurs, acteurs, public, serveurs, barman, réceptionnistes, clergé, fidèles	employeurs/employés, directeurs, collègues subordonnés, consommateurs, réceptionnistes, secrétaires, personnel d'entretien, etc.	professeurs principaux, équipe pédagogique, personnel d'encadrement, professeurs, parents, condisciples, professeurs, chargés de cours, étudiants, bibliothécaire, personnel de laboratoire, personnel de restaurant, personnel d'entretien concierges, secrétaires
Objets	décoration/ameublement, habillement, équipements domestiques, jouets, outils, hygiène personnelle... objets d'art, livres, animaux domestiques, animaux sauvages, arbres, plantes, pelouse, bassins, biens domestiques, bagages à main, équipements de loisir, de sport	argent, porte-monnaie, portefeuille, documents officiels, marchandises, armes, sacs-à-dos, valises, sacs de voyage, balles, programmes, repas, boissons, casse-croûte, passeports, autorisations, permis	machines de bureau (bureautique), machines industrielles, outils industriels et artisanaux	fournitures scolaires, uniformes, équipement et vêtements de sport, alimentation, équipement audiovisuel, tableau et craie, ordinateurs, cartables et sacs
Événements	fêtes de famille, rencontres, incidents, accidents, phénomènes naturels, soirées, visites, promenades à pied, à vélo, à moto, en voiture, vacances, excursions, événements sportifs	incidents, accidents/maladies, réunions publiques, procès, audiences, tribunaux, journées de solidarité, amendes, arrestations, matchs, concours, spectacles, mariages, funérailles	réunions, interviews, réceptions, congrès, foires commerciales, consultations, ventes saisonnières, accidents du travail, conflits sociaux	rentrée des classes/entrée en classe, fin des cours, visites et échanges, journées/soirées des parents, journées/compétitions sportives, problèmes disciplinaires
Actes	gestes de la vie quotidienne, par exemple : s'habiller, se déshabiller, cuisiner, manger, se laver... bricolage, jardinage, lecture, radio et T.V., passe-temps, jeux/sports	achats, utilisation de services médicaux, voyages par : route/train/bateau/avion, sorties en ville/loisirs, offices religieux	administration des affaires, gestion industrielle, opérations de production, procédures administratives, transport par route, opérations de vente, commercialisation, applications informatiques, entretien des bureaux	assemblée (générale), leçons, jeux, récréation clubs et associations, conférences, dissertation, travaux pratiques en laboratoire, travaux en bibliothèque, séminaires et travaux dirigés, travail personnel, débats et discussions
Textes	télétextes, garanties, recettes, manuels scolaires, romans, magazines, journaux, dépliants publicitaires, brochures, courrier personnel, enregistrements et radio/diffusion	avis au public, étiquettes et emballages, dépliants, graffitis, billets, horaires, annonces, règlements, programmes, contrats, menus, textes sacrés, sermons/hymnes	lettre d'affaires, note de rapport, consignes de sécurité, modes d'emploi, règlements, matériel publicitaire, étiquetage et emballage, description de fonction, signalisation, cartes de visites, etc.	documents authentiques, manuel scolaire, livres de lecture, ouvrages de référence, texte au tableau, notes d'origines diverses, textes sur écran d'ordinateur, vidéotexte, cahiers d'exercices, articles de journaux, résumés, dictionnaires (unilingues/ bilingues)

Tableau 5 - Contexte externe d'usage

4.1.4 Le contexte mental des utilisateurs/apprenants

Ce **contexte situationnel** est organisé de manière tout à fait indépendante de l'individu. C'est une organisation extrêmement riche. Elle présente un univers dont l'articulation très fine est reflétée fidèlement par la langue de la communauté en question. Les locuteurs de cette langue l'acquièrent au cours de leur croissance, de leur éducation et par l'expérience, au moins dans la mesure où ils la perçoivent comme pertinente par rapport à leurs besoins. Toutefois, en tant que facteur déterminant d'un acte de communication, nous devons distinguer ce cadre extérieur beaucoup trop riche pour être suivi à la lettre ou même perçu dans toute sa complexité, du contexte mental de l'utilisateur/apprenant.

Le cadre extérieur est **interprété et filtré** par l'utilisateur en fonction de caractéristiques telles que
- l'appareil perceptif
- les mécanismes d'attention
- l'expérience à long terme qui affecte : la mémoire, les associations, les connotations
- la classification pratique des objets, événements, etc.
- les catégories linguistiques de la langue maternelle.

Ces facteurs influencent la **perception** que l'utilisateur a du contexte. En outre, la perception du cadre extérieur fournit le **contexte mental** pour l'acte de communication dans la mesure où l'utilisateur lui accorde un certain degré de pertinence. Ainsi,
- les **intentions** qui président à la communication
- le **courant de pensée** : les idées, sentiments, sensations, impressions, etc. qui viennent à la conscience
- les **attentes**, à la lumière des expériences antérieures
- la **réflexion** sur l'effet des opérations mentales sur l'expérience (par exemple, déduction, induction)
- les **besoins, désirs, motivations** et **intérêts** qui entraînent le passage à l'acte
- les **conditions** et les **contraintes** qui limitent et contrôlent le choix de l'action
- l'**état d'esprit** (fatigue, excitation, etc.), la santé et les qualités personnelles (voir 5.1.3).

Ainsi, le contexte mental ne se limite pas à réduire le contenu informatif du cadre extérieur immédiatement observable. Le courant de pensée peut être influencé avec plus de puissance par la mémoire, la somme de savoirs, l'imagination et d'autres opérations cognitives (et émotives) internes. Dans ce cas, la langue produite n'a qu'une relation marginale au cadre extérieur perçu. Que l'on pense, par exemple, à un candidat dans une quelconque salle d'examen ou à un poète ou un mathématicien dans son bureau.

Les conditions et contraintes extérieures n'interviennent que dans la mesure où l'utilisateur/apprenant les reconnaît, les accepte et s'y adapte (ou ne réussit pas à le faire). Ceci dépend largement de l'interprétation que fait le sujet de la situation à la lumière de ses compétences générales (voir 5.1) telles que les connaissances, les valeurs et les croyances antérieures.

Les utilisateurs du *Cadre de référence* envisageront et expliciteront selon le cas
- **les hypothèses sur la capacité de l'apprenant à observer et identifier les traits pertinents du cadre de la communication**
- **la relation entre les activités communicatives et d'apprentissage et les désirs, motivations et intérêts de l'apprenant**
- **jusqu'où l'apprenant est tenu de réfléchir sur son expérience**
- **de quelle façon les caractéristiques mentales de l'apprenant conditionnent et contraignent la communication.**

4.1.5 Le contexte mental de l'interlocuteur (ou des interlocuteurs)

Dans **un acte de communication**, nous devons également tenir compte de l'interlocuteur. Le besoin de communication présuppose un « vide de communication » que l'on pourra néanmoins combler grâce au chevauchement ou congruence partielle entre le contexte mental de l'utilisateur et le contexte mental de l'interlocuteur.

Dans une **interaction en face à face**, l'utilisateur de la langue et son interlocuteur partagent le même cadre situationnel (si l'on excepte l'élément crucial que constitue la présence de l'autre) mais, pour les raisons exposées ci-dessus, la perception et l'interprétation qu'ils en ont diffèrent. L'effet – et souvent l'ensemble ou une partie de la fonction – d'un acte de communication est d'étendre le champ de la congruence et de la compréhension de la situation dans l'intérêt d'une communication efficace qui permette aux apprenants d'atteindre leurs objectifs. Il peut s'agir d'un échange d'informations factuelles. Plus difficiles à combler sont les différences de croyances et de valeurs, de convenances, d'attentes sociales, etc. dans des termes dont les différentes parties interprètent l'interaction, à moins qu'elles n'en aient acquis la conscience interculturelle appropriée.

Le (ou les) interlocuteur(s) pourrai(en)t être soumis à des conditions ou **contraintes** partiellement ou totalement **différentes** de celles de l'utilisateur/apprenant et réagir différemment. Par exemple, l'employé utilisant un système de sonorisation peut ne pas se rendre compte de la mauvaise qualité de son produit. Lors d'une conversation téléphonique, l'une des parties peut avoir du temps à perdre tandis que l'autre a un client en attente. Ces différences influencent fortement les pressions exercées sur l'utilisateur.

> **Les utilisateurs du *Cadre de référence* envisageront et expliciteront selon le cas**
> – dans quelle mesure les apprenants devront s'adapter au contexte mental de leur interlocuteur
> – comment préparer le mieux les apprenants à faire les ajustements nécessaires.

4.2 THÈMES DE COMMUNICATION

Dans les différents domaines on distingue des **thèmes privilégiés** pour des actes de communication particuliers ; c'est autour d'eux que s'articulent le discours, la conversation, la réflexion ou la rédaction. On peut classer de différentes manières les catégories thématiques. Notre classement inductif en thèmes, sous-thèmes et « notions spécifiques » est celui du *Threshold Level 1990, Chapitre7.*

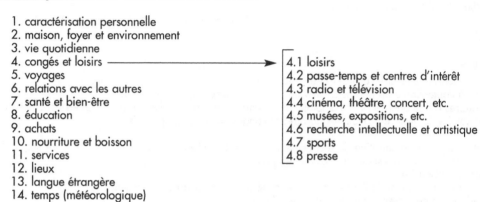

1. caractérisation personnelle
2. maison, foyer et environnement
3. vie quotidienne
4. congés et loisirs ⎯⎯⎯⎯⎯⎯⎯⎯→   4.1 loisirs
5. voyages   4.2 passe-temps et centres d'intérêt
6. relations avec les autres   4.3 radio et télévision
7. santé et bien-être   4.4 cinéma, théâtre, concert, etc.
8. éducation   4.5 musées, expositions, etc.
9. achats   4.6 recherche intellectuelle et artistique
10. nourriture et boisson   4.7 sports
11. services   4.8 presse
12. lieux
13. langue étrangère
14. temps (météorologique)

Pour chacun de ces champs thématiques, on établit des **sous-catégories**. Par exemple, le champ thématique 4 « Congés et loisirs » est divisé de 4.1 à 4.8, comme ci-dessus.

Pour chaque sous-thème on identifie des « **notions spécifiques** ». À cet égard, les catégories représentées dans le Tableau 5 (voir p. 43) qui couvrent les lieux, les institutions, etc. sont particulièrement pertinentes. Par exemple, le *Threshold Level 1990* précise pour 4.7 « Sport »

1. lieu : court, champ (pour cricket et base-ball), terrain, stade
2. institutions et organismes : sport, équipe, club
3. personnes : joueur
4. objets : cartes, ballon
5. événements : course, match
6. action : regarder, jouer à (+ le nom du sport), courir, gagner, perdre, tirer (au sort).

Il apparaît de toute évidence que ce choix et ce classement de thèmes, sous-thèmes et notions spécifiques ne sauraient être définitifs. Ils se fondent sur les décisions que les auteurs ont prises et résultent de l'estimation qu'ils ont faite des besoins de communication des apprenants dont ils s'occupent. On constatera que les thèmes ci-dessus relèvent essentiellement des domaines personnel et public. Certains (par exemple la catégorie 4) appartiennent pour part au domaine personnel et pour part au domaine public. Bien entendu, les utilisateurs du *Cadre de référence*, y compris si possible les apprenants, prendront eux-mêmes les décisions appropriées en fonction de leur propre estimation des besoins, des motivations, des caractéristiques et des ressources de l'apprenant dans le(s) domaine(s) qui les concerne(nt). Par exemple, l'apprentissage de la langue sur objectifs spécifiques peut conduire à un développement des thèmes professionnels pertinents pour un étudiant donné. Les élèves du second cycle du secondaire peuvent approfondir la technologie, la science, l'économie, etc. L'utilisation d'une langue étrangère comme véhicule de l'enseignement imposera qu'une attention toute particulière soit portée au contenu thématique de la discipline enseignée.

> **Les utilisateurs du *Cadre de référence* envisageront et expliciteront selon le cas**
> – les thèmes que les apprenants auront besoin de manipuler ou pour lesquels ils devront être outillés dans des domaines sélectionnés
> – les sous-thèmes qu'ils manipuleront en ce qui concerne chaque thème
> – les notions spécifiques relatives aux lieux, institutions, organismes, personnes, objets, événements et actions dont ils auront besoin/qu'ils devront utiliser afin de manipuler chaque thème, ou pour lesquels ils seront outillés.

4.3 TÂCHES COMMUNICATIVES ET FINALITÉS

4.3.1 Un utilisateur de la langue s'engage dans un acte de communication avec un ou plusieurs interlocuteurs afin de répondre à un ou des besoins dans une situation donnée. Dans le **domaine privé**, l'intention peut être de faire la conversation avec un visiteur pour échanger des informations sur la famille, les amis, ce qui plaît et ce qui ne plaît pas, de comparer des expériences et des attitudes, etc. Dans le **domaine public**, l'échange sera souvent de type commercial, par exemple, pour acheter des vêtements de bonne qualité à un prix raisonnable. Dans le **domaine professionnel**, il pourra s'agir de comprendre un nouveau règlement et ses conséquences sur un client ; dans le **domaine éducationnel**, de participer à un jeu de rôle ou à un séminaire ou d'écrire un article sur un sujet spécialisé pour un colloque ou une revue, etc.

4.3.2 L'analyse des besoins et les études linguistiques ont donné lieu, au cours du temps, à de nombreuses publications relatives aux tâches langagières qu'un apprenant doit accomplir ou doit être en mesure d'accomplir afin de faire face aux exigences des situations qui surgissent dans les différents domaines.

Parmi de nombreux exemples, on peut utilement citer le passage suivant de *Threshold Level 1990* (Chapitre 2, section 1.12) relatif au **domaine professionnel**.

La communication professionnelle

Les apprenants en situation de résidents temporaires devront être capables de
- faire les formalités nécessaires à l'obtention d'un permis de travail ou de tout autre papier de ce type
- se renseigner (par exemple auprès d'une agence pour l'emploi) sur la nature des emplois, les ouvertures et les conditions (par exemple le profil du poste, le salaire, le droit du travail, les horaires et congés, la durée du préavis, etc.)
- lire les offres d'emploi
- écrire des lettres de candidature et avoir un entretien de recrutement. Fournir des informations orales ou écrites sur soi, sa formation et son expérience et répondre à des questions sur ces mêmes points
- comprendre et suivre les règles d'embauche
- comprendre les tâches à accomplir au moment de l'entrée en fonctions et poser des questions à ce sujet
- comprendre les règles de prudence et de sécurité et leurs consignes d'application
- signaler un accident, faire une déclaration d'assurance
- bénéficier de la protection sociale
- communiquer de manière appropriée avec les supérieurs, les collègues et les subordonnés
- participer à la vie sociale de l'entreprise ou de l'institution (par exemple le restaurant d'entreprise, les clubs sportifs et les associations, etc.).

En tant que membre de la communauté d'accueil, un apprenant devrait pouvoir assister un locuteur étranger (locuteur natif ou pas) dans les tâches ci-dessus mentionnées.

Le Chapitre 7, section 1 du *Threshold Level 1990* propose des exemples de tâches dans le **domaine personnel**.

S'identifier

Les apprenants sont capables de décliner leur identité, d'épeler leur nom, de donner leur adresse et leur numéro de téléphone, de dire leur date et lieu de naissance, leur âge, leur sexe, leur état-civil, leur nationalité, d'où ils viennent, ce qu'ils font, de décrire leur famille, de nommer leur religion s'il y a lieu, de dire ce qui leur plaît et ce qui ne leur plaît pas, de dire comment sont les autres ; de comprendre et solliciter des informations semblables de la part de leurs interlocuteurs.

Praticiens (apprenants, enseignants, auteurs de méthodes, examinateurs, rédacteurs de programmes, etc.), utilisateurs (parents, directeurs d'école, employeurs, etc.) et les apprenants eux-mêmes ont estimé que ces spécifications très concrètes de tâches constituaient des objectifs d'apprentissage motivants et significatifs. Néanmoins, le nombre des tâches est indéfini. On ne peut pas, pour un cadre de référence général, préciser *in extenso* toutes les tâches communicatives auxquelles on peut se trouver confronté dans les situations de la vie réelle. Il revient aux praticiens de réfléchir aux besoins communicatifs de leurs propres apprenants et de définir en conséquence les tâches communicatives pour lesquelles ils devront être outillés, en utilisant pour cela de manière appropriée toutes les ressources du *Cadre de référence* (voir, par exemple le détail au Chapitre 7). Il faudrait également amener les apprenants à réfléchir sur leurs besoins en termes de communication, les entraînant ainsi à une prise de conscience de leur apprentissage et à l'autonomie.

Les utilisateurs du *Cadre de référence* envisageront et expliciteront selon le cas
- les tâches communicatives, dans les domaines personnel, public ou professionnel que l'apprenant aura besoin de réaliser, ou devra réaliser ou pour lesquelles il devra être linguistiquement outillé
- l'évaluation des besoins de l'apprenant sur lesquels le choix des tâches est fondé.

4.3.3 Dans le **domaine éducationnel**, on peut utilement distinguer *les tâches* que l'apprenant est amené à réaliser ou pour lesquelles il est linguistiquement outillé en tant qu'**utilisateur** de la langue et celles dans lesquelles il est impliqué comme apprenant parce qu'elles font partie du **processus d'apprentissage**.

En ce qui concerne les tâches ou activités en tant que moyens pour planifier et mener à bien l'enseignement et l'apprentissage, on peut donner s'il y a lieu l'information concernant
- les **types de tâche**, par exemple, simulations, jeux de rôle, interactions en classe, etc.
- les **finalités**, par exemple, les objectifs d'apprentissage du groupe en relation aux objectifs différents et moins prévisibles des différents membres du groupe
- les **supports**, par exemple, les consignes, le matériel sélectionné ou produit par les enseignants et/ou les apprenants
- les **produits**, par exemple, des objets langagiers tels que des textes, des résumés, des tableaux, des documents, etc., et des produits d'apprentissage tels que la prise de conscience, l'intuition, la stratégie, l'expérience à prendre des décisions et à négocier, etc.
- les **activités**, par exemple, cognitives/affectives, physiques/réflexives, en groupe/par deux/individuelles, etc. (voir aussi section 4.5)
- le **rôle** des participants dans les activités, leur planification et leur organisation
- le **contrôle** et l'**évaluation** du succès relatif de la tâche dans sa conception et dans sa réalisation selon des critères tels que la pertinence, les contraintes et les attentes en termes de difficulté et l'applicabilité.

On trouvera dans le Chapitre 7 une description plus complète du rôle des activités dans l'enseignement et l'apprentissage des langues.

Les utilisateurs du *Cadre de référence* envisageront et expliciteront selon le cas les tâches que les apprenants devront entreprendre ou auront besoin d'entreprendre ou pour lesquelles ils devront être outillés dans le domaine éducationnel a. comme participants dans des interactions guidées ou finalisées, des projets, des simulations, des jeux de rôle, etc. b. ou encore dans les cas où la L2 est la langue d'enseignement de la langue elle-même, ou d'autres disciplines au programme, etc.

4.3.4 Utilisation ludique de la langue

L'utilisation de la langue pour le jeu ou la créativité joue souvent un rôle important dans l'apprentissage et le perfectionnement mais n'appartient pas au seul domaine éducationnel. On peut donner comme exemples
- **des jeux de société**
  - oraux (histoires erronées ou « trouver l'erreur » ; comment, quand, où, etc.)
  - écrits (le pendu, etc.)
  - audiovisuels (le loto d'images, etc.)
  - sur cartes et damiers (le *Scrabble*, le *Lexicon*, etc.)
  - charades et mimes, etc.
- **des activités individuelles**
  - des devinettes et énigmes (mots croisés, rébus, anagrammes, charades, etc.)
  - des jeux médiatiques (radio et télévision : *Des chiffres et des lettres, Questions pour un champion, Le Jeu des mille francs,* etc.)
- **des jeux de mots (calembours, etc.)**
  - dans la publicité, par exemple, pour une voiture : *La 106, un sacré numéro*
  - dans les titres de journaux, par exemple, à l'occasion d'une grève du métro parisien : *La galère sans les rames*
  - dans les graffitis, par exemple : *Dessine-moi un jour plus vieux.*

4.3.5 Utilisation esthétique ou poétique de la langue

L'utilisation de la langue pour le rêve ou pour le plaisir est importante au plan éducatif mais aussi en tant que telle. Les activités esthétiques peuvent relever de la production, de la réception, de l'interaction ou de la médiation et être orales ou écrites (voir 4.4.4 ci-dessous). Elles comprennent des activités comme
- le chant (comptines, chansons du patrimoine, chansons populaires, etc.)
- la réécriture et le récit répétitif d'histoires, etc.
- l'audition, la lecture, l'écriture ou le récit oral de textes d'imagination (bouts rimés, etc.) parmi lesquels des caricatures, des bandes dessinées, des histoires en images, des romans photos, etc.
- le théâtre (écrit ou improvisé)
- la production, la réception et la représentation de textes littéraires comme
  - lire et écrire des textes (nouvelles, romans, poèmes, etc.)
  - représenter et regarder ou écouter un récital, un opéra, une pièce de théâtre, etc.

Bien que ce bref traitement de ce qui a traditionnellement été un aspect important, souvent essentiel, des études de langue vivante au secondaire et dans le supérieur puisse paraître un peu cavalier, il n'en est rien. Les littératures nationale et étrangère apportent une contribution majeure au patrimoine culturel européen que le Conseil de l'Europe voit comme « une ressource commune inappréciable qu'il faut protéger et développer ». Les études littéraires ont de nombreuses finalités éducatives, intellectuelles, morales et affectives, linguistiques et culturelles et pas seulement esthétiques. Il est à espérer que les professeurs de littérature à tous les niveaux trouvent que de nombreuses sections du *Cadre de référence* sont pertinentes pour eux et utiles en ce qu'elles rendent leurs buts et leurs démarches plus transparents.

> **Les utilisateurs du *Cadre de référence* envisageront et expliciteront selon le cas dans quelles activités ludiques ou créatives l'apprenant aura besoin de s'engager ou devra le faire ou devra être outillé pour le faire.**

4.4 ACTIVITÉS DE COMMUNICATION LANGAGIÈRE ET STRATÉGIES

Afin de réaliser des tâches de communication, les usagers de la langue doivent s'impliquer dans des activités langagières communicatives. De nombreuses activités communicatives telles que la **conversation** ou la **correspondance**, par exemple, sont **interactives**, c'est-à-dire que les participants sont tour à tour locuteur(s)/scripteur(s) et destinataire(s).

Dans le cas où la parole est enregistrée ou dans le cas de la radio ou des textes écrits, le locuteur n'est pas en présence du destinataire qu'il peut même ne pas connaître et qui, en tout état de cause, ne peut pas répondre. Dans ces cas, l'événement communicatif peut être considéré comme **parler, écrire, écouter** ou **lire** un texte.

Dans la plupart des cas, le locuteur ou le scripteur produit son propre texte pour exprimer sa pensée. Dans d'autres, il joue le rôle de canal de communication (souvent, mais pas obligatoirement, dans des langues différentes) entre deux personnes ou plus qui, pour une raison quelconque, ne peuvent pas communiquer directement. Ce processus de **médiation** peut, de nouveau, être interactif ou pas.

De nombreuses situations – sinon toutes – supposent des types d'activité mixtes. En cours de langue, par exemple, l'apprenant peut avoir à écouter un exposé du professeur, à lire un manuel à voix basse ou à haute voix, à communiquer en sous-groupe avec ses camarades sur un projet, à faire des exercices ou à rédiger un texte et même à jouer le rôle de médiateur, soit dans le cadre d'une activité scolaire, soit pour aider un camarade.

Les **stratégies** sont le moyen utilisé par l'usager d'une langue pour mobiliser et équilibrer ses ressources et pour mettre en œuvre des aptitudes et des opérations afin de répondre aux exigences de la communication en situation et d'exécuter la tâche avec succès et de la façon la plus complète et la plus économique possible – en fonction de son but précis. Les stratégies communicatives ne devraient pas, en conséquence, s'interpréter seulement selon un modèle d'incapacité, comme une façon de remédier à un déficit langagier ou à une erreur de communication. Les locuteurs natifs utilisent régulièrement des stratégies de communication de tous ordres (qui seront commentées ci-dessous) quand la stratégie est appropriée aux exigences communicatives qui pèsent sur elles.

On peut voir l'utilisation de stratégies communicatives comme l'application des principes métacognitifs : **Pré-planification, Exécution, Contrôle** et **Remédiation** des différentes formes de l'activité communicative : Réception, Interaction, Production et Médiation.

On a pu utiliser le mot « stratégies » avec des sens différents. On l'entend ici comme l'adoption d'une ligne de conduite particulière qui permet l'efficacité maximum. Les aptitudes qui constituent une partie inévitable des opérations de compréhension et d'articulation du mot écrit et parlé (par exemple, découper la chaîne parlée en mots significatifs) sont traitées comme des aptitudes de niveau inférieur, relatives au processus communicatif approprié (voir Section 4.5).

Le progrès dans l'apprentissage d'une langue apparaît le mieux dans la capacité de l'apprenant à s'engager dans une activité langagière observable et à mettre en œuvre des stratégies de communication. En conséquence, elles constituent une base pratique pour l'étalonnage de la capacité langagière. On trouvera dans ce chapitre une proposition d'étalonnage pour différents aspects d'activités et de stratégies qui seront commentées.

4.4.1 Activités de production et stratégies

Elles incluent la **production orale** (parler ou expression orale) et la production écrite (écrire ou expression écrite).

4.4.1.1 Production orale

Dans les **activités de production orale (parler)** l'utilisateur de la langue produit un texte ou énoncé oral qui est reçu par un ou plusieurs auditeurs. Parmi les activités orales on trouve, par exemple
  – les annonces publiques (renseignements, instructions, etc.)
  – les exposés (discours dans des réunions publiques, conférences à l'université, sermons, spectacles, commentaires sportifs, etc.).
Elles peuvent inclure, par exemple
  – de lire un texte écrit à haute voix
  – de faire un exposé en suivant des notes ou commenter des données visuelles (diagrammes, dessins, tableaux, etc.)
  – de jouer un rôle qui a été répété
  – de parler spontanément
  – de chanter.

Une échelle est proposée pour illustrer la production orale générale et des sous-échelles pour illustrer
– le monologue suivi : décrire l'expérience
– le monologue suivi : argumenter (par exemple lors d'un débat)
– des annonces publiques
– s'adresser à un auditoire.

	PRODUCTION ORALE GÉNÉRALE
C2	Peut produire un discours élaboré, limpide et fluide, avec une structure logique efficace qui aide le destinataire à remarquer les points importants et à s'en souvenir.
C1	Peut faire une présentation ou une description d'un sujet complexe en intégrant des arguments secondaires et en développant des points particuliers pour parvenir à une conclusion appropriée.
B2	Peut méthodiquement développer une présentation ou une description soulignant les points importants et les détails pertinents.
	Peut faire une description et une présentation détaillées sur une gamme étendue de sujets relatifs à son domaine d'intérêt en développant et justifiant les idées par des points secondaires et des exemples pertinents.
B1	Peut assez aisément mener à bien une description directe et non compliquée de sujets variés dans son domaine en la présentant comme une succession linéaire de points.
A2	Peut décrire ou présenter simplement des gens, des conditions de vie, des activités quotidiennes, ce qu'on aime ou pas, par de courtes séries d'expressions ou de phrases non articulées.
A1	Peut produire des expressions simples isolées sur les gens et les choses.

	MONOLOGUE SUIVI : décrire l'expérience
C2	Peut faire des descriptions limpides et courantes, élaborées et souvent mémorables.
C1	Peut faire une description claire et détaillée de sujets complexes.
	Peut faire une description ou une narration élaborée, en y intégrant des thèmes secondaires, en développant certains points et en terminant par une conclusion appropriée.
B2	Peut faire une description claire et détaillée d'une gamme étendue de sujets en relation avec son domaine d'intérêt.
B1	Peut faire une description directe et simple de sujets familiers variés dans le cadre de son domaine d'intérêt.
	Peut rapporter assez couramment une narration ou une description simples sous forme d'une suite de points. Peut relater en détail ses expériences en décrivant ses sentiments et ses réactions.
	Peut relater les détails essentiels d'un événement fortuit, tel un accident.
	Peut raconter l'intrigue d'un livre ou d'un film et décrire ses propres réactions.
	Peut décrire un rêve, un espoir ou une ambition.
	Peut décrire un événement, réel ou imaginaire.
	Peut raconter une histoire.
A2	Peut raconter une histoire ou décrire quelque chose par une simple liste de points. Peut décrire les aspects de son environnement quotidien tels que les gens, les lieux, l'expérience professionnelle ou scolaire.
	Peut faire une description brève et élémentaire d'un événement ou d'une activité.
	Peut décrire des projets et préparatifs, des habitudes et occupations journalières, des activités passées et des expériences personnelles.
	Peut décrire et comparer brièvement, dans une langue simple, des objets et choses lui appartenant.
	Peut expliquer en quoi une chose lui plaît ou lui déplaît.
	Peut décrire sa famille, ses conditions de vie, sa formation, son travail actuel ou le dernier en date.
	Peut décrire les gens, lieux et choses en termes simples.
A1	Peut se décrire, décrire ce qu'il/elle fait, ainsi que son lieu d'habitation.

	MONOLOGUE SUIVI : argumenter (par exemple, lors d'un débat)
C2	Pas de descripteur disponible.
C1	Pas de descripteur disponible.
B2	Peut développer méthodiquement une argumentation en mettant en évidence les points significatifs et les éléments pertinents.
	Peut développer une argumentation claire, en élargissant et confirmant ses points de vue par des arguments secondaires et des exemples pertinents. Peut enchaîner des arguments avec logique. Peut expliquer un point de vue sur un problème en donnant les avantages et les inconvénients d'options diverses.
B1	Peut développer une argumentation suffisamment bien pour être compris sans difficulté la plupart du temps.
	Peut donner brièvement raisons et explications relatives à des opinions, projets et actions.
A2	Pas de descripteur disponible.
A1	Pas de descripteur disponible.

	ANNONCES PUBLIQUES
C2	Pas de descripteur disponible.
C1	Peut faire une annonce avec aisance, presque sans effort, avec l'accent et l'intonation qui transmettent des nuances fines de sens.
B2	Peut faire des annonces sur la plupart des sujets généraux avec un degré de clarté, d'aisance et de spontanéité qui ne procurent à l'auditeur ni tension ni inconfort.
B1	Peut faire de brèves annonces préparées sur un sujet proche des faits quotidiens dans son domaine, éventuellement même avec un accent et une intonation étrangers qui n'empêchent pas d'être clairement intelligible.
A2	Peut faire de très brèves annonces préparées avec un contenu prévisible et appris de telle sorte qu'elles soient intelligibles pour des auditeurs attentifs.
A1	Pas de descripteur disponible.

Note : les descripteurs de cette sous-échelle n'ont pas été calibrés empiriquement.

	S'ADRESSER À UN AUDITOIRE
C2	Peut présenter un sujet complexe, bien construit, avec assurance à un auditoire pour qui il n'est pas familier, en structurant et adaptant l'exposé avec souplesse pour répondre aux besoins de cet auditoire. Peut gérer un questionnement difficile, voire hostile.
C1	Peut faire un exposé clair et bien structuré sur un sujet complexe, développant et confirmant ses points de vue assez longuement à l'aide de points secondaires, de justifications et d'exemples pertinents. Peut gérer les objections convenablement, y répondant avec spontanéité et presque sans effort.
B2	Peut développer un exposé de manière claire et méthodique en soulignant les points significatifs et les éléments pertinents. Peut s'écarter spontanément d'un texte préparé pour suivre les points intéressants soulevés par des auditeurs en faisant souvent preuve d'une aisance et d'une facilité d'expression remarquables.
	Peut faire un exposé clair, préparé, en avançant des raisons pour ou contre un point de vue particulier et en présentant les avantages et les inconvénients d'options diverses. Peut prendre en charge une série de questions, après l'exposé, avec un degré d'aisance et de spontanéité qui ne cause pas de tension à l'auditoire ou à lui/elle-même.
B1	Peut faire un exposé simple et direct, préparé, sur un sujet familier dans son domaine qui soit assez clair pour être suivi sans difficulté la plupart du temps et dans lequel les points importants soient expliqués avec assez de précision. Peut gérer les questions qui suivent mais peut devoir faire répéter si le débit était rapide.
A2	Peut faire un bref exposé préparé sur un sujet relatif à sa vie quotidienne, donner brièvement des justifications et des explications pour ses opinions, ses projets et ses actes. Peut faire face à un nombre limité de questions simples et directes.
	Peut faire un bref exposé élémentaire, répété, sur un sujet familier. Peut répondre aux questions qui suivent si elles sont simples et directes et à condition de pouvoir faire répéter et se faire aider pour formuler une réponse.
A1	Peut lire un texte très bref et répété, par exemple pour présenter un conférencier, proposer un toast.

Note : les descripteurs de cette sous-échelle ont été créés par de nouvelles combinaisons d'éléments extraits d'autres échelles.

> **Les utilisateurs du *Cadre de référence* envisageront et expliciteront selon le cas dans quelle gamme d'activités de production orale (parler) l'apprenant aura besoin de/devra être outillé pour/devra être performant.**

4.4.1.2 Production écrite

Dans les **activités de production écrite (écrire, ou expression écrite)** l'utilisateur de la langue comme scripteur produit un texte écrit qui est reçu par un ou plusieurs lecteurs.

Parmi les activités écrites on trouve, par exemple :
– remplir des formulaires et des questionnaires
– écrire des articles pour des magazines, des journaux, des bulletins, etc.
– produire des affiches
– rédiger des rapports, des notes de service, etc.
– prendre des notes pour s'y reporter
– prendre des messages sous la dictée, etc.
– écrire des textes libres
– écrire des lettres personnelles ou d'affaires, etc.

Une échelle est proposée pour illustrer la production orale générale et des sous-échelles pour illustrer
– l'écriture créative
– essais et rapports.

	PRODUCTION ÉCRITE GÉNÉRALE
C2	Peut écrire des textes élaborés, limpides et fluides, dans un style approprié et efficace, avec une structure logique qui aide le destinataire à remarquer les points importants.
C1	Peut écrire des textes bien structurés sur des sujets complexes, en soulignant les points pertinents les plus saillants et en confirmant un point de vue de manière élaborée par l'intégration d'arguments secondaires, de justifications et d'exemples pertinents pour parvenir à une conclusion appropriée.
B2	Peut écrire des textes clairs et détaillés sur une gamme étendue de sujets relatifs à son domaine d'intérêt en faisant la synthèse et l'évaluation d'informations et d'arguments empruntés à des sources diverses.
B1	Peut écrire des textes articulés simplement sur une gamme de sujets variés dans son domaine en liant une série d'éléments discrets en une séquence linéaire.
A2	Peut écrire une série d'expressions et de phrases simples reliées par des connecteurs simples tels que « et », « mais » et « parce que ».
A1	Peut écrire des expressions et phrases simples isolées.

Note : les descripteurs de cette échelle et des deux sous-échelles qui suivent (Écriture créative ; Essais et Rapports) n'ont pas été calibrés d'une manière empirique par rapport au modèle qui sert de mesure. Les descripteurs pour ces trois échelles ont donc été créés par une nouvelle combinaison d'éléments de descripteurs extraits d'autres échelles.

	ÉCRITURE CRÉATIVE
C2	Peut écrire des histoires ou des récits d'expérience captivants, de manière limpide et fluide et dans un style approprié au genre adopté.
C1	Peut écrire des textes descriptifs et de fiction clairs, détaillés, bien construits dans un style sûr, personnel et naturel approprié au lecteur visé.
B2	Peut écrire des descriptions élaborées d'événements et d'expériences réels ou imaginaires en indiquant la relation entre les idées dans un texte articulé et en respectant les règles du genre en question.
	Peut écrire des descriptions claires et détaillées sur une variété de sujets en rapport avec son domaine d'intérêt.
	Peut écrire une critique de film, de livre ou de pièce de théâtre.
B1	Peut écrire des descriptions détaillées simples et directes sur une gamme étendue de sujets familiers dans le cadre de son domaine d'intérêt.
	Peut faire le compte rendu d'expériences en décrivant ses sentiments et ses réactions dans un texte simple et articulé.
	Peut écrire la description d'un événement, un voyage récent, réel ou imaginé.
	Peut raconter une histoire.
A2	Peut écrire sur les aspects quotidiens de son environnement, par exemple les gens, les lieux, le travail ou les études, avec des phrases reliées entre elles.
	Peut faire une description brève et élémentaire d'un événement, d'activités passées et d'expériences personnelles.
	Peut écrire une suite de phrases et d'expressions simples sur sa famille, ses conditions de vie, sa formation, son travail actuel ou le dernier en date.
	Peut écrire des biographies imaginaires et des poèmes courts et simples sur les gens.
A1	Peut écrire des phrases et des expressions simples sur lui/elle-même et des personnages imaginaires, où ils vivent et ce qu'ils font.

	ESSAIS ET RAPPORTS
C2	Peut produire des rapports, articles ou essais complexes et qui posent une problématique ou donner une appréciation critique sur le manuscrit d'une œuvre littéraire de manière limpide et fluide.
	Peut proposer un plan logique adapté et efficace qui aide le lecteur à retrouver les points importants.
C1	Peut exposer par écrit, clairement et de manière bien structurée, un sujet complexe en soulignant les points marquants pertinents.
	Peut exposer et prouver son point de vue assez longuement à l'aide d'arguments secondaires, de justifications et d'exemples pertinents.
B2	Peut écrire un essai ou un rapport qui développe une argumentation de façon méthodique en soulignant de manière appropriée les points importants et les détails pertinents qui viennent l'appuyer.
	Peut évaluer des idées différentes ou des solutions à un problème.
	Peut écrire un essai ou un rapport qui développe une argumentation en apportant des justifications pour ou contre un point de vue particulier et en expliquant les avantages ou les inconvénients de différentes options.
	Peut synthétiser des informations et des arguments issus de sources diverses.
B1	Peut écrire de brefs essais simples sur des sujets d'intérêt général.
	Peut résumer avec une certaine assurance une source d'informations factuelles sur des sujets familiers courants et non courants dans son domaine, en faire le rapport et donner son opinion.
	Peut écrire des rapports très brefs de forme standard conventionnelle qui transmettent des informations factuelles courantes et justifient des actions.
A2	Pas de descripteur disponible.
A1	Pas de descripteur disponible.

> **Les utilisateurs du *Cadre de référence* considéreront et expliciteront selon le cas dans quel(s) but(s) l'apprenant aura besoin/sera capable d'écrire ou devra être outillé pour le faire.**

4.4.1.3 Stratégies de production

Les **stratégies de production** supposent la mobilisation des ressources et la recherche de l'équilibre entre des compétences différentes – en exploitant les points forts et en minimisant les points faibles – afin d'assortir le potentiel disponible à la nature de la tâche. Les ressources intérieures seront mises en œuvre, ce qui suppose vraisemblablement une préparation consciente (*Préparation* ou *Répétition*) qui prenne en compte l'effet de styles, de structures discursives ou de formulations différents (*Prise en compte du destinataire*) et la recherche de l'information ou de l'aide en cas de déficit langagier (*Localisation des ressources*). Si les ressources adéquates ne peuvent être mobilisées ou qu'on ne sache pas les localiser, l'utilisateur de la langue trouvera peut-être judicieux de se contenter d'une version simplifiée de la tâche comme, par exemple, écrire une carte postale au lieu d'une lettre ; d'un autre côté, après avoir localisé le support approprié, l'apprenant/utilisateur peut choisir de faire l'inverse et d'exécuter une tâche plus difficile (*Adaptation de la tâche*). De même, en l'absence de ressources suffisantes, l'utilisateur/apprenant peut être conduit à modifier ce qu'il/elle voulait effectivement dire pour s'en tenir aux moyens linguistiques disponibles ; réciproquement, une aide linguistique supplémentaire, éventuellement disponible plus tard, au moment de la rédaction définitive, peut lui permettre d'être plus ambitieux dans l'élaboration ou l'expression de sa pensée (*Adaptation du message*).

Les façons de mettre en adéquation son ambition et ses moyens pour réussir dans un domaine plus limité ont été décrites comme *Stratégies d'évitement* ; élever le niveau de la tâche et trouver les moyens de se débrouiller ont été décrits comme *Stratégies de réalisation*. En utilisant ces stratégies, l'utilisateur de la langue adopte une attitude positive par rapport aux ressources dont il/elle dispose : approximations et généralisations sur un discours simplifié, paraphrases ou descriptions de ce que l'on veut dire, et même tentatives de « francisation » d'expressions de la L1 (*Compensation*) ; utilisation d'un discours préfabriqué d'éléments accessibles – des « îlots de sécurité » – à travers lesquels il/elle se fraie un chemin vers le concept nouveau qu'il/elle veut exprimer ou la situation nouvelle (*Construction sur un savoir antérieur*), ou simple tentative de faire avec ce que l'on a et dont on pense que cela pourrait marcher (*Essai*). Qu'il soit conscient ou pas de compenser, de naviguer à vue ou d'expérimenter, le feed-back que lui apportent les mimiques, les gestes ou la suite de la conversation le renseigne et lui donne la possibilité de **vérifier** que la communication est passée (*Contrôle du succès*). En outre, et notamment pour les activités non interactives (par exemple, faire un exposé ou écrire un rapport), l'utilisateur de la langue peut **contrôler** consciemment sa production, tant du point de vue linguistique que communicatif, relever les erreurs et les fautes habituelles et les **corriger** (*Autocorrection*).

Planification
– Répétition ou préparation
– Localisation des ressources
– Prise en compte du destinataire ou de l'auditoire
– Adaptation de la tâche
– Adaptation du message

Exécution
– Compensation
– Construction sur un savoir antérieur
– Essai (expérimentation)

Évaluation
– Contrôle des résultats

Remédiation
– Autocorrection

Des échelles sont proposées pour illustrer
– planification
– compensation
– contrôle et correction.

PLANIFICATION	
C2	Comme B2
C1	Comme B2
B2	Peut planifier ce qu'il faut dire et les moyens de le dire en tenant compte de l'effet à produire sur le(s) destinataire(s).
B1	Peut préparer et essayer de nouvelles expressions et combinaisons de mots et demander des remarques en retour à leur sujet.
	Peut prévoir et préparer la façon de communiquer les points importants qu'il/elle veut transmettre en exploitant toutes les ressources disponibles et en limitant le message aux moyens d'expression qu'il/elle trouve ou dont il/elle se souvient.
A2	Peut tirer de son répertoire une série d'expressions appropriées et les préparer en se les répétant.
A1	Pas de descripteur disponible.

COMPENSATION	
C2	Peut substituer à un mot qui lui échappe un terme équivalent de manière si habile que l'on s'en rende à peine compte.
C1	Comme B2 +
B2	Peut utiliser des périphrases et des paraphrases pour dissimuler des lacunes lexicales et structurales.
B1	Peut définir les caractéristiques de quelque chose de concret dont le nom lui échappe.
	Peut exprimer le sens d'un mot en en donnant un autre signifiant quelque chose de semblable (par exemple, « un camion pour voyageurs » pour « un bus »).
	Peut utiliser un mot simple signifiant quelque chose de semblable au concept recherché et solliciter une « correction ». Peut franciser un mot de sa langue maternelle et demander s'il a été compris.
A2	Peut utiliser un mot inadéquat de son répertoire et faire des gestes pour clarifier ce qu'il veut dire.
	Peut identifier ce qu'il/elle veut en le désignant du doigt (par exemple : « Je voudrais cela, s'il vous plaît »).
A1	Pas de descripteur disponible.

CONTRÔLE ET CORRECTION	
C2	Peut revenir sur une difficulté et restructurer son propos de manière si habile que l'interlocuteur s'en rend à peine compte.
C1	Peut revenir sur une difficulté et reformuler ce qu'il/elle veut dire sans interrompre complètement le fil du discours.
B2	Peut généralement corriger lapsus et erreurs après en avoir pris conscience ou s'ils ont débouché sur un malentendu. Peut relever ses erreurs habituelles et surveiller consciemment son discours afin de les corriger.
B1	Peut corriger les confusions de temps ou d'expressions qui ont conduit à un malentendu à condition que l'interlocuteur indique qu'il y a un problème.
	Peut se faire confirmer la correction d'une forme utilisée.
	Peut recommencer avec une tactique différente s'il y a une rupture de communication.
A2	Pas de descripteur disponible.
A1	Pas de descripteur disponible.

4.4.2 Activités de réception et stratégies

Elles incluent les activités d'écoute et de lecture.

4.4.2.1 Écoute ou compréhension de l'oral

Dans les **activités de réception orale (écoute, ou compréhension de l'oral)** l'utilisateur de la langue comme auditeur reçoit et traite un message parlé produit par un/plusieurs locuteur(s). Parmi les activités d'écoute ou compréhension de l'oral on trouve, par exemple :
- écouter des annonces publiques (renseignements, consignes, mises en garde, etc.)
- fréquenter les médias (radio, télévision, enregistrements, cinéma)
- être spectateur (théâtre, réunion publique, conférences, spectacles, etc.)
- surprendre une conversation, etc.

Dans chacun de ces cas l'utilisateur peut écouter afin de comprendre
- l'information globale
- une information particulière
- l'information détaillée
- l'implicite du discours, etc.

Une échelle est proposée pour illustrer la compréhension générale de l'oral
et des sous-échelles pour illustrer
- comprendre une interaction entre locuteurs natifs
- comprendre en tant qu'auditeur
- comprendre des annonces et instructions orales
- comprendre des émissions de radio et des enregistrements.

COMPRÉHENSION GÉNÉRALE DE L'ORAL	
C2	Peut comprendre toute langue orale qu'elle soit en direct ou à la radio et quel qu'en soit le débit.
C1	Peut suivre une intervention d'une certaine longueur sur des sujets abstraits ou complexes même hors de son domaine mais peut avoir besoin de faire confirmer quelques détails, notamment si l'accent n'est pas familier.
	Peut reconnaître une gamme étendue d'expressions idiomatiques et de tournures courantes en relevant les changements de registre.
	Peut suivre une intervention d'une certaine longueur même si elle n'est pas clairement structurée et même si les relations entre les idées sont seulement implicites et non explicitement indiquées.
B2	Peut comprendre une langue orale standard en direct ou à la radio sur des sujets familiers et non familiers se rencontrant normalement dans la vie personnelle, sociale, universitaire ou professionnelle. Seul un très fort bruit de fond, une structure inadaptée du discours ou l'utilisation d'expressions idiomatiques peuvent influencer la capacité à comprendre.
	Peut comprendre les idées principales d'interventions complexes du point de vue du fond et de la forme, sur un sujet concret ou abstrait et dans une langue standard, y compris des discussions techniques dans son domaine de spécialisation.
	Peut suivre une intervention d'une certaine longueur et une argumentation complexe à condition que le sujet soit assez familier et que le plan général de l'exposé soit indiqué par des marqueurs explicites.
B1	Peut comprendre une information factuelle directe sur des sujets de la vie quotidienne ou relatifs au travail en reconnaissant les messages généraux et les points de détail, à condition que l'articulation soit claire et l'accent courant.
	Peut comprendre les points principaux d'une intervention sur des sujets familiers rencontrés régulièrement au travail, à l'école, pendant les loisirs, y compris des récits courts.
A2	Peut comprendre assez pour pouvoir répondre à des besoins concrets à condition que la diction soit claire et le débit lent.
	Peut comprendre des expressions et des mots porteurs de sens relatifs à des domaines de priorité immédiate (par exemple, information personnelle et familiale de base, achats, géographie locale, emploi).
A1	Peut comprendre une intervention si elle est lente et soigneusement articulée et comprend de longues pauses qui permettent d'en assimiler le sens.

COMPRENDRE UNE INTERACTION ENTRE LOCUTEURS NATIFS	
C2	Comme C1
C1	Peut suivre facilement des échanges complexes entre des partenaires extérieurs dans une discussion de groupe et un débat, même sur des sujets abstraits, complexes et non familiers.
B2	Peut réellement suivre une conversation animée entre locuteurs natifs.
	Peut saisir, avec un certain effort, une grande partie de ce qui se dit en sa présence, mais pourra avoir des difficultés à effectivement participer à une discussion avec plusieurs locuteurs natifs qui ne modifient en rien leur discours.
B1	Peut généralement suivre les points principaux d'une longue discussion se déroulant en sa présence, à condition que la langue soit standard et clairement articulée.
A2	Peut généralement identifier le sujet d'une discussion se déroulant en sa présence si l'échange est mené lentement et si l'on articule clairement.
A1	Pas de descripteur disponible.

COMPRENDRE EN TANT QU'AUDITEUR	
C2	Peut suivre une conférence ou un exposé spécialisé employant de nombreuses formes relâchées, des régionalismes ou une terminologie non familière.
C1	Peut suivre la plupart des conférences, discussions et débats avec assez d'aisance.
B2	Peut suivre l'essentiel d'une conférence, d'un discours, d'un rapport et d'autres genres d'exposés éducationnels/professionnels, qui sont complexes du point de vue du fond et de la forme.
B1	Peut suivre une conférence ou un exposé dans son propre domaine à condition que le sujet soit familier et la présentation directe, simple et clairement structurée.
	Peut suivre le plan général d'exposés courts sur des sujets familiers à condition que la langue en soit standard et clairement articulée.
A2	Pas de descripteur disponible.
A1	Pas de descripteur disponible.

COMPRENDRE DES ANNONCES ET INSTRUCTIONS ORALES	
C2	Comme C1
C1	Peut extraire des détails précis d'une annonce publique émise dans de mauvaises conditions et déformée par la sonorisation (par exemple, des annonces publiques dans une gare, un stade).
	Peut comprendre des informations techniques complexes, telles que des modes d'emploi, des spécifications techniques pour un produit ou un service qui lui sont familiers.
B2	Peut comprendre des annonces et des messages courants sur des sujets concrets et abstraits, s'ils sont en langue standard et émis à un débit normal.
B1	Peut comprendre des informations techniques simples, tels que des modes d'emploi pour un équipement d'usage courant.
	Peut suivre des directives détaillées.
A2	Peut saisir le point essentiel d'une annonce ou d'un message brefs, simples et clairs.
	Peut comprendre des indications simples relatives à la façon d'aller d'un point à un autre, à pied ou avec les transports en commun.
A1	Peut comprendre des instructions qui lui sont adressées lentement et avec soin et suivre des directives courtes et simples.

COMPRENDRE DES ÉMISSIONS DE RADIO ET DES ENREGISTREMENTS	
C2	Comme C1
C1	Peut comprendre une gamme étendue de matériel enregistré ou radiodiffusé, y compris en langue non standard et identifier des détails fins incluant l'implicite des attitudes et des relations des interlocuteurs.
B2	Peut comprendre les enregistrements en langue standard que l'on peut rencontrer dans la vie sociale, professionnelle ou universitaire et reconnaître le point de vue et l'attitude du locuteur ainsi que le contenu informatif.
	Peut comprendre la plupart des documentaires radiodiffusés en langue standard et peut identifier correctement l'humeur, le ton, etc., du locuteur.
B1	Peut comprendre l'information contenue dans la plupart des documents enregistrés ou radiodiffusés, dont le sujet est d'intérêt personnel et la langue standard clairement articulée.
	Peut comprendre les points principaux des bulletins d'information radiophoniques et de documents enregistrés simples, sur un sujet familier, si le débit est assez lent et la langue relativement articulée.
A2	Peut comprendre et extraire l'information essentielle de courts passages enregistrés ayant trait à un sujet courant prévisible, si le débit est lent et la langue clairement articulée.
A1	Pas de descripteur disponible.

> **Les utilisateurs du *Cadre de référence* envisageront et expliciteront selon le cas**
> – **quels types de productions l'apprenant aura besoin de/devra être équipé pour/devra être capable de comprendre**
> – **dans quels buts il écoutera**
> – **dans quel type d'écoute il sera impliqué.**

4.4.2.2 Lecture ou compréhension de l'écrit

Dans les **activités de réception visuelle (lecture, ou compréhension de l'écrit)**, l'utilisateur, en tant que lecteur, reçoit et traite des textes écrits produits par un ou plusieurs scripteurs. Parmi les activités de lecture on trouve, par exemple :
– lire pour s'orienter
– lire pour information, par exemple en utilisant des ouvrages de référence
– lire et suivre des instructions
– lire pour le plaisir, etc.

L'utilisateur de la langue peut lire afin de comprendre
– l'information globale
– une information particulière
– une information détaillée
– l'implicite du discours, etc.

Une échelle est proposée pour illustrer la compréhension générale de l'écrit et des sous-échelles pour illustrer
– comprendre la correspondance
– lire pour s'orienter
– lire pour s'informer et discuter
– lire des instructions.

	COMPRÉHENSION GÉNÉRALE DE L'ÉCRIT
C2	Peut comprendre et interpréter de façon critique presque toute forme d'écrit, y compris des textes (littéraires ou non) abstraits et structurellement complexes ou très riches en expressions familières.
	Peut comprendre une gamme étendue de textes longs et complexes en appréciant de subtiles distinctions de style et le sens implicite autant qu'explicite.
C1	Peut comprendre dans le détail des textes longs et complexes, qu'ils se rapportent ou non à son domaine, à condition de pouvoir relire les parties difficiles.
B2	Peut lire avec un grand degré d'autonomie en adaptant le mode et la rapidité de lecture à différents textes et objectifs et en utilisant les références convenables de manière sélective. Possède un vocabulaire de lecture large et actif mais pourra avoir des difficultés avec des expressions peu fréquentes.
B1	Peut lire des textes factuels directs sur des sujets relatifs à son domaine et à ses intérêts avec un niveau satisfaisant de compréhension.
A2	Peut comprendre de courts textes simples sur des sujets concrets courants avec une fréquence élevée de langue quotidienne ou relative au travail.
	Peut comprendre des textes courts et simples contenant un vocabulaire extrêmement fréquent, y compris un vocabulaire internationalement partagé.
A1	Peut comprendre des textes très courts et très simples, phrase par phrase, en relevant des noms, des mots familiers et des expressions très élémentaires et en relisant si nécessaire.

COMPRENDRE LA CORRESPONDANCE	
C2	Comme C1
C1	Peut comprendre tout type de correspondance, avec l'utilisation éventuelle d'un dictionnaire.
B2	Peut lire une correspondance courante dans son domaine et saisir l'essentiel du sens.
B1	Peut comprendre la description d'événements, de sentiments et de souhaits suffisamment bien pour entretenir une correspondance régulière avec un correspondant ami.
A2	Peut reconnaître les principaux types de lettres standards habituelles (demande d'information, commandes, confirmations, etc.) sur des sujets familiers.
	Peut comprendre une lettre personnelle simple et brève.
A1	Peut comprendre des messages simples et brefs sur une carte postale.

LIRE POUR S'ORIENTER	
C2	Comme B2
C1	Comme B2
B2	Peut parcourir rapidement un texte long et complexe et en relever les points pertinents.
	Peut identifier rapidement le contenu et la pertinence d'une information, d'un article ou d'un reportage dans une gamme étendue de sujets professionnels afin de décider si une étude plus approfondie vaut la peine.
B1	Peut parcourir un texte assez long pour y localiser une information cherchée et peut réunir des informations provenant de différentes parties du texte ou de textes différents afin d'accomplir une tâche spécifique.
	Peut trouver et comprendre l'information pertinente dans des écrits quotidiens tels que lettres, prospectus et courts documents officiels.
A2	Peut trouver un renseignement spécifique et prévisible dans des documents courants simples tels que prospectus, menus, annonces, inventaires et horaires.
	Peut localiser une information spécifique dans une liste et isoler l'information recherchée (par exemple dans les « Pages jaunes » pour trouver un service ou un artisan).
	Peut comprendre les signes et les panneaux courants dans les lieux publics tels que rues, restaurants, gares ; sur le lieu de travail pour l'orientation, les instructions, la sécurité et le danger.
A1	Peut reconnaître les noms, les mots et les expressions les plus courants dans les situations ordinaires de la vie quotidienne.

LIRE POUR S'INFORMER ET DISCUTER	
C2	Comme C1
C1	Peut comprendre dans le détail une gamme étendue de textes que l'on peut rencontrer dans la vie sociale, professionnelle ou universitaire et identifier des points de détail fins, y compris les attitudes, que les opinions soient exposées ou implicites.
B2	Peut obtenir renseignements, idées et opinions de sources hautement spécialisées dans son domaine.
	Peut comprendre des articles spécialisés hors de son domaine à condition de se référer à un dictionnaire de temps en temps pour vérifier la compréhension.
	Peut comprendre des articles et des rapports sur des problèmes contemporains et dans lesquels les auteurs adoptent une position ou un point de vue particuliers.
B1	Peut identifier les principales conclusions d'un texte argumentatif clairement articulé.
	Peut reconnaître le schéma argumentatif suivi pour la présentation d'un problème sans en comprendre nécessairement le détail.
	Peut reconnaître les points significatifs d'un article de journal direct et non complexe sur un sujet familier.
A2	Peut identifier l'information pertinente sur la plupart des écrits simples rencontrés tels que lettres, brochures et courts articles de journaux décrivant des faits.
A1	Peut se faire une idée du contenu d'un texte informatif assez simple, surtout s'il est accompagné d'un document visuel.

	LIRE DES INSTRUCTIONS
C2	Comme C1
C1	Peut comprendre dans le détail des instructions longues et complexes pour l'utilisation d'une nouvelle machine ou procédure, qu'elles soient ou non en relation à son domaine de spécialisation, à condition de pouvoir en relire les passages difficiles.
B2	Peut comprendre des instructions longues et complexes dans son domaine, y compris le détail des conditions et des mises en garde, à condition de pouvoir en relire les passages difficiles.
B1	Peut comprendre le mode d'emploi d'un appareil s'il est direct, non complexe et rédigé clairement.
A2	Peut comprendre un règlement concernant, par exemple, la sécurité, quand il est rédigé simplement.
	Peut suivre le mode d'emploi d'un appareil d'usage courant comme un téléphone public.
A1	Peut suivre des indications brèves et simples (par exemple pour aller d'un point à un autre).

Les utilisateurs du *Cadre de référence* envisageront et expliciteront selon le cas
   – dans quels buts l'apprenant aura besoin de lire ou devra lire ou devra être outillé pour le faire
   – de quelle manière l'apprenant souhaite lire, aura besoin de lire, ou devra le faire ou être outillé pour le faire.

4.4.2.3 Réception audiovisuelle

Dans **les activités de réception audiovisuelle**, l'utilisateur reçoit simultanément une information auditive et une information visuelle. Parmi ces activités on trouve
   – suivre des yeux un texte lu à haute voix
   – regarder la télévision, une vidéo ou, au cinéma, un film sous-titré
   – utiliser les nouvelles technologies (multimédia, cédérom, etc.).

On dispose d'un exemple de grille pour le spectateur de télévision ou de cinéma.

	COMPRENDRE DES ÉMISSIONS DE TÉLÉVISION ET DES FILMS
C2	Comme C1
C1	Peut suivre un film faisant largement usage de l'argot et d'expressions idiomatiques.
B2	Peut comprendre la plupart des journaux et des magazines télévisés.
	Peut comprendre un documentaire, une interview, une table ronde, une pièce à la télévision et la plupart des films en langue standard.
B1	Peut comprendre une grande partie des programmes télévisés sur des sujets d'intérêt personnel, tels que brèves interviews, conférences et journal télévisé si le débit est relativement lent et la langue assez clairement articulée.
	Peut suivre de nombreux films dans lesquels l'histoire repose largement sur l'action et l'image et où la langue est claire et directe.
	Peut comprendre les points principaux des programmes télévisés sur des sujets familiers si la langue est assez clairement articulée.
A2	Peut identifier l'élément principal de nouvelles télévisées sur un événement, un accident, etc., si le commentaire est accompagné d'un support visuel.
	Peut suivre les rubriques du journal télévisé ou de documentaires télévisés présentés assez lentement et clairement en langue standard, même si tous les détails ne sont pas compris.
A1	Pas de descripteur disponible.

4.4.2.4 Stratégies de réception

Les **stratégies de réception** recouvrent l'identification du contexte et de la connaissance du monde qui lui est attachée et la mise en œuvre du processus de ce que l'on considère être le **schéma** approprié. Ces deux actions, à leur tour, déclenchent des attentes quant à l'organisation et au contenu de ce qui va venir (*Cadrage*). Pendant les opérations d'activité réceptive, des **indices** identifiés dans le contexte général (linguistique et non linguistique) et les attentes relatives à ce contexte provoquées par le schéma pertinent sont utilisés pour construire une représentation du sens exprimé et une hypothèse sur l'intention communicative sous-jacente. On comble les lacunes visibles et potentielles du message grâce au jeu d'approximations successives afin de donner substance à la représentation du sens, et on parvient ainsi à la signification du message et de ses constituants (*Déduction*).

Les lacunes comblées par **déduction** peuvent avoir pour cause des insuffisances linguistiques, des conditions de réception difficiles, le manque de connaissance du sujet ou encore parce que le locuteur/scripteur suppose que l'on est au courant ou qu'il/elle fait usage de sous-entendus et d'euphémismes. La viabilité du modèle courant obtenu par cette procédure est vérifiée par la confrontation avec les indices co-textuels et contextuels relevés pour voir s'ils « vont avec » le schéma mis en œuvre – la façon d'interpréter la situation (*Vérification d'hypothèses*). Si cette confrontation se révèle négative on retourne à la première étape (*Cadrage*) pour trouver un schéma alternatif qui expliquerait mieux les indices relevés (*Révision d'hypothèses*).

Planification
– Cadrer (choisir un cadre cognitif, mettre en œuvre un schéma, créer des attentes)

Exécution
– Identifier des indices et en tirer une déduction

Évaluation
– Vérifier des hypothèses : apparier les indices et le schéma

Remédiation
– Réviser les hypothèses s'il y a lieu.

On dispose d'un exemple de grille.

	RECONNAÎTRE DES INDICES ET FAIRE DES DÉDUCTIONS (oral et écrit)
C2	Comme C1
C1	Est habile à utiliser les indices contextuels, grammaticaux et lexicaux pour en déduire une attitude, une humeur, des intentions et anticiper la suite.
B2	Peut utiliser différentes stratégies de compréhension dont l'écoute des points forts et le contrôle de la compréhension par les indices contextuels.
B1	Peut identifier des mots inconnus à l'aide du contexte sur des sujets relatifs à son domaine et à ses intérêts. Peut, à l'occasion, extrapoler du contexte le sens de mots inconnus et en déduire le sens de la phrase à condition que le sujet en question soit familier.
A2	Peut utiliser le sens général d'un texte ou d'un énoncé courts sur des sujets quotidiens concrets pour déduire du contexte le sens probable de mots inconnus.
A1	Pas de descripteur disponible.

4.4.3 Activités d'interaction et stratégies

4.4.3.1 Interaction orale

Dans les activités interactives, l'utilisateur de la langue joue alternativement le rôle du locuteur et de l'auditeur ou destinataire avec un ou plusieurs interlocuteurs afin de construire conjointement un discours conversationnel dont ils négocient le sens suivant un principe de coopération.

Les **stratégies de production** et de **réception** sont constamment utilisées au cours de l'interaction. Existent aussi des classes de **stratégies cognitives** et de **collaboration** (également appelées **stratégies de discours** et **stratégies de coopération**) propres à la conduite de la coopération et de l'interaction telles que les tours de parole (la donner et la prendre), le cadrage de la discussion et la mise au point d'un mode d'approche, la proposition de solutions, la synthèse et le résumé des conclusions, l'aplanissement d'un désaccord, etc.

Parmi les activités interactives on trouve, par exemple :
– les échanges courants
– la conversation courante
– les discussions informelles
– les discussions formelles
– le débat
– l'interview
– la négociation
– la planification conjointe
– la coopération en vue d'un objectif
– etc.

Une échelle est proposée pour illustrer l'interaction orale générale et des sous-échelles pour illustrer
– comprendre un locuteur natif
– conversation
– discussion informelle (entre amis)
– discussion et réunions formelles
– coopération à visée fonctionnelle
– obtenir des biens et des services
– échange d'informations
– interviewer et être interviewé.

	INTERACTION ORALE GÉNÉRALE
C2	Possède une bonne maîtrise d'expressions idiomatiques et de tournures courantes, avec une conscience du sens connotatif. Peut exprimer avec précision des nuances fines de signification, en utilisant assez correctement une gamme étendue de modalités. Peut revenir sur une difficulté et la restructurer de manière si habile que l'interlocuteur s'en rende à peine compte.
C1	Peut s'exprimer avec aisance et spontanéité, presque sans effort. Possède une bonne maîtrise d'un vaste répertoire lexical lui permettant de surmonter facilement des lacunes par des périphrases avec apparemment peu de recherche d'expressions ou de stratégies d'évitement. Seul un sujet conceptuellement difficile est susceptible de gêner le flot naturel et fluide du discours.
B2	Peut utiliser la langue avec aisance, correction et efficacité dans une gamme étendue de sujets d'ordre général, éducationnel, professionnel et concernant les loisirs, en indiquant clairement les relations entre les idées. Peut communiquer spontanément avec un bon contrôle grammatical sans donner l'impression d'avoir à restreindre ce qu'il/elle souhaite dire et avec le degré de formalisme adapté à la circonstance.

Peut communiquer avec un niveau d'aisance et de spontanéité tel qu'une interaction soutenue avec des locuteurs natifs soit tout à fait possible sans entraîner de tension d'une part ni d'autre. Peut mettre en valeur la signification personnelle de faits et d'expériences, exposer ses opinions et les défendre avec pertinence en fournissant explications et arguments. |
| B1 | Peut communiquer avec une certaine assurance sur des sujets familiers habituels ou non en relation avec ses intérêts et son domaine professionnel. Peut échanger, vérifier et confirmer des informations, faire face à des situations moins courantes et expliquer pourquoi il y a une difficulté. Peut exprimer sa pensée sur un sujet abstrait ou culturel comme un film, des livres, de la musique, etc.

Peut exploiter avec souplesse une gamme étendue de langue simple pour faire face à la plupart des situations susceptibles de se produire au cours d'un voyage. Peut aborder sans préparation une conversation sur un sujet familier, exprimer des opinions personnelles et échanger de l'information sur des sujets familiers, d'intérêt personnel ou pertinents pour la vie quotidienne (par exemple, la famille, les loisirs, le travail, les voyages et les faits divers). |
| A2 | Peut interagir avec une aisance raisonnable dans des situations bien structurées et de courtes conversations à condition que l'interlocuteur apporte de l'aide le cas échéant. Peut faire face à des échanges courants simples sans effort excessif ; peut poser des questions, répondre à des questions et échanger des idées et des renseignements sur des sujets familiers dans des situations familières prévisibles de la vie quotidienne.

Peut communiquer dans le cadre d'une tâche simple et courante ne demandant qu'un échange d'information simple et direct sur des sujets familiers relatifs au travail et aux loisirs. Peut gérer des échanges de type social très courts mais est rarement capable de comprendre suffisamment pour alimenter volontairement la conversation. |
| A1 | Peut interagir de façon simple, mais la communication dépend totalement de la répétition avec un débit plus lent, de la reformulation et des corrections. Peut répondre à des questions simples et en poser, réagir à des affirmations simples et en émettre dans le domaine des besoins immédiats ou sur des sujets très familiers. |

	COMPRENDRE UN LOCUTEUR NATIF
C2	Peut comprendre tout locuteur natif, même sur des sujets spécialisés, abstraits ou complexes et hors de son domaine, à condition d'avoir l'occasion de s'habituer à une langue non standard ou à un accent.
C1	Peut comprendre en détail une intervention sur des sujets spécialisés abstraits ou complexes, même hors de son domaine, mais peut avoir besoin de faire confirmer quelques détails, notamment si l'accent n'est pas familier.
B2	Peut comprendre en détail ce qu'on lui dit en langue standard, même dans un environnement bruyant.
B1	Peut suivre un discours clairement articulé et qui lui est destiné dans une conversation courante, mais devra quelquefois faire répéter certains mots ou expressions.
A2	Peut comprendre suffisamment pour gérer un échange simple et courant sans effort excessif. Peut généralement comprendre un discours qui lui est adressé dans une langue standard clairement articulée sur un sujet familier, à condition de pouvoir demander de répéter ou reformuler de temps à autre.
	Peut comprendre ce qui lui est dit clairement, lentement et directement dans une conversation quotidienne simple à condition que l'interlocuteur prenne la peine de l'aider à comprendre.
A1	Peut comprendre des expressions quotidiennes pour satisfaire des besoins simples de type concret si elles sont répétées, formulées directement, lentement et clairement par un interlocuteur compréhensif. Peut comprendre des questions et des instructions qui lui sont adressées lentement et avec soin et suivre des consignes simples et brèves.

	CONVERSATION
C2	Peut converser de façon confortable et appropriée sans qu'aucune limite linguistique ne vienne empêcher la conduite d'une vie personnelle et sociale accomplie.
C1	Peut utiliser la langue en société avec souplesse et efficacité, y compris dans un registre affectif, allusif ou humoristique.
B2	Peut s'impliquer dans une conversation d'une certaine longueur sur la plupart des sujets d'intérêt général en y participant réellement, et ce même dans un environnement bruyant. Peut maintenir des relations avec des locuteurs natifs sans les amuser ou les irriter involontairement ou les obliger à se comporter autrement qu'ils ne le feraient avec un interlocuteur natif. Peut transmettre différents degrés d'émotion et souligner ce qui est important pour lui/elle dans un événement ou une expérience. `
B1	Peut aborder sans préparation une conversation sur un sujet familier. Peut suivre une conversation quotidienne si l'interlocuteur s'exprime clairement, bien qu'il lui soit parfois nécessaire de faire répéter certains mots ou expression. Peut soutenir une conversation ou une discussion mais risque d'être quelquefois difficile à suivre lorsqu'il/elle essaie de formuler exactement ce qu'il/elle aimerait dire. Peut réagir à des sentiments tels que la surprise, la joie, la tristesse, la curiosité et l'indifférence et peut les exprimer.
A2	Peut établir un contact social : salutations et congé ; présentations ; remerciements. Peut généralement comprendre un discours standard clair, qui lui est adressé, sur un sujet familier, à condition de pouvoir faire répéter ou reformuler de temps à autre. Peut participer à de courtes conversations dans des contextes habituels sur des sujets généraux. Peut dire en termes simples comment il/elle va et remercier.
	Peut gérer de très courts échanges sociaux mais peut rarement soutenir une conversation de son propre chef bien qu'on puisse l'aider à comprendre si l'interlocuteur en prend la peine. Peut utiliser des formules de politesse simples et courantes pour s'adresser à quelqu'un ou le saluer. Peut faire et accepter une offre, une invitation et des excuses. Peut dire ce qu'il/elle aime ou non.
A1	Peut présenter quelqu'un et utiliser des expressions élémentaires de salutation et de congé. Peut demander à quelqu'un de ses nouvelles et y réagir. Peut comprendre des expressions quotidiennes pour satisfaire à des besoins simples de type concret si elles sont répétées, formulées directement, clairement et lentement par un interlocuteur compréhensif.

	DISCUSSION INFORMELLE (entre amis)
C2	Comme C1
C1	Peut suivre facilement des échanges entre partenaires extérieurs dans une discussion de groupe et un débat et y participer, même sur des sujets abstraits, complexes et non familiers.
B2	Peut suivre facilement une conversation animée entre locuteurs natifs.
	Peut exprimer ses idées et ses opinions avec précision et argumenter avec conviction sur des sujets complexes et réagir de même aux arguments d'autrui.
	Peut participer activement à une discussion informelle dans un contexte familier, en faisant des commentaires, en exposant un point de vue clairement, en évaluant d'autres propositions, ainsi qu'en émettant et en réagissant à des hypothèses.
	Peut suivre, avec quelque effort, l'essentiel de ce qui se dit dans une conversation à laquelle il/elle ne participe pas mais peut éprouver des difficultés à participer effectivement à une conversation avec plusieurs locuteurs natifs qui ne modifient en rien leur mode d'expression.
	Peut exprimer et exposer ses opinions dans une discussion et les défendre avec pertinence en fournissant explications, arguments et commentaires.
B1	Peut suivre l'essentiel de ce qui se dit autour de lui sur des thèmes généraux, à condition que les interlocuteurs évitent l'usage d'expressions trop idiomatiques et articulent clairement.
	Peut exprimer sa pensée sur un sujet abstrait ou culturel comme un film ou de la musique. Peut expliquer pourquoi quelque chose pose problème.
	Peut commenter brièvement le point de vue d'autrui.
	Peut comparer et opposer des alternatives en discutant de ce qu'il faut faire, où il faut aller, qui désigner, qui ou quoi choisir, etc.
	Peut, en règle générale, suivre les points principaux d'une discussion d'une certaine longueur se déroulant en sa présence à condition qu'elle ait lieu en langue standard clairement articulée.
	Peut émettre ou solliciter un point de vue personnel ou une opinion sur des points d'intérêt général.
	Peut faire comprendre ses opinions et réactions pour trouver une solution à un problème ou à des questions pratiques relatives à où aller ? que faire ? comment organiser (une sortie, par exemple) ?
	Peut exprimer poliment ses convictions, ses opinions, son accord et son désaccord.
A2	Peut généralement reconnaître le sujet d'une discussion extérieure si elle se déroule lentement et clairement.
	Peut discuter du programme de la soirée ou du week-end.
	Peut faire des suggestions et réagir à des propositions.
	Peut exprimer son accord ou son désaccord à autrui.
	Peut discuter simplement de questions quotidiennes si l'on s'adresse directement à lui/elle, clairement et simplement.
	Peut discuter de l'organisation d'une rencontre et de ses préparatifs.
A1	Pas de descripteur disponible.

	DISCUSSIONS ET RÉUNIONS FORMELLES
C2	Peut défendre sa position dans une discussion formelle sur des questions complexes, monter une argumentation nette et convaincante comme le ferait un locuteur natif.
C1	Peut facilement soutenir un débat, même sur des sujets abstraits, complexes et non familiers. Peut argumenter une prise de position formelle de manière convaincante en répondant aux questions et commentaires ainsi qu'aux contre-arguments avec aisance, spontanéité et pertinence.
B2	Peut suivre une conversation animée, en identifiant avec exactitude les arguments qui soutiennent et opposent les points de vue. Peut exposer ses idées et ses opinions et argumenter avec conviction sur des sujets complexes et réagir de même aux arguments d'autrui.
	Peut participer activement à des discussions formelles habituelles ou non. Peut suivre une discussion sur des sujets relatifs à son domaine et comprendre dans le détail les points mis en évidence par le locuteur. Peut exprimer, justifier et défendre son opinion, évaluer d'autres propositions ainsi que répondre à des hypothèses et en faire.
B1	Peut suivre l'essentiel de ce qui se dit relatif à son domaine, à condition que les interlocuteurs évitent l'usage d'expressions trop idiomatiques et articulent clairement. Peut exprimer clairement un point de vue mais a du mal à engager un débat. Peut prendre part à une discussion formelle courante sur un sujet familier conduite dans une langue standard clairement articulée et qui suppose l'échange d'informations factuelles, en recevant des instructions ou la discussion de solutions à des problèmes pratiques.
A2	Peut en général suivre les changements de sujets dans une discussion formelle relative à son domaine si elle est conduite clairement et lentement. Peut échanger des informations pertinentes et donner son opinion sur des problèmes pratiques si on le/la sollicite directement à condition d'être aidé(e) pour formuler et de pouvoir faire répéter les points importants le cas échéant.
	Peut dire ce qu'il/elle pense des choses si on s'adresse directement à lui/elle dans une réunion formelle, à condition de pouvoir faire répéter le cas échéant.
A1	Pas de descripteur disponible.

Note : les descripteurs sur cette sous-échelle n'ont pas été empiriquement calibrés par rapport au modèle qui sert de mesure.

	COOPÉRATION À VISÉE FONCTIONNELLE (Par exemple, réparer une voiture, discuter un document, organiser quelque chose)
C2	Comme B2
C1	Comme B2
B2	Peut comprendre avec sûreté des instructions détaillées. Peut faire avancer le travail en invitant autrui à s'y joindre, à dire ce qu'il pense, etc. Peut esquisser clairement à grands traits une question ou un problème, faire des spéculations sur les causes et les conséquences, et mesurer les avantages et les inconvénients des différentes approches.
B1	Peut suivre ce qui se dit mais devoir occasionnellement faire répéter ou clarifier si le discours des autres est rapide et long. Peut expliquer pourquoi quelque chose pose problème, discuter de la suite à donner, comparer et opposer les solutions. Peut commenter brièvement le point de vue d'autrui.
	Peut, en règle générale, suivre ce qui se dit et, le cas échéant, peut rapporter en partie ce qu'un interlocuteur a dit pour confirmer une compréhension mutuelle. Peut faire comprendre ses opinions et réactions par rapport aux solutions possibles ou à la suite à donner, en donnant brièvement des raisons et des explications. Peut inviter les autres à donner leur point de vue sur la façon de faire.
A2	Peut comprendre suffisamment pour gérer un échange courant et simple sans effort excessif, en demandant en termes très simples de répéter en cas d'incompréhension. Peut discuter de ce que l'on fera ensuite, répondre à des suggestions et en faire, demander des directives et en donner.
	Peut indiquer qu'il/elle suit et peut être aidé(e) à comprendre l'essentiel si le locuteur en prend la peine. Peut communiquer au cours de simples tâches courantes en utilisant des expressions simples pour avoir des objets et en donner, pour obtenir une information simple et discuter de la suite à donner.
A1	Peut comprendre les questions et instructions formulées lentement et soigneusement, ainsi que des indications brèves et simples. Peut demander des objets à autrui et lui en donner.

	OBTENIR DES BIENS ET DES SERVICES
C2	Comme B2
C1	Comme B2
B2	Peut gérer linguistiquement une négociation pour trouver une solution à une situation conflictuelle telle qu'une contravention imméritée, une responsabilité financière pour des dégâts dans un appartement, une accusation en rapport avec un accident. Peut exposer ses raisons pour obtenir un dédommagement en utilisant un discours convaincant et définissant clairement les limites des concessions qu'il/elle est prêt à faire. Peut exposer un problème qui a surgi et mettre en évidence que le fournisseur du service ou le client doit faire une concession.
B1	Peut faire face à la majorité des situations susceptibles de se produire au cours d'un voyage ou en préparant un voyage ou un hébergement ou en traitant avec des autorités à l'étranger. Peut faire face à une situation quelque peu inhabituelle dans un magasin, un bureau de poste ou une banque, par exemple en demandant à retourner un achat défectueux. Peut formuler une plainte. Peut se débrouiller dans la plupart des situations susceptibles de se produire en réservant un voyage auprès d'une agence ou lors d'un voyage, par exemple en demandant à un passager où descendre pour une destination non familière.
A2	Peut se débrouiller dans les situations courantes de la vie quotidienne telles que déplacements, logement, repas et achats. Peut obtenir tous les renseignements nécessaires d'un office de tourisme à condition qu'ils soient de nature simple et non spécialisée. Peut obtenir et fournir biens et services d'usage quotidien. Peut obtenir des renseignements simples sur un voyage, utiliser les transports publics (bus, trains et taxis), demander et expliquer un chemin à suivre, ainsi qu'acheter des billets. Peut poser des questions et effectuer des transactions simples dans un magasin, un bureau de poste, une banque. Peut demander et fournir des renseignements à propos d'une quantité, un nombre, un prix, etc. Peut faire un achat simple en indiquant ce qu'il/elle veut et en demandant le prix. Peut commander un repas.
A1	Peut demander quelque chose à quelqu'un ou le lui donner. Peut se débrouiller avec les nombres, les quantités, l'argent et l'heure.

	ÉCHANGE D'INFORMATION
C2	Comme B2
C1	Comme B2
B2	Peut comprendre et échanger une information complexe et des avis sur une gamme étendue de sujets relatifs à son rôle professionnel.
	Peut transmettre avec sûreté une information détaillée.
	Peut faire la description claire et détaillée d'une démarche.
	Peut faire la synthèse d'informations et d'arguments issus de sources différentes et en rendre compte.
B1	Peut échanger avec une certaine assurance un grand nombre d'informations factuelles sur des sujets courants ou non, familiers à son domaine.
	Peut expliquer comment faire quelque chose en donnant des instructions détaillées.
	Peut résumer – en donnant son opinion – un bref récit, un article, un exposé, une discussion, une interview ou un documentaire et répondre à d'éventuelles questions complémentaires de détail.
	Peut trouver et transmettre une information simple et directe.
	Peut demander et suivre des directives détaillées.
	Peut obtenir plus de renseignements.
A2	Peut comprendre suffisamment pour communiquer sur des sujets familiers et simples sans effort excessif.
	Peut se débrouiller avec les demandes directes de la vie quotidienne : trouver une information factuelle et la transmettre.
	Peut répondre à des questions et en poser sur les habitudes et les activités journalières.
	Peut répondre à des questions sur les loisirs et les activités passées et en poser.
	Peut donner et suivre des directives et des instructions simples comme, par exemple, comment aller quelque part.
	Peut communiquer dans le cadre d'une tâche simple et routinière ne demandant qu'un échange d'information simple et direct.
	Peut échanger une information limitée sur des sujets familiers et des opérations courantes.
	Peut poser des questions et y répondre sur le travail et le temps libre.
	Peut demander et expliquer son chemin à l'aide d'une carte ou d'un plan.
	Peut demander et fournir des renseignements personnels.
A1	Peut comprendre des questions et des instructions qui lui sont adressées lentement et avec soin et suivre des directives simples et brèves.
	Peut répondre à des questions simples et en poser ; peut réagir à des déclarations simples et en faire, dans des cas de nécessité immédiate ou sur des sujets très familiers.
	Peut poser des questions personnelles, par exemple sur le lieu d'habitation, les personnes fréquentées et les biens, et répondre au même type de questions.
	Peut parler du temps avec des expressions telles que : la semaine prochaine, vendredi dernier, en novembre, à 3 heures…

INTERVIEWER ET ÊTRE INTERVIEWÉ (l'entretien)	
C2	Peut tenir sa part du dialogue extrêmement bien, en structurant le discours et en échangeant avec autorité et une complète aisance, que ce soit comme interviewer ou comme interviewé, de la même manière qu'un locuteur natif.
C1	Peut participer complètement à un entretien comme interviewer ou comme interviewé, en développant et mettant en valeur le point discuté, couramment et sans aucune aide, et en utilisant les interjections convenablement.
B2	Peut conduire un entretien avec efficacité et aisance, en s'écartant spontanément des questions préparées et en exploitant et relançant les réponses intéressantes.
	Peut prendre des initiatives dans un entretien, élargir et développer ses idées, sans grande aide ni stimulation de la part de l'interlocuteur.
B1	Peut fournir des renseignements concrets exigés dans un entretien ou une consultation (par exemple, décrire des symptômes à un médecin) mais le fait avec une précision limitée.
	Peut conduire un entretien préparé, vérifier et confirmer les informations, bien qu'il lui soit parfois nécessaire de demander de répéter si la réponse de l'interlocuteur est trop rapide ou trop développée.
	Peut prendre certaines initiatives dans une consultation ou un entretien (par exemple introduire un sujet nouveau) mais reste très dépendant de l'interviewer dans l'interaction.
	Peut utiliser un questionnaire préparé pour conduire un entretien structuré, avec quelques questions spontanées complémentaires.
A2	Peut se faire comprendre dans un entretien et communiquer des idées et de l'information sur des sujets familiers à condition de pouvoir faire clarifier à l'occasion et d'être aidé pour exprimer ce qu'il/elle veut.
	Peut répondre à des questions simples et réagir à des déclarations simples dans un entretien.
A1	Peut répondre dans un entretien à des questions personnelles posées très lentement et clairement dans une langue directe et non idiomatique.

4.4.3.2 Interaction écrite

L'interaction fondée sur l'utilisation de la langue écrite recouvre des activités telles que
– transmettre et échanger des notes, des mémos, etc., dans les cas où l'interaction orale est impossible et inappropriée
– correspondre par lettres, télécopies, courrier électronique, etc.
– négocier le texte d'accords, de contrats, de communiqués etc. en reformulant et en échangeant des brouillons, des amendements, des corrections, etc.
– participer à des forums en-ligne et hors-ligne.

Il est évident que l'interaction en face à face peut mettre en œuvre différents moyens : l'oral, l'écrit, l'audiovisuel, le paralinguistique (voir 4.4.5.2) et le paratextuel (voir 4.4.5.3).

Compte tenu de la sophistication croissante des logiciels informatiques, la communication interactive entre l'homme et la machine est appelée à jouer un rôle de plus en plus important dans les domaines public, professionnel et éducationnel, voire dans le domaine personnel.

Une échelle est proposée pour illustrer l'interaction écrite générale et des sous-échelles pour illustrer
– correspondance
– notes, messages et formulaires.

INTERACTION ÉCRITE GÉNÉRALE	
C2	Comme C1
C1	Peut s'exprimer avec clarté et précision, en s'adaptant au destinataire avec souplesse et efficacité.
B2	Peut relater des informations et exprimer des points de vue par écrit et s'adapter à ceux des autres.
B1	Peut apporter de l'information sur des sujets abstraits et concrets, contrôler l'information, poser des questions sur un problème ou l'exposer assez précisément.
	Peut écrire des notes et lettres personnelles pour demander ou transmettre des informations d'intérêt immédiat et faire comprendre les points qu'il/elle considère importants.
A2	Peut écrire de brèves notes simples en rapport avec des besoins immédiats.
A1	Peut demander ou transmettre par écrit des renseignements personnels détaillés.

	CORRESPONDANCE
C2	Comme C1
C1	Peut s'exprimer avec clarté et précision dans sa correspondance personnelle, en utilisant une langue souple et efficace, y compris dans un registre affectif, allusif ou humoristique.
B2	Peut écrire des lettres exprimant différents degrés d'émotion, souligner ce qui est important pour lui/elle dans un événement ou une expérience et faire des commentaires sur les nouvelles et les points de vue du correspondant.
B1	Peut écrire une lettre personnelle pour donner des nouvelles ou exprimer sa pensée sur un sujet abstrait ou culturel, tel un film ou de la musique.
	Peut écrire des lettres personnelles décrivant en détail expériences, sentiments et événements.
A2	Peut écrire une lettre personnelle très simple pour exprimer remerciements ou excuses.
A1	Peut écrire une carte postale simple et brève.

	NOTES, MESSAGES ET FORMULAIRES
C2	Comme B1
C1	Comme B1
B2	Comme B1
B1	Peut prendre un message concernant une demande d'information, l'explication d'un problème.
	Peut laisser des notes qui transmettent une information simple et immédiatement pertinente à des amis, à des employés, à des professeurs et autres personnes fréquentées dans la vie quotidienne, en communiquant de manière compréhensible les points qui lui semblent importants.
A2	Peut prendre un message bref et simple à condition de pouvoir faire répéter et reformuler.
	Peut écrire une note ou un message simple et bref, concernant des nécessités immédiates.
A1	Peut écrire chiffres et dates, nom, nationalité, adresse, âge, date de naissance ou d'arrivée dans le pays, etc. sur une fiche d'hôtel par exemple.

Les utilisateurs du *Cadre de référence* envisageront et expliciteront selon le cas
- **les types de communication interactive dans lesquels l'apprenant sera amené à intervenir ou devra le faire ou pour lesquels il devra être outillé pour le faire**
- **les rôles que l'apprenant sera amené à jouer dans l'interaction ou devra jouer ou devra être outillé pour le faire.**

4.4.3.3 Stratégies d'interaction

L'interaction recouvre les deux activités de réception et de production ainsi que l'activité unique de construction d'un discours commun. En conséquence, toutes les stratégies de réception et toutes les stratégies de production explicitées ci-dessus font aussi partie de l'interaction. Cependant, le fait que l'interaction orale entraîne la construction collective du sens par la mise en place d'un contexte mental commun, en se fondant sur la définition de ce qui peut être pris pour argent comptant, les supputations sur l'origine des locuteurs (d'où ils parlent), leur rapprochement ou, au contraire, la définition et le maintien d'une distance confortable, habituellement en temps réel, ce fait signifie qu'en plus des stratégies de réception et de production, il existe une classe de stratégies propres à l'interaction et centrées sur la gestion de son processus. En outre, le fait que l'interaction ait lieu le plus souvent en face à face tend à provoquer une plus grande redondance textuelle, des éléments linguistiques, des traits paralinguistiques et des indices contextuels, le tout pouvant être plus ou moins élaboré, plus ou moins explicite jusqu'au moment où le contrôle constant que les participants exercent indique que cela est approprié.

La **planification de l'interaction orale** suppose la mise en œuvre d'un schéma ou « praxéogramme » des échanges possibles et probables dans l'activité en cours (*Cadrer*) et la prise en compte de la distance communicative entre les interlocuteurs (*Repérer les lacunes d'information et d'opinion ; Estimer ce qui peut être considéré comme acquis*) afin d'effectuer des choix et de préparer les tours différents de ces échanges (*Planifier les échanges*). Au cours de l'activité elle-même (*Exécution*), les utilisateurs de la langue adoptent des stratégies de tours de paroles pour prendre l'initiative du discours (*Prendre son tour*), afin de consolider la collaboration en vue de la tâche et de poursuivre la discussion (*Coopération interpersonnelle*) pour faciliter une compréhension mutuelle et une approche centrée sur la tâche à faire (*Coopération de pensée*) et demander de l'aide pour formuler quelque chose (*Demander de l'aide*). Comme pour la planification, l'**évaluation** a lieu au niveau communicatif : elle juge la cohérence réelle entre le schéma que l'on pense appliquer et ce qui se passe vraiment (*Contrôler la cohérence du schéma et* *de l'action*) et la mesure dans laquelle les choses vont comme on veut qu'elles aillent (*Contrôler l'effet et le succès*) ; l'incompréhension ou l'ambiguïté inacceptable conduisent à des **demandes de clarification** qui peuvent se situer à un niveau linguistique ou communicatif (*Faire clarifier ou clarifier*) et à une intervention active pour rétablir la communication et clarifier des malentendus le cas échéant (*Remédier à la communication*).

Planification
– Cadrer (sélectionner un mode d'action)
– Estimer ce qui peut être considéré comme acquis
– Planifier les échanges

Exécution
– Prendre son tour
– Coopération (interpersonnelle)
– Coopération (de pensée)
– Gestion de l'aléatoire
– Demander de l'aide

Évaluation
– Contrôler (le schéma et l'action)
– Contrôler (l'effet et le succès)

Remédiation
– Faire clarifier
– Clarifier
– Remédier à la communication

Des échelles sont proposées pour illustrer
– tours de parole
– coopérer
– faire clarifier.

	TOURS DE PAROLE
C2	Comme C1
C1	Peut choisir une expression adéquate dans un répertoire courant de fonctions discursives, en préambule à ses propos, pour obtenir la parole et la garder, ou pour gagner du temps pour la garder pendant qu'il/elle réfléchit.
B2	Peut intervenir de manière adéquate dans une discussion, en utilisant des moyens d'expression appropriés. Peut commencer, soutenir et terminer une conversation avec naturel et avec des tours de parole efficaces. Peut commencer un discours, prendre la parole au bon moment et terminer la conversation quand il/elle le souhaite, bien que parfois sans élégance. Peut utiliser des expressions toutes faites (par exemple, « C'est une question difficile ») pour gagner du temps pour formuler son propos et garder la parole.
B1	Peut intervenir dans une discussion sur un sujet familier en utilisant une expression adéquate pour prendre la parole. Peut commencer, poursuivre et terminer une simple conversation en tête-à-tête sur des sujets familiers ou d'intérêt personnel.
A2	Peut utiliser des procédés simples pour commencer, poursuivre et terminer une brève conversation. Peut commencer, soutenir et terminer une conversation simple et limitée en tête-à-tête. Peut attirer l'attention.
A1	Pas de descripteur disponible.

COOPÉRER	
C2	Comme C1
C1	Peut relier habilement sa propre contribution à celle d'autres interlocuteurs.
B2	Peut faciliter le développement de la discussion en donnant suite à des déclarations et inférences faites par d'autres interlocuteurs, et en faisant des remarques à propos de celles-ci.
	Peut soutenir la conversation sur un terrain connu en confirmant sa compréhension, en invitant les autres à participer, etc.
B1	Peut exploiter un répertoire élémentaire de langue et de stratégies pour faciliter la suite de la conversation ou de la discussion. Peut résumer et faire le point dans une conversation et faciliter ainsi la focalisation sur le sujet.
	Peut reformuler en partie les dires de l'interlocuteur pour confirmer une compréhension mutuelle et faciliter le développement des idées en cours. Peut inviter quelqu'un à se joindre à la discussion.
A2	Peut indiquer qu'il/elle suit ce qui se dit.
A1	Pas de descripteur disponible.

FAIRE CLARIFIER	
C2	Comme B2
C1	Comme B2
B2	Peut poser des questions pour vérifier qu'il/elle a compris ce que le locuteur voulait dire et faire clarifier les points équivoques.
B1	Peut demander à quelqu'un de clarifier ou de développer ce qui vient d'être dit.
A2	Peut demander, en termes très simples, de répéter en cas d'incompréhension. Peut demander la clarification des mots-clés non compris en utilisant des expressions toutes faites.
	Peut indiquer qu'il/elle ne suit pas ce qui se dit.
A1	Pas de descripteur disponible.

4.4.4 Activités de médiation et stratégies

Dans les activités de médiation, l'utilisateur de la langue n'a pas à exprimer sa pensée mais doit simplement jouer le rôle d'intermédiaire entre des interlocuteurs incapables de se comprendre en direct. Il s'agit habituellement (mais non exclusivement) de locuteurs de langues différentes. Parmi les activités de médiation on trouve l'**interprétation** (orale) et **la traduction** (écrite), ainsi que **le résumé** et **la reformulation** de textes dans la même langue lorsque le texte original est incompréhensible pour son destinataire.

4.4.4.1 Médiation orale

Parmi les activités de médiation orale on trouve, par exemple :
– interprétation simultanée (congrès, réunions, conférences, etc.)
– interprétation différée ou consécutive (discours d'accueil, visites guidées, etc.)
– interprétation non formelle
  - pour des amis, de la famille, des clients, des visiteurs étrangers, etc.
  - de visiteurs étrangers dans son propre pays
  - de locuteurs natifs, à l'étranger
  - dans des situations de négociation et des situations mondaines
  - de pancartes, de menus, d'affichettes, etc.

4.4.4.2 Médiation écrite

Parmi les activités de médiation écrite on trouve, par exemple :
– traduction précise (de contrats, de textes de loi, de textes scientifiques, etc.)
– traduction littéraire (romans, théâtre, poésie, livrets, etc.)
– résumé de l'essentiel (articles de journaux et magazines, etc.) en L2 ou entre L1 et L2
– reformulation (textes spécialisés pour non spécialistes, etc.).

4.4.4.3 Les stratégies de médiation

Elles reflètent les façons de **se débrouiller avec des ressources limitées** pour traiter l'information et trouver un sens équivalent. La procédure peut entraîner une planification pour s'organiser et tirer le maximum des ressources (*Développement du savoir antérieur ; localisation des supports ; préparation d'un glossaire*) mais également étudier la manière d'aborder la tâche à exécuter (*Prise en compte des besoins des interlocuteurs ; sélection de la longueur de l'unité à interpréter*). Pendant les opérations d'interprétation, de commentaire ou de traduction, le médiateur doit anticiper ce qui suit en même temps qu'il formule, généralement en jonglant avec deux « morceaux » d'élément à interpréter simultanément (*Anticipation*). Il faut noter la façon d'exprimer les choses afin d'enrichir son glossaire (*Enregistrement des équivalences, des possibilités*) et de construire des îlots de sens (des morceaux préfabriqués) qui libèrent l'aptitude à traiter au profit de l'anticipation. D'autre part, il faut également mettre en œuvre des techniques qui permettent de contourner les difficultés et d'éviter les pannes – tout en gardant en éveil la faculté d'anticipation (*Combler les lacunes*). L'**évaluation** se situe au niveau communicatif (*Contrôle de conformité*) et au niveau linguistique (*Contrôle de la cohérence des usages*) et, en tout état de cause, avec la traduction écrite, l'évaluation conduit à la remédiation, grâce à la consultation d'ouvrages de référence et d'informateurs compétents dans le domaine traité (*Affinement à l'aide de dictionnaires et de thesaurus ; Consultation d'experts et de sources*).

Planification
- Développer le savoir antérieur
- Localiser les ressources
- Préparer un glossaire
- Prendre en compte les besoins des interlocuteurs
- Sélectionner les unités d'interprétation

Exécution
- Anticiper : traiter les données qui arrivent alors que l'on formule la dernière unité, simultanément et en temps réel
- Enregistrer les possibilités et les équivalences
- Combler les lacunes

Évaluation
- Vérifier la cohérence des deux textes
- Vérifier la cohérence des usages

Remédiation
- Affiner à l'aide de dictionnaires et de *thesaurus*
- Consulter des spécialistes, des sources

On ne dispose pas encore d'échelles permettant d'illustrer cette section.

> **Les utilisateurs du *Cadre de référence* envisageront et expliciteront selon le cas les activités de médiation dans lesquelles l'apprenant aura besoin d'intervenir ou devra le faire ou devra être outillé pour le faire.**

4.4.5 Communication non verbale

4.4.5.1 Gestes et actions

Les gestes et actions qui accompagnent les activités langagières (en principe : activités orales en face à face) comprennent
- **la désignation**, par exemple du doigt, de la main, d'un coup d'œil, par un hochement de tête. Ces gestes accompagnent des déictiques pour l'identification de choses, de personnes, comme, par exemple : « Je voudrais celui-là. Non, celui-ci, pas celui-là »
- **la démonstration**, accompagnant les déictiques et des verbes simples au présent : « Je prends ça et je le fixe ici, comme ça. Maintenant, tu le fais toi-même »
- **des actions clairement observables** de type commentaire, ordre, etc., que l'on peut supposer connues comme : « Ne fais pas ça ! » ; « C'est bien ! » ; « Oh non ! Il l'a laissé tomber ! ».

Dans tous les cas ci-dessus, seule l'action permet de comprendre l'énoncé.

> **Les utilisateurs du *Cadre de référence* envisageront et expliciteront selon le cas**
> - **à quel degré d'aptitude les apprenants devront-ils être capables de joindre le geste à la parole**
> - **dans quelles situations ils devront être capables de le faire, ou devront le faire, ou devront être outillés pour le faire.**

4.4.5.2 Le comportement paralinguistique

Il comprend

- **le langage du corps.** Le langage du corps diffère des gestes de désignation en ce qu'il véhicule un sens consensuellement admis mais qui peut varier d'une culture à l'autre. Les exemples suivants fonctionnent dans de nombreux pays européens :
  - certains gestes (par exemple, le poing levé en signe de protestation)
  - les expressions du visage (par exemple, sourire ou air renfrogné)
  - la posture (par exemple, le corps affaissé pour le désespoir ou projeté en avant pour marquer l'intérêt)
  - le contact oculaire (par exemple, un clin d'œil complice ou un regard sceptique)
  - le contact corporel (par exemple, baiser ou poignée de main)
  - la proximité (par exemple, se tenir à l'écart ou proche).

- **l'utilisation d'onomatopées.** On considère ces sons (ou syllabes) comme paralinguistiques car, s'ils véhiculent un sens codé, ils n'entrent pas dans le système phonologique de la langue au même titre que les autres phonèmes.
  Par exemple, en français :
  - « Chut ! »   → pour demander le silence
  - le sifflement → pour marquer son mécontentement d'une performance
  - « Bof ! »   → pour marquer l'indifférence
  - « Aïe »   → pour marquer la douleur
  - « Pouah ! »   → pour marquer le dégoût

- **l'utilisation de traits prosodiques.** Ces traits sont paralinguistiques lorsqu'ils véhiculent un sens consensuellement admis traduisant une attitude ou un état d'esprit mais n'entrent pas dans le système phonologique régulier qui joue sur la durée, l'accent tonique, le ton, etc.
  Par exemple :
  - la qualité de la voix   → bourrue, étouffée, perçante, etc.
  - le ton   → grognon, plaintif, criard, etc.
  - le volume ou l'intensité → chuchoter, murmurer, crier, etc.
  - la durée ou l'insistance → « Trèèès bien ! »

La combinaison de la qualité de la voix, du ton, du volume et de la durée permet de produire de nombreux effets.

Il faut clairement distinguer la communication paralinguistique d'une langue des signes élaborée qui n'entre pas dans le *Cadre de référence* même si les spécialistes de ce domaine peuvent y trouver des notions et des catégories pertinentes pour leur domaine.

> **Les utilisateurs du *Cadre de référence* envisageront et expliciteront selon le cas de quels comportements paralinguistiques cibles l'apprenant devra disposer, ou aura besoin, ou devra avoir pour a. reconnaître et comprendre, b. utiliser.**

4.4.5.3 Les éléments paratextuels

Dans les textes écrits, un rôle paralinguistique semblable est joué par
- l'illustration (photographies, dessins, les tableaux, schémas, diagrammes et figures, etc.)
- la typographie (corps, gras, italiques, espacement, soulignement, marges, etc.).

> **Les utilisateurs du *Cadre de référence* envisageront et expliciteront selon le cas quels traits paratextuels l'apprenant devra a. reconnaître pour y répondre et b. utiliser, ou de quels traits il aura besoin ou dont il devra disposer.**

4.5 OPÉRATIONS DE COMMUNICATION LANGAGIÈRE

Pour se conduire en **locuteur, scripteur, auditeur** ou **lecteur**, l'apprenant doit être capable de mener à bien une suite d'activités exigeant des aptitudes.

- **Pour parler**, l'apprenant doit être capable
  - de *prévoir* et *organiser* un message (aptitudes cognitives)
  - de *formuler* un énoncé (aptitudes linguistiques)
  - de *prononcer* cet énoncé (aptitudes phonétiques).

- **Pour écrire**, l'apprenant doit être capable
  - d'*organiser* et *formuler* le message (aptitudes cognitives et linguistiques)
  - d'*écrire* ce texte à la main ou à la machine (aptitudes motrices) ou encore le *transcrire*.

- **Pour écouter**, l'apprenant doit être capable
  - de *percevoir* l'énoncé (aptitudes perceptives auditives)
  - d'*identifier* le message linguistique (aptitudes linguistiques)
  - de *comprendre* le message (aptitudes sémantiques)
  - d'*interpréter* le message (aptitudes cognitives).

- **Pour lire**, le lecteur doit être capable
  - de *percevoir* le texte écrit (aptitudes visuelles)
  - de *reconnaître* le graphisme (aptitudes orthographiques)
  - d'*identifier* le message (aptitudes linguistiques)
  - de *comprendre* le message (aptitudes sémantiques)
  - d'*interpréter* le message (aptitudes cognitives).

Les étapes observables de ces opérations sont connues et comprises. Les autres, telles que ce qui se passe dans le système nerveux central, ne le sont pas. L'analyse suivante n'a d'autre ambition que d'**identifier** quelques-unes **des étapes du processus** qui sont pertinentes pour le développement de la compétence langagière.

4.5.1 La planification

C'est la sélection, l'articulation et la coordination des composantes des compétences langagières générales et communicatives (voir Chapitre 5) mises en œuvre dans l'acte de communication afin de réaliser les intentions communicatives de l'apprenant/utilisateur.

4.5.2 L'exécution

4.5.2.1 La production

La production s'articule autour de **deux composantes**.

- La composante relative à la **formulation** traite le produit de la planification et l'assemble sous forme langagière. Cela inclut des opérations lexicales, grammaticales, phonologiques (et, dans le cas de l'écrit, orthographiques) distinctes, qui paraissent relativement indépendantes (par exemple, les cas de dysphasie) mais dont on ne comprend pas complètement la relation exacte.

- La **composante articulatoire** organise la mise en marche de l'appareil vocal afin de transformer le produit des opérations phonologiques en mouvements coordonnés des organes de la parole pour produire une suite d'ondes sonores qui constituent l'énoncé parlé ou, alternativement, la motricité des muscles de la main pour produire un texte manuscrit ou dactylographié.

4.5.2.2 La réception

Le **processus de réception** s'organise en **quatre étapes** qui, tout en se déroulant selon une suite linéaire (de bas en haut) sont constamment mises à jour et ré-interprétées (de haut en bas) en fonction de la réalité, des attentes et de la compréhension textuelle nouvelle, dans un processus interactif inconscient. Ces quatre étapes de perception de la parole et de l'écriture sont
- la reconnaissance des sons, des graphismes et des mots (manuscrits et imprimés)
- la reconnaissance de la pertinence du texte, complet
- la compréhension du texte comme une entité linguistique
- l'interprétation du message dans le contexte.

Les aptitudes mises en œuvre lors de ce processus de réception incluent
- des aptitudes perceptives
- la mémoire
- des aptitudes au décodage
- la déduction
- l'anticipation
- l'imagination
- le balayage rapide (ou lecture en diagonale)
- les références croisées.

La compréhension, notamment de textes écrits, peut être facilitée par l'utilisation convenable d'aides parmi lesquelles les usuels tels que
- dictionnaires (monolingues et bilingues)
- *thesaurus*
- dictionnaires de prononciation
- dictionnaires électroniques, grammaire, vérificateurs orthographiques et tout autre aide
- grammaires de référence.

4.5.2.3 L'interaction

- **L'interaction orale** se différencie de plusieurs manières de la simple juxtaposition des activités de parole et d'écoute.
  - Les processus réceptif et productif se chevauchent. Pendant qu'il traite l'énoncé encore inachevé du locuteur, l'interlocuteur planifie sa réponse sur la base d'hypothèses quant à la nature de cet énoncé, de son sens et de son interprétation.
  - Le discours est cumulatif. Au fur et à mesure que l'interaction progresse, les participants convergent dans la lecture de la situation, élaborent des attentes et se concentrent sur les points pertinents. Ces opérations se reflètent dans la forme des énoncés produits.

En ce qui concerne **l'interaction écrite** (par exemple, correspondance par lettre, télécopie ou courrier électronique) les opérations de réception et de production sont distinctes (encore que l'interaction électronique, sur Internet par exemple, se rapproche de plus en plus de l'interaction en temps réel). Les effets des discours cumulés sont semblables à ceux de l'interaction orale.

4.5.3 Le contrôle

La composante stratégique traite de la mise à jour des compétences et des activités mentales au cours de la communication ; cela s'applique également aux opérations productives et réceptives. Il faut remarquer que l'un des facteurs importants du contrôle des opérations productives est le feed-back que le locuteur/scripteur reçoit à chacune des étapes : formulation, articulation et perception acoustique.

Plus largement, la compétence stratégique entre aussi en jeu pour le contrôle du processus communicatif durant sa réalisation ainsi que pour la manière de gérer ce processus en conséquence, par exemple :
- traiter l'aléatoire que constituent les changements de domaine, de thème, etc.
- traiter les ruptures de communication dans l'interaction ou la production dues à des facteurs tels que
  - les trous de mémoire
  - l'inadéquation de la compétence communicative pour la tâche en cours et l'utilisation de stratégies de compensation comme la restructuration, la périphrase, la substitution, la demande d'aide
  - les malentendus et les ambiguïtés (par la demande de clarification)
  - les lapsus, l'incompréhension d'un mot mal entendu (par l'utilisation de stratégies de remédiation).

Les utilisateurs du *Cadre de référence* envisageront et expliciteront selon le cas
- **quelles sont les aptitudes exigées pour l'exécution satisfaisante des tâches communicatives que l'apprenant est censé entreprendre et à quel degré elles doivent se situer**
- **quelles sont les aptitudes que l'on peut supposer acquises et celles qu'il faudra développer**
- **de quelles aides référentielles l'apprenant devra disposer, ou aura besoin, ou devra effectivement utiliser.**

4.6 LE TEXTE

Ainsi que l'expose le Chapitre 2, on appelle « texte » toute **séquence discursive orale ou écrite** que les usagers/apprenants reçoivent, produisent ou échangent. En conséquence, il ne saurait y avoir acte de communication langagière sans texte. Les activités langagières et leur processus sont tous analysés et classés en fonction de la relation de l'utilisateur/apprenant et de tout (tous) interlocuteur(s) au texte, que celui-ci soit considéré comme objet fini ou comme visée, comme objectif ou comme produit en cours d'élaboration. C'est ce qui a été traité en détail en 4.4 et 4.5.

Les textes ont des **fonctions différentes** nombreuses dans la vie en société ; ces fonctions ont pour conséquence des différences similaires en termes de forme et de fond. **Des supports différents** sont utilisés dans des buts différents. Les différences de support, de but et de fonction entraînent des différences correspondantes, non seulement dans le contexte des messages, mais également dans leur structure et leur présentation. C'est ainsi que les textes peuvent être classés selon des types différents appartenant à des **genres différents**. Voir aussi la Section 5.2.3.2 (macro-fonctions).

4.6.1 Textes et supports

Chaque texte est véhiculé par un **canal** spécifique, normalement des **ondes acoustiques** ou un **objet écrit**. On peut définir des sous-catégories en fonction des caractéristiques matérielles du support qui affectent les opérations de production et de réception ; par exemple les différences à l'oral entre un échange proche ou téléphonique ou un discours public et, à l'écrit, entre le manuscrit et l'imprimé ou des écritures différentes. Les utilisateurs/apprenants doivent avoir les moyens moteurs et sensoriels nécessaires pour communiquer à l'aide de tel ou tel canal. Dans le cas de l'oral, ils doivent entendre convenablement dans les conditions données et avoir un bon contrôle de leur appareil phonatoire et articulatoire. Dans le cas de l'écrit courant, ils doivent avoir l'acuité visuelle suffisante et le contrôle de leur main. Enfin, ils doivent posséder les connaissances et les aptitudes décrites ailleurs, d'une part pour identifier, comprendre et interpréter le texte et, d'autre part, pour l'organiser, le formuler et le produire. Ceci est valable pour tout texte, quelle qu'en soit la nature.

Ce qui précède ne doit pas décourager ceux qui ont des difficultés d'apprentissage ou des handicaps sensoriels ou moteurs d'apprendre ou d'utiliser des langues étrangères. Des appareils qui vont du simple sonotone au synthétiseur informatique de parole ont été développés afin de surmonter les difficultés motrices et sensorielles les plus graves ; par ailleurs, l'utilisation de méthodes et de stratégies appropriées a permis à des jeunes gens handicapés pour apprendre d'atteindre des objectifs d'apprentissage en langue non négligeables avec un remarquable succès. La lecture sur les lèvres, l'utilisation de ce qu'il reste de perception auditive, l'entraînement phonétique et l'usage de la langue des signes ont permis à des sourds profonds de parvenir à un niveau de communication élevé. Avec de la volonté, et pourvu qu'on les encourage, les êtres humains ont une capacité extraordinaire pour surmonter les obstacles à la communication ainsi qu'à la compréhension et la production de discours.

En principe, tout texte peut être véhiculé par n'importe quel canal. Pourtant, en pratique, canal et texte sont assez étroitement liés. Les écrits ne rendent généralement pas toute l'information phonétique significative véhiculée par la parole. En règle générale, les écrits alphabétiques ne transmettent pas systématiquement l'information prosodique (par exemple, l'accent, l'intonation, les pauses, les élisions, etc.). Les écrits de type consonantique et sténographique en véhiculent encore moins. Normalement, les éléments paralinguistiques n'apparaissent pas à l'écrit, encore qu'on puisse les évoquer dans un roman, une pièce de théâtre, etc. En revanche, des éléments paratextuels sont utilisés à l'écrit. Ils se situent dans l'espace et ne sont pas disponibles à l'oral. En outre, la nature du canal exerce une influence non négligeable sur la nature du texte et *vice versa*. Pour prendre un cas extrême, une inscription dans le marbre est coûteuse et difficile à produire mais durable et immuable. Un aérogramme est bon marché et facile à produire, facile à transporter mais léger et fragile. Le courrier électronique ne propose pas un produit permanent. Les textes ainsi transmis sont également contrastés : dans le premier cas, il s'agit d'un texte sobre, soigneusement écrit, visant à transmettre aux générations futures une information qui provoque le respect pour la personne ou le lieu célébré ; dans le second, il peut ne s'agir que d'une note personnelle vite gribouillée, d'un intérêt immédiat mais éphémère pour les correspondants. On retrouve la même ambiguïté de classification entre les types de textes et le canal qu'entre les types de textes et les activités. Il y a des textes de types différents par la nature et la structure de leurs contenus. Le canal et le type de texte sont étroitement liés et dérivent tous deux de la fonction qu'ils remplissent.

Les supports comprennent
– la voix en direct (*viva voce*)
– le téléphone, le vidéophone, la téléconférence
– les moyens de sonorisation (haut-parleurs, etc.)
– les émissions de radio
– la télévision
– le cinéma
– les ordinateurs (Minitel, courrier électronique, cédéroms, etc.)
– les cassettes, disques et bandes vidéo
– les cassettes, disques et bandes audio
– l'imprimé
– le manuscrit
– etc.

Les utilisateurs du *Cadre de référence* envisageront et expliciteront selon le cas quels supports l'apprenant aura besoin de maîtriser ou devra maîtriser ou dont il devra être outillé.

4.6.2 Genres et types de textes

4.6.2.1 Les genres et les types de textes oraux

Les genres et les types de textes comprennent **à l'oral**, par exemple :
– les annonces publiques et les instructions
– les discours, les conférences, les exposés, les sermons
– les rites (cérémonies, services religieux)
– les spectacles (théâtre, lectures publiques, chansons)
– les commentaires sportifs (football, boxe, courses cyclistes, courses de chevaux, etc.)
– les informations radio ou télévisées
– les débats publics et contradictoires
– les conversations personnelles en face à face
– les conversations téléphoniques
– les entretiens d'embauche
– etc.

4.6.4.2 Les genres et les types de textes écrits

Les supports comprennent **à l'écrit**, par exemple :
– les livres, romans et autres, y compris les revues littéraires
– les magazines
– les journaux

– les modes d'emploi (livres de cuisine, etc.)
– les manuels scolaires
– les bandes dessinées
– les brochures et prospectus
– les dépliants
– le matériel publicitaire
– les panneaux et notices
– les étiquettes des magasins, des marchés et des rayons de supermarchés
– les emballages et étiquettes de produits
– les billets, etc.
– les formulaires et questionnaires
– les dictionnaires (mono et bilingues), les *thesaurus*
– les lettres d'affaires et professionnelles, les télécopies
– les lettres personnelles
– les exercices et les compositions
– les notes de service, les comptes rendus et les rapports
– les notes et messages, etc.
– les bases de données (informations, littérature, renseignements, etc.).

Les échelles ci-dessous, élaborées d'après le projet suisse décrit dans l'Annexe B (voir p. 155), donnent des exemples d'activités où un produit écrit est donné en réponse à un stimulus respectivement oral puis écrit. C'est seulement au niveau le plus élevé que ces activités peuvent rendre un apprenant capable de répondre aux exigences des études universitaires ou de la formation professionnelle même si quelque capacité à traiter un stimulus textuel simple et à produire une réponse écrite peut se trouver à des niveaux plus modestes.

	PRENDRE DES NOTES (conférences, séminaires, etc.)
C2	A conscience de l'implicite et du sous-entendu dans ce qui est dit et peut le prendre en note aussi bien que le discours explicite du locuteur.
C1	Peut prendre des notes détaillées lors d'une conférence dans son domaine en enregistrant l'information si précisément et si près de l'original que les notes pourraient servir à d'autres personnes.
B2	Peut comprendre un exposé bien structuré sur un sujet familier et peut prendre en note les points qui lui paraissent importants même s'il (ou elle) s'attache aux mots eux-mêmes au risque de perdre de l'information.
B1	Lors d'une conférence, peut prendre des notes suffisamment précises pour les réutiliser ultérieurement à condition que le sujet appartienne à ses centres d'intérêt et que l'exposé soit clair et bien structuré.
	Peut prendre des notes sous forme d'une liste de points clés lors d'un exposé simple à condition que le sujet soit familier, la formulation directe et la diction claire en langue courante.
A2	Pas de descripteur disponible.
A1	Pas de descripteur disponible.

	TRAITER UN TEXTE
C2	Peut faire le résumé d'informations de sources diverses en recomposant les arguments et les comptes rendus dans une présentation cohérente du résultat général.
C1	Peut résumer de longs textes difficiles.
B2	Peut résumer un large éventail de textes factuels et de fiction en commentant et en critiquant les points de vue opposés et les thèmes principaux.
	Peut résumer des extraits de nouvelles (information), d'entretiens ou de documentaires traduisant des opinions, les discuter et les critiquer.
	Peut résumer l'intrigue et la suite des événements d'un film ou d'une pièce.
B1	Peut collationner des éléments d'information issus de sources diverses et les résumer pour quelqu'un d'autre.
	Peut paraphraser simplement de courts passages écrits en utilisant les mots et le plan du texte.
A2	Peut prélever et reproduire des mots et des phrases ou de courts énoncés dans un texte court qui reste dans le cadre de sa compétence et de son expérience limitées.
A1	Peut copier des textes courts en script ou en écriture lisible.
	Peut copier des mots isolés et des textes courts imprimés normalement

> **Les utilisateurs du *Cadre de référence* envisageront et expliciteront selon le cas quels types de textes l'apprenant aura besoin de traiter ou devra traiter ou dont il devra être outillé pour a. la réception, b. la production, c. l'interaction, d. la médiation.**

Les Sections 4.6.1 et 4.6.2 se limitent aux types de textes et aux supports qui les véhiculent. Les points souvent traités au titre de « genre » se trouvent dans ce *Cadre* en 5.2.3 sous « Compétence pragmatique ».

> **Les utilisateurs du *Cadre de référence* considéreront et expliciteront selon le cas**
> - **s'il est tenu compte des différences de canal et des opérations psycholinguistiques en jeu dans les activités de compréhension écrite et orale et de production écrite et orale et si oui, comment a. lors du choix, de l'adaptation ou de l'élaboration des textes écrits et oraux présentés aux apprenants, b. dans la façon dont les apprenants sont censés traiter les textes, c. dans l'évaluation des textes que les apprenants produisent**
> - **si l'on fait prendre une conscience critique aux apprenants et aux enseignants des caractéristiques textuelles : a. du discours de la classe, b. des consignes et des réponses des tests et examens, c. du matériel d'enseignement et de référence, et si oui, comment**
> - **si les apprenants sont conduits à rendre les textes qu'ils produisent plus appropriés a. à leurs besoins communicatifs, b. aux contextes d'utilisation (domaines, situations, destinataires, contraintes), c. au canal utilisé, et si oui, comment.**

4.6.3 Textes et activités

Le **résultat d'une opération de production langagière** est un texte qui, une fois énoncé ou écrit, devient un objet véhiculé par un canal donné et indépendant de son producteur. Il **fonctionne** alors **comme un objet** de réception langagière. Les écrits sont des objets concrets, qu'ils soient gravés dans la pierre, manuscrits, dactylographiés, imprimés ou électroniques. Ils permettent la communication malgré l'éloignement du producteur et du récepteur dans l'espace et/ou le temps – propriété sur laquelle se fonde largement la société humaine. Dans l'interaction en face à face, le canal est oral et le support constitué d'ondes acoustiques qui sont généralement éphémères et irrécupérables. Peu de locuteurs sont en effet capables de reproduire fidèlement un énoncé qu'ils viennent juste d'émettre au cours d'une conversation. Une fois atteint le but communicatif, l'énoncé est oublié – pour autant qu'il ait jamais existé en mémoire comme une entité. Cependant, grâce à la technologie moderne, les ondes peuvent être enregistrées et diffusées ou conservées sur un autre support et reconverties de sorte que la séparation spatio-temporelle du producteur et du récepteur est possible. En outre, les enregistrements de discours et de conversations spontanés peuvent être transcrits et analysés à loisir en tant que textes. Il y a obligatoirement un lien étroit entre les catégories proposées pour la description des activités langagières et les textes qui en résultent. En fait, on peut utiliser la même **terminologie** pour les deux. « Traduction » peut signifier l'action de traduire ou le texte produit. De même, on appelle « conversation », « débat » ou « entretien » l'interaction communicative des participants, mais la succession des énoncés qu'ils produisent constitue un texte d'un certain type qui appartient au genre correspondant.

Toutes les activités de production, de réception, d'interaction et de médiation prennent **place dans le temps**. Le temps réel de la parole est manifeste à la fois dans les activités de parole et d'écoute et dans le médium même. Pour un texte oral, « avant » et « après » doivent être pris au pied de la lettre. Ce qui n'est pas nécessaire habituellement pour les textes écrits qui sont des objets fixes dans l'espace (à l'exception des télé-prompteurs). En production, un texte écrit peut être mis en page, des passages peuvent y être ajoutés ou supprimés. Il est impossible de dire dans quel ordre les éléments ont été produits bien qu'ils soient présentés linéairement comme une chaîne de symboles. En réception, l'œil du lecteur peut balayer le texte librement, vraisemblablement en suivant la succession linéaire des signes, comme le fera un enfant qui apprend à lire. Il est probable qu'un lecteur entraîné cherchera dans les textes les éléments porteurs d'information pour en saisir le sens général avant de passer à une lecture suivie, voire des relectures le cas échéant. Il s'agit des mots, des phrases, des expressions et des paragraphes particulièrement pertinents pour ses besoins et ses buts. Un auteur ou un éditeur peut utiliser des moyens paratextuels (voir 4.4.5.3) pour accélérer ces opérations et organiser le texte en fonction de la façon dont on veut qu'il soit lu par les lecteurs à qui il est destiné. De même, un texte oral peut être soigneusement préparé pour paraître spontané et assurer néanmoins la transmission du message essentiel dans les conditions qui régissent la réception de la parole. Le processus de production et le produit sont indissolublement liés.

Le texte est au centre de toute communication langagière. C'est le **lien extérieur et objectif** entre le producteur et le récepteur, qu'ils communiquent en face à face ou à distance.

La Figure 8 présente de manière schématique la **relation** entre l'**utilisateur/apprenant** (sur laquelle est centré le *Cadre de référence*), les interlocuteurs, les activités et les textes. Un trait plein indique une activité de production ou de réception dans l'environnement immédiat de l'utilisateur/apprenant. Une ligne en pointillés indique une activité éloignée dans l'espace ou différée dans le temps.

1. Activités langagières productives

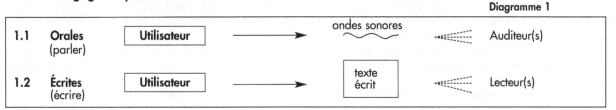

Diagramme 1

1.1 **Orales** (parler) Utilisateur → ondes sonores ← Auditeur(s)

1.2 **Écrites** (écrire) Utilisateur → texte écrit ← Lecteur(s)

2. Activités langagières réceptives

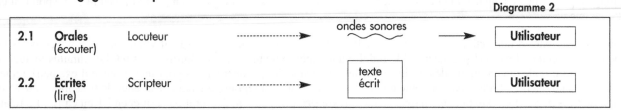

Diagramme 2

2.1 **Orales** (écouter) Locuteur ⇢ ondes sonores → Utilisateur

2.2 **Écrites** (lire) Scripteur ⇢ texte écrit Utilisateur

3. Activités langagières interactives

Diagramme 3

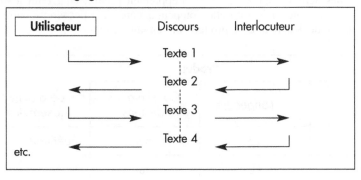

Utilisateur — Discours — Interlocuteur

Texte 1
Texte 2
Texte 3
Texte 4

etc.

4. Activités langagières de médiation

4.1 Traduction

Diagramme 4

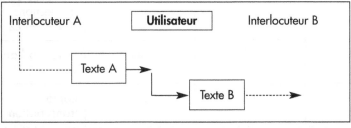

Interlocuteur A — Utilisateur — Interlocuteur B

Texte A → Texte B ⇢

4.2 Interprétation

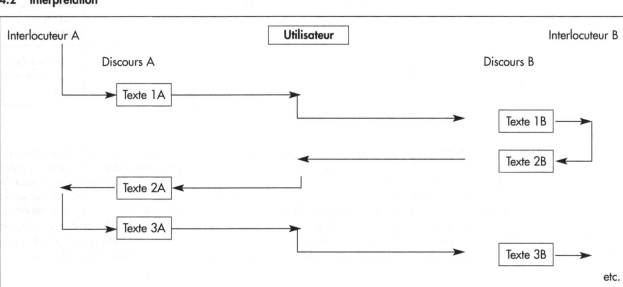

Interlocuteur A — Utilisateur — Interlocuteur B

Discours A — Discours B

Texte 1A — Texte 1B
Texte 2B
Texte 2A
Texte 3A — Texte 3B

etc.

Figure 8 - Activités langagières

Dans la partie 1 de la figure 8 (*Activités langagières productives*), l'utilisateur/apprenant produit un texte oral ou écrit reçu, en principe à distance, par un ou plusieurs auditeurs ou lecteurs à qui on ne demande pas de réponse.

Dans la partie 2 (*Activités langagières réceptives*), l'utilisateur/apprenant reçoit un texte d'un locuteur ou d'un scripteur, en principe à distance, et n'est pas tenu de répondre.

La partie 3 (*Activités langagières interactives*), représente une situation dans laquelle l'utilisateur/apprenant engage un dialogue en face à face avec un interlocuteur. Le texte du dialogue est constitué d'énoncés produits et reçus respectivement et en alternance par chaque partie.

La partie 4 (*Activités langagières de médiation*) schématise deux situations : 4.1 (*Traduction*) et 4.2 (*Interprétation*).

En 4.1, l'utilisateur/apprenant reçoit un texte d'un locuteur ou d'un scripteur absent, dans une langue ou un code, et produit un texte parallèle dans une autre langue ou un autre code à l'intention d'une autre personne, auditeur ou lecteur éloigné.

En 4.2, l'utilisateur/apprenant joue le rôle d'intermédiaire dans une interaction en face à face entre deux interlocuteurs qui ne partagent pas la même langue ou le même code ; il reçoit un texte dans une langue et en produit un autre correspondant dans l'autre langue.

Outre les activités d'interaction et de médiation telles qu'elles sont définies ci-dessus, il y a de nombreuses activités pour lesquelles on attend de l'usager/apprenant qu'il produise une réponse textuelle à un **stimulus textuel**. Le stimulus textuel peut être une question orale, un ensemble de consignes écrites (par exemple, les instructions pour une épreuve d'examen), un texte discursif authentique ou fabriqué, etc. ou toute combinaison des trois. La réponse attendue peut aller de trois mots à une composition de trois pages. Le **texte déclencheur** comme le **texte produit** peuvent être oral ou écrit et en L1 ou en L2. La relation entre les deux peut ou non préserver le sens. En conséquence, même si nous ne prenons pas en considération le rôle joué dans l'enseignement/apprentissage des langues vivantes par des activités dans lesquelles l'apprenant produit en L1 un texte en réponse à un stimulus en L1 (ce qui peut arriver dans la composante socioculturelle), on peut encore identifier vingt-quatre sortes d'activités. Par exemple, les cas suivants pour lesquels le déclencheur et le produit sont en langue cible :

Déclencheur		Produit			
Canal	*Langue*	*Canal*	*Langue*	*Conservation du sens*	*Type d'activités (exemples)*
oral	L2	oral	L2	oui	répétition
oral	L2	écrit	L2	oui	dictée
oral	L2	oral	L2	non	questions/ réponses orales
oral	L2	écrit	L2	non	réponses écrites à questions orales en L2
écrit	L2	oral	L2	oui	lecture à haute voix
écrit	L2	écrit	L2	oui	copie, transcription
écrit	L2	oral	L2	non	réponse orale à consigne écrite en L2
écrit	L2	écrit	L2	non	réponse écrite à consigne écrite en L2

Tableau 6

Si des **activités de texte à texte** de ce type ont lieu dans l'usage quotidien de la langue, elles sont particulièrement fréquentes dans l'enseignement/apprentissage et l'évaluation. Les **activités** les plus mécaniques **de conservation du sens** (la répétition, la dictée, la lecture à haute voix, la transcription phonétique) sont actuellement décriées dans un enseignement orienté vers la communication parce qu'elles sont artificielles et ont des effets en retour considérés comme peu souhaitables. Il est sans doute possible de les défendre en termes d'évaluation pour la raison technique que la performance y dépend très étroitement de la capacité d'utiliser les compétences linguistiques au détriment du contenu informatif du texte. En tout état de cause, l'avantage de l'analyse de toutes les combinaisons possibles des catégories d'une taxinomie réside non seulement dans le fait qu'elle permet de mettre de l'ordre dans l'expérience mais aussi qu'elle en révèle les lacunes et suggère des possibilités nouvelles.

CHAPITRE 5
LES COMPÉTENCES
DE L'UTILISATEUR/APPRENANT

PANORAMA

INTRODUCTION

Afin de mener à bien les tâches et activités exigées pour traiter les situations communicatives dans lesquelles ils se trouvent, les utilisateurs et les apprenants utilisent un certain nombre de compétences acquises au cours de leur expérience antérieure. En retour, la participation à des événements de communication (y compris, bien sûr, ceux qui visent l'apprentissage de la langue) a pour conséquence l'accroissement des compétences de l'apprenant à moyen et à long terme.

Toutes les compétences humaines contribuent, d'une façon ou d'une autre, à la capacité de communiquer de l'apprenant et peuvent être considérées comme des facettes de la compétence à communiquer. Toutefois, il peut être utile de distinguer celles qui ne sont pas directement en relation avec la langue des compétences linguistiques proprement dites.

5.1 COMPÉTENCES GÉNÉRALES

5.1.1 Savoir

5.1.1.1 Culture générale (connaissance du monde)

Les adultes ont, dans leur ensemble, une image du monde et de ses mécanismes extrêmement développée, claire et précise, en proximité étroite avec le vocabulaire et la grammaire de leur langue maternelle. En fait, **image du monde et langue maternelle** se développent en relation l'une à l'autre. On peut poser la question : « Qu'est-ce que c'est ? » pour nommer un phénomène nouvellement observé ou pour le sens (référent) d'un nouveau mot. Les traits fondamentaux de ce modèle se développent complètement dans la petite enfance puis s'enrichissent par l'éducation et l'expérience au cours de l'adolescence et également de la vie adulte. La communication dépend de la congruence du découpage du monde et de la langue intégrés par les interlocuteurs. L'un des buts de la science est de s'efforcer de découvrir la structure et les mécanismes de l'univers et de fournir une terminologie standard pour s'y référer et les décrire.

La langue courante suit une voie plus organique et la relation entre les catégories de forme et le sens varie un tant soit peu d'une langue à l'autre encore que dans des limites étroites imposées par la nature effective de la réalité. La différence est plus grande dans le domaine social que dans les relations à l'environnement physique bien que deux langues différencient les phénomènes naturels en fonction de leur sens pour la vie de la communauté. Il arrive souvent que, dans l'enseignement d'une langue seconde ou étrangère, on parte du principe que les apprenants ont déjà acquis une connaissance du monde suffisante pour faire la part de ces choses. On est pourtant loin qu'il en soit toujours ainsi (voir 2.1.1)

La **connaissance du monde** englobe la connaissance (qu'elle soit acquise par l'expérience, par l'éducation ou par l'information, etc.)
- des lieux, institutions et organismes, des personnes, des objets, des faits, des processus et des opérations dans différents domaines (voir le tableau 5 en 4.1.2, p. 43, pour des exemples). La connaissance factuelle du ou des pays dans lesquels la langue en cours d'apprentissage est parlée est de première importance pour l'apprenant. Cela recouvre les principales données géographiques, démographiques, économiques et politiques.
- des classes d'entités (concret/abstrait, animé/inanimé, etc.), de leurs propriétés et relations (spatio-temporel, associatif, analytique, logique, cause/effet, etc.) telles qu'elles sont exposées, par exemple dans *Threshold Level 1990,* Chapitre 6.

Les utilisateurs du *Cadre de référence* envisageront et expliciteront selon le cas
- **quel niveau de culture générale ou de connaissance du monde l'utilisateur/apprenant sera tenu d'avoir ou sera censé avoir**
- **quelle culture nouvelle, notamment sur le pays dans lequel la langue est parlée, l'apprenant devra acquérir durant son apprentissage.**

5.1.1.2 Savoir socioculturel

À proprement parler, la connaissance de la société et de la culture de la (ou des) communauté(s) qui parle(nt) une langue est l'un des aspects de la connaissance du monde. C'est cependant assez important pour mériter une attention particulière puisque, contrairement à d'autres types de connaissances, il est probable qu'elles n'appartiennent pas au savoir antérieur de l'apprenant et qu'elles sont déformées par des stéréotypes.

Les traits distinctifs caractéristiques d'une société européenne donnée et de sa culture peuvent être en rapport avec différents aspects.
1. **La vie quotidienne**, par exemple :
   - nourriture et boisson, heures des repas, manières de table
   - congés légaux
   - horaires et habitudes de travail
   - activités de loisir (passe-temps, sports, habitudes de lecture, médias).

2. **Les conditions de vie**, par exemple :
   – niveaux de vie (avec leurs variantes régionales, ethniques et de groupe social)
   – conditions de logement
   – couverture sociale.
3. **Les relations interpersonnelles** (y compris les relations de pouvoir et la solidarité) en fonction de, par exemple :
   – la structure sociale et les relations entre les classes sociales
   – les relations entre les sexes (courantes et intimes)
   – la structure et les relations familiales
   – les relations entre générations
   – les relations au travail
   – les relations avec la police, les organismes officiels, etc.
   – les relations entre races et communautés
   – les relations entre les groupes politiques et religieux.
4. **Valeurs, croyances et comportements** en relation à des facteurs ou à des paramètres tels que
   – la classe sociale
   – les groupes socioprofessionnels (universitaires, cadres, fonctionnaires, artisans et travailleurs manuels)
   – la fortune (revenus et patrimoine)
   – les cultures régionales
   – la sécurité
   – les institutions
   – la tradition et le changement
   – l'histoire
   – les minorités (ethniques ou religieuses)
   – l'identité nationale
   – les pays étrangers, les états, les peuples
   – la politique
   – les arts (musique, arts visuels, littérature, théâtre, musique et chanson populaire)
   – la religion
   – l'humour.
5. **Langage du corps** (voir 4.4.5) : connaissance des conventions qui régissent des comportements qui font partie de la compétence socioculturelle de l'usager/apprenant.
6. **Savoir-vivre**, par exemple les conventions relatives à l'hospitalité donnée et reçue
   – la ponctualité
   – les cadeaux
   – les vêtements
   – les rafraîchissements, les boissons, les repas
   – les conventions et les tabous de la conversation et du comportement
   – la durée de la visite
   – la façon de prendre congé.
7. **Comportements rituels** dans des domaines tels que
   – la pratique religieuse et les rites
   – naissance, mariage, mort
   – attitude de l'auditoire et du spectateur au spectacle
   – célébrations, festivals, bals et discothèques, etc.

5.1.1.3 Prise de conscience interculturelle

La connaissance, la conscience et la compréhension des relations, (ressemblances et différences distinctives) entre « le monde d'où l'on vient » et « le monde de la communauté cible » sont à l'origine d'une prise de conscience interculturelle. Il faut souligner que la prise de conscience interculturelle inclut la conscience de la diversité régionale et sociale des deux mondes. Elle s'enrichit également de la conscience qu'il existe un plus grand éventail de cultures que celles véhiculées par les L1 et L2 de l'apprenant. Cela aide à les situer toutes deux en contexte. Outre la connaissance objective, la conscience interculturelle englobe la conscience de la manière dont chaque communauté apparaît dans l'optique de l'autre, souvent sous la forme de stéréotypes nationaux.

> Les utilisateurs du *Cadre de référence* envisageront et expliciteront selon le cas
> – quelle expérience et quelle connaissance antérieures l'apprenant est censé avoir ou est tenu d'avoir
> – quelle expérience et quelle connaissance nouvelles de la vie en société dans sa communauté ainsi que dans la communauté cible l'apprenant devra acquérir afin de répondre aux exigences de la communication en L2
> – de quelle conscience de la relation entre sa culture d'origine et la culture cible l'apprenant aura besoin afin de développer une compétence interculturelle appropriée.

5.1.2. Aptitudes et savoir-faire

5.1.2.1 Aptitudes pratiques et savoir-faire

Les aptitudes pratiques et les savoir-faire comprennent

– **les aptitudes sociales** : la capacité de se conduire selon les principes énoncés en 5.1.1.2. ci-dessus et les usages en vigueur (le savoir-vivre) dans la mesure où cela est considéré convenable, notamment pour des étrangers
– **les aptitudes de la vie quotidienne** : la capacité de mener à bien efficacement les actes courants de la vie quotidienne (faire sa toilette, s'habiller, marcher, faire la cuisine, manger, etc.) ; l'entretien et la réparation de l'équipement ménager, etc.
– **les aptitudes techniques et professionnelles** : la capacité d'effectuer les actions mentales et physiques spécialisées exigées pour remplir les devoirs de sa tâche (salarié et travailleur indépendant)
– **les aptitudes propres aux loisirs** : la capacité d'effectuer efficacement les actes requis par des activités de loisirs, par exemple :
  - les arts (peinture, sculpture, musique, etc.)
  - l'artisanat et le bricolage (tricot, broderie, tissage, vannerie, menuiserie, etc.)
  - les sports (sports d'équipe, athlétisme, course à pieds, escalade, natation, etc.)
  - les passe-temps (photographie, jardinage, etc.).

Les utilisateurs du *Cadre de référence* **envisageront et expliciteront selon le cas les aptitudes pratiques et les savoir-faire dont l'apprenant aura besoin ou qu'il devra posséder afin de communiquer efficacement autour d'un centre d'intérêt donné**

5.1.2.2 Aptitudes et savoir-faire interculturels

Les aptitudes et les savoir-faire interculturels comprennent

– la capacité d'établir une **relation** entre la culture d'origine et la culture étrangère
– la **sensibilisation** à la notion de culture et la capacité de reconnaître et d'utiliser des stratégies variées pour établir le contact avec des gens d'une autre culture
– la capacité de jouer le rôle d'intermédiaire culturel entre sa propre culture et la culture étrangère et de gérer efficacement des situations de malentendus et de conflits culturels
– la capacité à aller au-delà de relations superficielles stéréotypées.

Les utilisateurs du *Cadre de référence* **envisageront et expliciteront selon le cas**
  – **quels rôles et fonctions d'intermédiaire culturel l'apprenant aura besoin de remplir ou devra remplir ou pour lesquels il devra être outillé pour le faire**
  – **quels traits de la culture d'origine et de la culture cible l'apprenant aura besoin de distinguer ou devra distinguer ou devra être outillé pour le faire**
  – **quelles dispositions sont prévues pour que l'apprenant ait une expérience de la culture cible**
  – **quelles possibilités l'apprenant aura de jouer le rôle d'intermédiaire culturel.**

5.1.3 Savoir-être

L'activité de communication des utilisateurs/apprenants est non seulement affectée par leurs connaissances, leur compréhension et leurs aptitudes mais aussi par des facteurs personnels liés à leur personnalité propre et caractérisés par les attitudes, les motivations, les valeurs, les croyances, les styles cognitifs et les types de personnalité qui constituent leur identité. Cela recouvre :

1. **les attitudes**, telles que le niveau de l'utilisateur/apprenant en termes
   – d'ouverture et d'intérêt envers de nouvelles expériences, les autres, d'autres idées, d'autres peuples, d'autres civilisations
   – de volonté de relativiser son point de vue et son système de valeurs culturels
   – de volonté et de capacité de prendre ses distances par rapport aux attitudes conventionnelles relatives aux différences culturelles
2. **les motivations**
   – internes/externes
   – instrumentales/intégratives
   – désir de communiquer, besoin humain de communiquer
3. **les valeurs** comme, par exemple, l'éthique et la morale
4. **les croyances**, par exemple religieuses, idéologiques, philosophiques
5. **les styles cognitifs** (convergent/divergent ; holistique/analytique/synthétique)
6. **les traits de la personnalité**, par exemple :
   – silencieux/bavard
   – entreprenant/timide

- optimiste/pessimiste
- introverti/extraverti
- pro actif/réactif
- sens de la culpabilité ou pas
- (absence de) peur ou embarras
- rigide/souple
- ouverture/étroitesse d'esprit
- spontané/retenu
- intelligent ou pas
- soigneux/négligent
- bonne mémoire ou pas
- industrieux/paresseux
- ambitieux ou pas
- conscient de soi ou pas
- confiant en soi ou pas
- (in)dépendant
- degré d'amour-propre
- etc.

Les facteurs personnels et comportementaux n'affectent pas seulement le rôle des utilisateurs/apprenants d'une langue dans des actes de communication mais aussi leur capacité d'apprendre. Beaucoup considèrent que le **développement d'une « personnalité interculturelle »** formée à la fois par les attitudes et la conscience des choses constitue en soi un but éducatif important. Des questions se posent, de type éthique et pédagogique, telles que

- Dans quelle mesure le développement de la personnalité peut-il être un objectif éducatif explicite ?
- Comment réconcilier le relativisme culturel avec l'intégrité morale et éthique ?
- Quels traits de la personnalité **a.** facilitent, **b.** entravent l'apprentissage et l'acquisition d'une langue étrangère ou seconde ?
- Comment aider les apprenants à exploiter leurs forces et à surmonter leurs faiblesses ?
- Comment réconcilier la diversité des personnalités avec les contraintes que subissent et qu'imposent les systèmes éducatifs ?

Les utilisateurs du *Cadre de référence* envisageront et expliciteront selon le cas
- **les caractéristiques personnelles, s'il y en a, que les apprenants auront besoin de développer, ou devront développer, ou seront encouragés à développer, ou dont ils devront disposer ou dont ils auront à faire preuve**
- **comment, le cas échéant, les caractéristiques de l'apprenant seront prises en compte et selon quelles dispositions pour l'apprentissage, l'enseignement et l'évaluation de la langue.**

5.1.4 Savoir-apprendre

Au sens large, il s'agit de la **capacité à observer** de nouvelles expériences, à y **participer** et à **intégrer** cette nouvelle connaissance quitte à modifier les connaissances antérieures. Les aptitudes à apprendre se développent au cours même de l'apprentissage. Elles donnent à l'apprenant la capacité de relever de façon plus efficace et plus indépendante de nouveaux défis dans l'apprentissage d'une langue, de repérer les choix différents à opérer et de faire le meilleur usage des possibilités offertes. Elle a plusieurs composantes, telles que

- conscience de la langue et de la communication (5.1.4.1)
- aptitudes phonétiques (5.1.4.2)
- aptitudes à l'étude (5.1.4.3)
- aptitudes (à la découverte) heuristiques (5.1.4.4).

5.1.4.1 Conscience de la langue et de la communication

La sensibilisation à la langue et à son utilisation impliquent la **connaissance** et la **compréhension** des principes selon lesquels les langues sont organisées et utilisées, de telle sorte qu'une nouvelle expérience puisse s'intégrer à un cadre organisé et soit accueillie comme un **enrichissement**. En conséquence, la nouvelle langue peut alors s'apprendre et s'utiliser plus rapidement au lieu d'être perçue comme la menace d'un système langagier établi que l'apprenant considère souvent comme normal et « naturel ».

5.1.4.2 Conscience et aptitudes phonétiques

De nombreux apprenants, et notamment les adultes, verront leur **aptitude à prononcer** une nouvelle langue facilitée par
- la capacité d'apprendre à distinguer et à produire des sons inconnus et des schémas prosodiques
- la capacité de produire et enchaîner des séquences de sons inconnus
- la capacité, comme auditeur, de retrouver dans la chaîne parlée la structure significative des éléments phonologiques (c'est-à-dire de la diviser en éléments distincts et significatifs)

– la compréhension et la maîtrise du processus de réception et de production des sons applicable à tout nouvel apprentissage d'une langue.

Ces **aptitudes phonétiques** sont distinctes de la **capacité à prononcer** une langue donnée.

Les utilisateurs du *Cadre de référence* envisageront et expliciteront selon le cas
– **quelles démarches sont entreprises, le cas échéant, pour développer la conscience linguistique et communicative de l'apprenant**
– **de quelles aptitudes de discrimination auditive et de capacités articulatoire l'apprenant aura besoin ou devra disposer.**

5.1.4.3 Aptitudes à l'étude

Aptitudes à l'étude telles que
– la capacité d'utiliser efficacement les occasions d'apprentissage offertes par les conditions d'enseignement, par exemple :
  - de rester attentif à l'information apportée (concentration)
  - de saisir le but d'une tâche à accomplir
  - de coopérer efficacement au travail en groupe et par deux
  - d'utiliser activement de manière fréquente et précoce la langue étudiée
– la capacité d'utiliser tout le matériel disponible pour un apprentissage autonome
– la capacité à organiser et à utiliser le matériel pour un apprentissage autodirigé
– la capacité d'apprendre de manière efficace (aux plans linguistique et socioculturel) par l'observation directe et la participation à des actes de communication et par le développement des aptitudes perceptives, analytiques et heuristiques
– la conscience, en tant qu'apprenant, de ses forces et de ses faiblesses et la capacité d'identifier ses propres besoins et d'organiser ses propres stratégies et procédures en conséquence.

5.1.4.4 Aptitudes (à la découverte) heuristiques

C'est la capacité de l'apprenant
– à s'accommoder d'une expérience nouvelle (des gens nouveaux, une langue nouvelle, de nouvelles manières de faire, etc.) et de mobiliser ses autres compétences (par exemple par l'observation, l'interprétation de ce qui est observé, l'induction, la mémorisation, etc.) pour la situation d'apprentissage donnée
– à utiliser la langue cible pour trouver, comprendre et, si nécessaire, transmettre une information nouvelle (notamment en utilisant des sources de référence en langue cible)
– à utiliser les nouvelles technologies (par exemple bases de données, hypertextes, etc. pour chercher des informations)

Les utilisateurs du *Cadre de référence* envisageront et expliciteront selon le cas
– **quelles aptitudes à l'étude les apprenants sont aidés à développer ou encouragés à le faire**
– **quelles aptitudes heuristiques les apprenants sont aidés à développer ou encouragés à le faire**
– **quelles conditions sont mises en place pour que les apprenants deviennent de plus en plus indépendants dans leur apprentissage et leur utilisation de la langue.**

5.2 COMPÉTENCES COMMUNICATIVES LANGAGIÈRES

Afin de réaliser des intentions communicatives, les utilisateurs/apprenants mobilisent les aptitudes générales ci-dessus et les combinent à une compétence communicative de type plus spécifiquement linguistique. Dans ce sens plus étroit, la compétence communicative comprend les composantes suivantes :
- compétences linguistiques (5.2.1)
- compétence sociolinguistique (5.2.2)
- compétences pragmatiques (5.2.3).

5.2.1 Compétences linguistiques

Il n'existe pas, à l'heure actuelle de théorie linguistique générale qui fasse l'objet d'une acceptation générale. Le système de la langue est d'une grande complexité et, dans le cas d'une société étendue, diverse et avancée, n'est jamais complètement maîtrisé par aucun de ses utilisateurs. Il ne saurait d'ailleurs pas l'être puisque chaque langue est en constante évolution pour répondre aux exigences de son usage dans la communication. La plupart des États-nations ont essayé de **définir une norme** sans jamais entrer dans le détail. Pour la présenter, on a utilisé le modèle de description linguistique en usage dans l'enseignement du corpus figé des textes littéraires servant de support à l'étude des langues mortes. Ce modèle « traditionnel » a toutefois été rejeté, il y a plus de cent ans, par les plus professionnels des linguistes qui soutenaient que les langues doivent être décrites telles qu'elles sont dans l'usage plutôt que comme une quelconque autorité pense qu'elles devraient être ; le modèle traditionnel, élaboré pour des langues d'un certain type, était impropre à la description de langues fondées sur un système d'organisation très différent. Néanmoins, aucun des autres modèles proposés comme alternative n'a fait l'unanimité. En fait, on a rejeté la possibilité d'un modèle universel unique de description des langues. Un travail récent sur les universaux n'a pas encore produit de résultats directement utilisables pour faciliter l'apprentissage, l'enseignement et l'évaluation des langues. La plupart des linguistes descriptifs se contentent désormais de **codifier la pratique**, mettant en rapport forme et sens et utilisant une terminologie qui ne s'éloigne de la pratique traditionnelle que lorsqu'il faut traiter des phénomènes extérieurs à la gamme des modèles de description traditionnels. C'est l'approche adoptée dans la Section 5.2. Elle s'efforce d'identifier et de classer les composantes principales de la compétence linguistique définie comme la connaissance des ressources formelles à partir desquelles des messages corrects et significatifs peuvent être élaborés et formulés et la capacité à les utiliser.

Le plan qui suit n'a pour ambition que de présenter comme **outils de classification** des paramètres et des catégories qui peuvent s'avérer utiles à la description d'un contenu linguistique et comme base de réflexion. Les praticiens qui préféreraient utiliser un autre cadre de référence doivent se sentir libres de le faire, là comme ailleurs. Il leur faudrait alors identifier la théorie, la tradition et la pratique qu'ils adoptent. Nous distinguerons ici

  – compétence lexicale (5.2.1.1)
  – compétence grammaticale (5.2.1.2)
  – compétence sémantique (5.2.1.3)
  – compétence phonologique (5.2.1.4)
  – compétence orthographique (5.2.1.5).

Le progrès de la capacité d'apprentissage d'un apprenant à utiliser des ressources linguistiques peut être étalonné et présenté dans la forme ci-dessous.

	ÉTENDUE LINGUISTIQUE GÉNÉRALE
C2	Peut exploiter la maîtrise exhaustive et fiable d'une gamme très étendue de discours pour formuler précisément sa pensée, insister, discriminer et lever l'ambiguïté. Ne montre aucun signe de devoir réduire ce qu'il/elle veut dire.
C1	Peut choisir la formulation appropriée dans un large répertoire de discours pour exprimer sans restriction ce qu'il/elle veut dire.
B2	Peut s'exprimer clairement et sans donner l'impression d'avoir à restreindre ce qu'il/elle souhaite dire.
	Possède une gamme assez étendue de langue pour pouvoir faire des descriptions claires, exprimer son point de vue et développer une argumentation sans chercher ses mots de manière évidente et en utilisant des phrases complexes.
B1	Possède une gamme assez étendue de langue pour décrire des situations imprévisibles, expliquer le point principal d'un problème ou d'une idée avec assez de précision et exprimer sa pensée sur des sujets abstraits ou culturels tels que la musique ou le cinéma.
	Possède suffisamment de moyens linguistiques pour s'en sortir avec quelques hésitations et quelques périphrases sur des sujets tels que la famille, les loisirs et centres d'intérêt, le travail, les voyages et l'actualité mais le vocabulaire limité conduit à des répétitions et même parfois à des difficultés de formulation.
A2	Possède un répertoire de langue élémentaire qui lui permet de se débrouiller dans des situations courantes au contenu prévisible, bien qu'il lui faille généralement chercher ses mots et trouver un compromis par rapport à ses intentions de communication.
	Peut produire de brèves expressions courantes afin de répondre à des besoins simples de type concret : détails personnels, routines quotidiennes, désirs et besoins, demandes d'information.
	Peut utiliser des modèles de phrases élémentaires et communiquer à l'aide de phrases mémorisées, de groupes de quelques mots et d'expressions toutes faites, sur soi, les gens, ce qu'ils font, leurs biens, etc.
	Possède un répertoire limité de courtes expressions mémorisées couvrant les premières nécessités vitales des situations prévisibles ; des ruptures fréquentes et des malentendus surviennent dans les situations imprévues.
A1	Possède un choix élémentaire d'expressions simples pour les informations sur soi et les besoins de type courant.

5.2.1.1 Compétence lexicale

Il s'agit de la connaissance et de la capacité à utiliser le vocabulaire d'une langue qui se compose **1.** d'éléments lexicaux et **2.** d'éléments grammaticaux et de la capacité à les utiliser.

  1. **Les éléments lexicaux** sont
    a. des expressions toutes faites et les locutions figées constituées de plusieurs mots, apprises et utilisées comme des ensembles
    • *Les expressions toutes faites comprennent*
      – les indicateurs des fonctions langagières (voir 5.2.2.1) tels que les salutations → « *Bonjour ! Comment ça va ?* »
      – les proverbes (voir 5.2.2.3)
      – les archaïsmes → « *Aller à vau l'eau* »

- *Les locutions figées comprennent*
  - des métaphores figées, sémantiquement opaques, par exemple :

    « Il a cassé sa pipe » = il est mort

    « Ça a fait long feu » = ça n'a pas duré
  - des procédés d'insistance, par exemple :

    « Blanc comme neige » = pur

    « Blanc comme un linceul » = livide

    Le contexte et le registre en régissent souvent l'usage.
  - des structures figées apprises et utilisées comme des ensembles auxquels on donne un sens en insérant des mots ou des expressions, comme par exemple : *« Pouvez-vous me passer... ? »*
  - d'autres expressions figées verbales, par exemple : *« Faire avec »*, *« Prendre sur soi »*...
  - d'autres expressions figées prépositionnelles, par exemple : *« Au fur et à mesure »*...
  - des collocations figées constituées de mots fréquemment utilisés ensemble, par exemple : *« Faire un discours »*, *« Faire une faute »*...

b. des mots isolés

Un mot isolé peut avoir plusieurs sens (polysémie). Par exemple *pompe* peut être un appareil ou signifier faste et éclat (en français familier, c'est également une chaussure).

- *Les mots isolés comprennent*
  - des mots de classe ouverte : nom, adjectif, verbe, adverbe
  - ils peuvent aussi inclure des ensembles lexicaux fermés (par exemple, les jours de la semaine, les mois de l'année, les poids et mesures, etc.). On peut également constituer d'autres ensembles lexicaux dans un but grammatical ou sémantique (voir ci-dessous).

2. Les **éléments grammaticaux** appartiennent à des classes fermées de mots.

   Par exemple :
   - articles → (*un, les*, etc.)
   - quantitatifs → (*certains, tous, beaucoup*, etc.)
   - démonstratifs → (*ce, ces, cela*, etc.)
   - pronoms personnels → (*je, tu, il, lui, nous, elle*, etc.)
   - interrogatifs et relatifs → (*qui, que, quoi, comment, où*, etc.)
   - possessifs → (*mon, ton, le sien, le leur*, etc.)
   - prépositions → (*à, de, en*, etc.)
   - auxiliaires → (*être, avoir, faire*, verbes modaux)
   - conjonctions → (*mais, et, or*, etc.)
   - particules → par exemple, en allemand : *ja, wohl, aber, doch*, etc.

Des échelles sont proposées pour l'étendue du vocabulaire et la capacité à en maîtriser l'usage.

	ÉTENDUE DU VOCABULAIRE
C2	Possède une bonne maîtrise d'un vaste répertoire lexical d'expressions idiomatiques et courantes avec la conscience du niveau de connotation sémantique.
C1	Possède une bonne maîtrise d'un vaste répertoire lexical lui permettant de surmonter facilement les lacunes par des périphrases avec une recherche peu apparente d'expressions et de stratégies d'évitement. Bonne maîtrise d'expressions idiomatiques et familières.
B2	Possède une bonne gamme de vocabulaire pour les sujets relatifs à son domaine et les sujets les plus généraux. Peut varier sa formulation pour éviter de répétitions fréquentes, mais des lacunes lexicales peuvent encore provoquer des hésitations et l'usage de périphrases.
B1	Possède un vocabulaire suffisant pour s'exprimer à l'aide de périphrases sur la plupart des sujets relatifs à sa vie quotidienne tels que la famille, les loisirs et les centres d'intérêt, le travail, les voyages et l'actualité.
A2	Possède un vocabulaire suffisant pour mener des transactions quotidiennes courantes dans des situations et sur des sujets familiers.
	Possède un vocabulaire suffisant pour satisfaire les besoins communicatifs élémentaires.
	Possède un vocabulaire suffisant pour satisfaire les besoins primordiaux.
A1	Possède un répertoire élémentaire de mots isolés et d'expressions relatifs à des situations concrètes particulières.

	MAÎTRISE DU VOCABULAIRE
C2	Utilisation constamment correcte et appropriée du vocabulaire.
C1	À l'occasion, petites bévues, mais pas d'erreurs de vocabulaire significatives.
B2	L'exactitude du vocabulaire est généralement élevée bien que des confusions et le choix de mots incorrects se produisent sans gêner la communication.
B1	Montre une bonne maîtrise du vocabulaire élémentaire mais des erreurs sérieuses se produisent encore quand il s'agit d'exprimer une pensée plus complexe.
A2	Possède un répertoire restreint ayant trait à des besoins quotidiens concrets.
A1	Pas de descripteur disponible.

> **Les utilisateurs du *Cadre de référence* envisageront et expliciteront selon le cas**
> – quels sont les éléments lexicaux (locutions figées et mots isolés) que l'apprenant aura besoin de reconnaître ou d'utiliser ou devra reconnaître ou utiliser ou dont il devra être outillé pour le faire
> – comment ils seront sélectionnés et classés.

5.2.1.2 Compétence grammaticale

C'est la connaissance des ressources grammaticales de la langue et la capacité de les utiliser.

Formellement, la **grammaire de la langue** peut être considérée comme l'ensemble des principes qui régissent la combinaison d'éléments en chaînes significatives marquées et définies (les phrases). La compétence grammaticale est la **capacité de comprendre et d'exprimer** du sens en produisant et en reconnaissant des phrases bien formées selon ces principes et non de les mémoriser et de les reproduire comme des formules toutes faites. En ce sens, toute langue a une grammaire extrêmement complexe qui ne saurait, à ce jour, faire l'objet d'un traitement exhaustif et définitif. Un certain nombre de théories et de modèles concurrents pour l'organisation des mots en phrases existent. Il n'appartient pas au *Cadre de référence* de porter un jugement ni de promouvoir l'usage de l'un en particulier. Il lui revient, en revanche, d'encourager les utilisateurs à déclarer leur choix et ses conséquences sur leur pratique.

Nous nous contentons ici, d'**identifier des paramètres et des catégories** largement utilisés pour la description grammaticale.

La description de l'organisation grammaticale présuppose que l'on définisse
- **les éléments**, par exemple :
  - morphèmes
  - racines, affixes (préfixes et suffixes)
  - mots
- **les catégories**, par exemple :
  - nombre, genre, cas
  - concret/abstrait
  - discret/continu
  - transitif/intransitif/passif
  - passé/présent/futur
  - aspect, progressif
- **les classes**, par exemple :
  - conjugaisons
  - déclinaisons
  - classes ouvertes : noms, verbes, adjectifs, adverbes…
  - classes fermées (voir 5.2.1.1 : éléments grammaticaux)
- **les structures**, par exemple :
  - mots composés et complexes
  - syntagmes (nominal, verbal)
  - propositions (principale, subordonnée, coordonnée)
  - phrases (simple, composée, complexe)
- **les processus** (descriptifs) par exemple :
  - nominalisation
  - affixation
  - suppléance
  - gradation
  - transposition
  - transformation
- **les relations**, par exemple :
  - régime
  - accord
  - valence, etc.

On trouvera ci-dessous une échelle pour illustrer la correction grammaticale. Elle doit être mise en rapport avec l'échelle relative à l'étendue grammaticale présentée plus haut. On ne croit pas possible de produire une échelle de progression relative aux structures grammaticales qui serait applicable à toutes les langues.

	CORRECTION GRAMMATICALE
C2	Peut maintenir constamment un haut niveau de correction grammaticale même lorsque l'attention se porte ailleurs (par exemple, la planification ou l'observation des réactions de l'autre).
C1	Peut maintenir constamment un haut degré de correction grammaticale ; les erreurs sont rares et difficiles à repérer.
B2	A un bon contrôle grammatical ; des bévues occasionnelles, des erreurs non systématiques et de petites fautes syntaxiques peuvent encore se produire mais elles sont rares et peuvent souvent être corrigées rétrospectivement.
	A un assez bon contrôle grammatical. Ne fait pas de fautes conduisant à des malentendus
B1	Communique avec une correction suffisante dans des contextes familiers ; en règle générale, a un bon contrôle grammatical malgré de nettes influences de la langue maternelle. Des erreurs peuvent se produire mais le sens général reste clair.
	Peut se servir avec une correction suffisante d'un répertoire de tournures et expressions fréquemment utilisées et associées à des situations plutôt prévisibles.
A2	Peut utiliser des structures simples correctement mais commet encore systématiquement des erreurs élémentaires comme, par exemple, la confusion des temps et l'oubli de l'accord. Cependant le sens général reste clair.
A1	A un contrôle limité de structures syntaxiques et de formes grammaticales simples appartenant à un répertoire mémorisé.

> **Les utilisateurs du *Cadre de référence* envisageront et expliciteront selon le cas**
> – **sur quelle théorie grammaticale ils ont fondé leur travail**
> – **les éléments, catégories, classes, structures, opérations et relations que les apprenants devront manipuler ou dont ils devront être outillés pour le faire.**

On fait habituellement la **distinction entre** la **morphologie** et la **syntaxe**.

La morphologie traite de la structure interne des mots.
Les mots peuvent être analysés en morphèmes, classés en
  – radical ou racine
  – affixe (préfixes, suffixes, infixes) qui comprennent
    - les affixes de dérivation (par exemple *dé-, -ment, re-*)
    - les affixes d'inflexion (par exemple *-ent, -s, -ions*)
La morphologie traite de la dérivation ou formation des mots.
Les mots peuvent être classés en
  – mots simples (la racine seulement : par exemple, *douze, branche, arrêt*)
  – mots dérivés (racine + affixes : par exemple, *douzaine, brancher, arrêter*)
  – mots composés (comprenant plus d'une racine : par exemple *compte rendu, timbre-poste*)
La morphologie traite également des autres moyens de modifier la forme des mots, par exemple :
  – les alternances vocaliques (*j'achète, nous achetons*)
  – les modifications consonantiques
  – les formes irrégulières (*je vais, nous allons*)
  – la suppléance
  – les formes invariables (*dix mille*).

La morphophonologie traite de la variation des morphèmes déterminée par le contexte phonétique (par exemple [d] dans « *grande maison* », « *grand ensemble* ») **et des variations phonétiques** déterminées par le contexte morphologique (*appeler/appelle*).

> **Les utilisateurs du *Cadre de référence* envisageront et expliciteront selon le cas les éléments morphologiques et les opérations que l'apprenant aura besoin de manipuler ou devra manipuler ou dont il devra être outillé pour le faire.**

La syntaxe traite de l'organisation des mots en phrases, en fonction des catégories, des éléments, des classes, des structures, des opérations et des relations en cause, souvent présentée sous forme d'un ensemble de règles. La syntaxe de la langue utilisée par un locuteur natif adulte est extrêmement complexe et largement inconsciente. La capacité de construire des phrases pour produire du sens est au centre même de la compétence à communiquer.

Les utilisateurs du *Cadre de référence* envisageront et préciseront selon le cas les éléments, catégories, classes, structures, opérations et relations grammaticaux que les apprenants auront besoin de manipuler ou devront manipuler ou dont ils devront être outillés pour le faire.

5.2.1.3 Compétence sémantique

Elle traite de la conscience et du contrôle que l'apprenant a de l'organisation du sens.

La sémantique lexicale traite des questions relatives au sens des mots, par exemple :
– la relation du mot et du contexte
  - référence
  - connotation
  - marqueur de notions spécifiques d'ordre général
– les relations inter-lexicales telles que
  - synonymes/antonymes
  - hyponymes
  - collocation
  - relations métonymiques du type « partie-tout »
  - équivalence en traduction.

La sémantique grammaticale traite du sens des catégories, structures, opérations et éléments grammaticaux (voir 5.2.1.2).

La sémantique pragmatique traite des relations logiques telles que substitution, présupposition, implication.

Les utilisateurs du *Cadre de référence* envisageront et expliciteront selon le cas les types de relation sémantique que les apprenants seront capables ou tenus de manifester.

La question du sens est, de toute évidence, au centre même de la communication et sera traitée à tout moment dans ce *Cadre de référence*.

La compétence linguistique est traitée ici au sens formel. Du point de vue de la linguistique théorique ou descriptive, la langue est un système symbolique d'une grande complexité. Lorsqu'on essaie, comme c'est ici le cas, de séparer les très nombreuses composantes différentes de la compétence communicative, on peut, en toute légitimité, identifier la connaissance (largement inconsciente) de la structure formelle et la capacité à la manipuler comme une de ces composantes. Combien de cette analyse formelle devrait entrer dans l'enseignement ou l'apprentissage des langues (pour autant, en fait, que ce soit nécessaire) est une autre affaire.

L'approche notionnelle/fonctionnelle adoptée par les publications du Conseil de l'Europe *Waystage 1990*, *Threshold Level 1990* et *Vantage Level* (et, pour le français, *Niveau Seuil 1976*) propose une alternative au traitement de la compétence linguistique de cette section (5.2.1.3). Au lieu de partir des formes de la langue et de leur sens, on part d'un classement systématique des fonctions et des notions communicatives, divisées en général et spécifiques et on ne traite qu'après les formes lexicales et grammaticales qui les expriment. Les approches sont des façons complémentaires de traiter « la double articulation du langage ». Les langues sont fondées sur une **organisation de la forme** et une **organisation du sens**. Ces deux types d'organisation se recoupent de façon largement arbitraire. Une description basée sur l'organisation des formes d'expression fait éclater le sens et celle basée sur l'organisation du sens fait éclater la forme. Ce que l'utilisateur préférera dépend de la finalité de la description. Le succès de l'approche du *Threshold Level* révèle que, pour de nombreux praticiens, il est plus économique d'aller du sens à la forme que, comme dans les pratiques plus traditionnelles, d'organiser la progression en termes purement formels. D'un autre côté, certains peuvent préférer utiliser une « grammaire communicative » comme, par exemple, dans le *Niveau seuil* français. Ce qui reste clair c'est que l'apprenant de langue doit acquérir et la forme et le sens.

5.2.1.4 Compétence phonologique

Elle suppose une connaissance de la perception et de la production et une aptitude à percevoir et à produire
– les unités sonores de la langue (phonèmes) et leur réalisation dans des contextes particuliers (allophones)
– les traits phonétiques qui distinguent les phonèmes (traits distinctifs tels que, par exemple sonorité, nasalité, occlusion, labialité)
– la composition phonétique des mots (structure syllabique, séquence des phonèmes, accentuation des mots, tons, assimilation, allongements)
– la prosodie ou phonétique de la phrase :
  - accentuation et rythme de la phrase
  - intonation

- réduction phonétique
- réduction vocalique
- formes faibles et fortes
- assimilation
- élision.

	MAÎTRISE DU SYSTÈME PHONOLOGIQUE
C2	Comme C1
C1	Peut varier l'intonation et placer l'accent phrastique correctement afin d'exprimer de fines nuances de sens.
B2	A acquis une prononciation et une intonation claires et naturelles.
B1	La prononciation est clairement intelligible même si un accent étranger est quelquefois perceptible et si des erreurs de prononciation proviennent occasionnellement.
A2	La prononciation est en général suffisamment claire pour être comprise malgré un net accent étranger mais l'interlocuteur devra parfois faire répéter.
A1	La prononciation d'un répertoire très limité d'expressions et de mots mémorisés est compréhensible avec quelque effort pour un locuteur natif habitué aux locuteurs du groupe linguistique de l'apprenant/utilisateur.

Les utilisateurs du *Cadre de référence* envisageront et expliciteront selon le cas
– les aptitudes phonologiques nouvelles exigées de l'apprenant
– l'importance relative des sons et de la prosodie
– si l'exactitude phonétique et l'aisance constituent un objectif d'apprentissage immédiat ou à plus long terme.

5.2.1.5 Compétence orthographique

Elle suppose une connaissance de la perception et de la production des symboles qui composent les textes écrits et l'habileté correspondante. Les systèmes d'écriture de toutes les langues européennes sont fondés sur le principe de l'**alphabet** bien que ceux d'autres langues puissent être idéographiques (par exemple, le chinois) ou à base consonantique (par exemple, l'arabe). Pour les systèmes alphabétiques, les apprenants devront connaître et être capables de **percevoir** et de **produire**
– la forme de lettres imprimées ou en écriture cursive en minuscules et en majuscules
– l'orthographe correcte des mots, y compris les contractions courantes
– les signes de ponctuation et leur usage
– les conventions typographiques et les variétés de polices
– les caractères logographiques courants (par exemple, &, $, @, etc.).

5.2.1.6 Compétence orthoépique

Réciproquement, les utilisateurs amenés à lire un texte préparé à haute voix, ou à utiliser dans un discours des mots rencontrés pour la première fois sous leur forme écrite, devront être capables de **produire une prononciation** correcte à partir de la forme écrite. Cela suppose
– la connaissance des conventions orthographiques
– la capacité de consulter un dictionnaire et la connaissance des conventions qui y sont mises en œuvre pour représenter la prononciation
– la connaissance des implications des formes écrites, en particulier des signes de ponctuation, pour le rythme et l'intonation
– la capacité de résoudre les équivoques (homonymes, ambiguïtés syntaxiques, etc.) à la lumière du contexte.

	MAÎTRISE DE L'ORTHOGRAPHE
C2	Les écrits sont sans faute d'orthographe.
C1	La mise en page, les paragraphes et la ponctuation sont logiques et facilitants. L'orthographe est exacte à l'exception de quelques lapsus.
B2	Peut produire un écrit suivi, clair et intelligible qui suive les règles d'usage de la mise en page et de l'organisation. L'orthographe et la ponctuation sont relativement exacts mais peuvent subir l'influence de la langue maternelle.
B1	Peut produire un écrit suivi généralement compréhensible tout du long. L'orthographe, la ponctuation et la mise en page sont assez justes pour être suivies facilement le plus souvent.
A2	Peut copier de courtes expressions sur des sujets courants, par exemple les indications pour aller quelque part. Peut écrire avec une relative exactitude phonétique (mais pas forcément orthographique) des mots courts qui appartiennent à son vocabulaire oral.
A1	Peut copier de courtes expressions et des mots familiers, par exemple des signaux ou consignes simples, le nom des objets quotidiens, le nom des magasins et un ensemble d'expressions utilisées régulièrement. Peut épeler son adresse, sa nationalité et d'autres informations personnelles de ce type.

Note : l'étalonnage des descripteurs pour le contrôle orthographique se fonde sur l'intention des auteurs des échelles sur lesquelles les descripteurs sont basés.

Les utilisateurs du *Cadre de référence* envisageront et expliciteront selon le cas les besoins des apprenants en termes d'orthographe et d'orthoépie en fonction de l'usage qu'ils feront des oraux et des écrits et du besoin qu'ils auront à transcrire de l'oral à l'écrit et *vice versa*.

5.2.2 Compétence sociolinguistique

La compétence sociolinguistique porte sur la connaissance et les habiletés exigées pour faire fonctionner la langue dans sa dimension sociale. Comme on l'a déjà souligné avec la compétence socioculturelle, et puisque la langue est un phénomène social, l'essentiel de ce qui est présenté dans le *Cadre de référence*, notamment en ce qui concerne le socioculturel, pourrait être pris en considération. Seront traitées ici spécifiquement les questions relatives à l'usage de la langue et non abordées ailleurs :

- marqueurs des relations sociales (5.2.2.1)
- règles de politesse (5.2.2.2)
- expressions de la sagesse populaire (5.2.2.3)
- différences de registre (5.2.2.4)
- dialecte et accent (5.2.2.5).

5.2.2.1 Marqueurs des relations sociales

Ils sont très différents selon les langues et les cultures car ils dépendent de facteurs tels que **a.** le statut relatif des interlocuteurs, **b.** la proximité de la relation, c. le registre du discours, etc. Les exemples donnés ci-dessous en français n'ont qu'une valeur relative et peuvent ne pas avoir d'équivalents dans d'autres langues.

- **Usage et choix des salutations**
  - d'accueil → *Bonjour ! Salut !*
  - de présentation → *Enchanté !*
  - pour prendre congé → *Au revoir ! À bientôt !*
- **Usage et choix des formes d'adresse**
  - officiel → *Votre Sainteté, Votre Excellence*
  - formel → *Monsieur, Madame, Mademoiselle*, seuls
    Monsieur ou Madame + fonction (*Monsieur le Professeur, Madame la Ministre*)
  - informel → le prénom seul (*Jean ! Suzanne !*) ; Monsieur + nom de famille
  - familier, intime → *Chéri, Mon Chou, Mon vieux, etc.*
  - autoritaire → le nom de famille seul (*Martin !*)
  - agressif → *Vous, là-bas !* ; *Espèce de* + nom
- **Conventions de prise de parole**
- **Usage et choix des exclamations** → *Mon dieu !, Et bien !*, etc.

5.2.2.2 Règles de politesse

Les règles de politesse fournissent une des raisons les plus importantes pour s'éloigner du « principe de coopération » (voir 5.2.3.1). Elles varient d'une culture à l'autre et sont la source fréquente de malentendus interethniques, en particulier quand l'expression de la politesse est prise au pied de la lettre.

1. **Politesse positive**

    Par exemple :
    - montrer de l'intérêt pour la santé de l'autre, etc.
    - partager expérience et soucis, etc.
    - exprimer admiration, affection, gratitude, etc.
    - offrir des cadeaux, promettre des faveurs, une invitation, etc.

2. « **Politesse par défaut** »

    Par exemple :
    - éviter les comportements de pouvoir qui font perdre la face (dogmatisme, ordres directs, etc.)
    - exprimer un regret, s'excuser pour un comportement de pouvoir (correction, contradiction, interdiction, etc.)
    - éluder, chercher des échappatoires, etc.

3. **Utilisation convenable de *merci, s'il vous plaît*, etc.**

4. **Impolitesse** (ignorance délibérée des règles de politesse)

    Par exemple :
    - brusquerie, franchise excessive
    - expression du mépris, du dégoût
    - réclamation et réprimande
    - colère déclarée, impatience
    - affirmation de supériorité.

5.2.2.3 Expressions de la sagesse populaire

En exprimant des attitudes courantes, ces expressions figées les renforcent.

Par exemple :
- proverbes → *Un « tiens » vaut mieux que deux « Tu l'auras » !*
- expressions idiomatiques → *Apporter de l'eau au moulin.*
- expressions familières → *Un homme est un homme.*
- expressions de croyances, dictons au sujet du temps → *Noël au balcon, Pâques aux tisons*
- attitudes, clichés → *Il faut de tout pour faire un monde.*
- valeurs → *Qui vole un œuf, vole un bœuf.*

Les graffitis, les slogans publicitaires à la télévision ou sur les vêtements (T-shirts), les affichettes et panneaux sur les lieux de travail ont souvent, de nos jours, cette même fonction.

5.2.2.4 Différences de registre

Le mot « **registre** » renvoie aux différences systématiques entre les variétés de langues utilisées dans des contextes différents. Il s'agit d'un concept très large qui pourrait recouvrir ce que l'on a traité ici sous les intitulés de « **tâches** » (4.3), « **types de textes** » (4.6.2) et « **macro-fonctions** » (5.2.3.2). Dans cette section nous nous attacherons aux différences de niveaux de formalisme :
- officiel → *Messieurs, la Cour !*
- formel → *La séance est ouverte.*
- neutre → *Pouvons-nous commencer ?*
- informel → *On commence ?*
- familier → *On y va ?*
- intime → *Alors, ça vient ?*

Dans les premières phases de l'apprentissage (disons jusqu'au niveau B1), un registre relativement neutre est approprié, à moins de raisons impératives. C'est dans ce registre que les locuteurs natifs s'adresseront probablement à des étrangers et à des inconnus ; c'est celui qu'ils attendent d'eux. La familiarité avec des registres plus formels ou plus familiers viendra avec le temps, dans un premier temps en réception, peut-être par la lecture de types de textes différents, en particulier des romans. Il faut faire preuve de prudence dans l'utilisation de registres plus formels ou plus familiers car leur usage inapproprié risque de provoquer des malentendus ou le ridicule.

5.2.2.5 Dialecte et accent

La compétence sociolinguistique recouvre également la capacité de reconnaître les marques linguistiques de, par exemple :
- la classe sociale
- l'origine régionale
- l'origine nationale
- le groupe professionnel.

On inclut dans ces marqueurs des formes
- lexicales : « magasiner » (québécois) pour « faire des courses »
- grammaticales : « aller au coiffeur » pour « aller chez le coiffeur »
- phonologiques : la prononciation, par les méridionaux, du *e* caduc
- de traits vocaux (rythme, volume, etc.)
- paralinguistiques
- corporelles (langage du corps).

Il n'y a pas, en Europe, de communauté linguistique entièrement homogène. Des régions différentes ont leurs particularités linguistiques et culturelles. Elles sont généralement plus marquées chez ceux qui vivent localement et se combinent, en conséquence, avec le niveau social, professionnel et d'éducation. L'identification de ces traits dialectaux donne donc des indices significatifs sur les caractéristiques de l'interlocuteur. Les stéréotypes jouent un grand rôle dans ce processus. On peut les réduire par le développement d'aptitudes interculturelles (voir 5.1.2.2). Avec le temps, les apprenants entreront en contact avec des locuteurs d'origines variées. Avant d'adopter pour eux-mêmes des formes dialectales, ils doivent prendre conscience de leurs connotations sociales et de la nécessité d'être cohérent et consistant.

L'étalonnage de niveaux de compétence sociolinguistique s'est avéré problématique (voir Annexe B). Les items qui ont pu être échelonnés avec succès se trouvent dans la grille ci-dessous. Comme on peut le voir, la partie inférieure de l'échelle ne porte que sur les marqueurs de relations sociales et les règles de politesse. À partir du niveau B2, les apprenants sont capables de s'exprimer de manière adéquate dans une langue appropriée aux situations et aux acteurs sociaux et ils commencent à acquérir la capacité de faire face aux variations du discours et de mieux maîtriser le registre et l'expression.

	CORRECTION SOCIOLINGUISTIQUE
C2	Manifeste une bonne maîtrise des expressions idiomatiques et dialectales avec la conscience des niveaux connotatifs de sens.
	Apprécie complètement les implications sociolinguistiques et socioculturelles de la langue utilisée par les locuteurs natifs et peut réagir en conséquence.
	Peut jouer efficacement le rôle de médiateur entre des locuteurs de la langue cible et de celle de sa communauté d'origine en tenant compte des différences socioculturelles et sociolinguistiques.
C1	Peut reconnaître un large éventail d'expressions idiomatiques et dialectales et apprécier les changements de registres ; peut devoir toutefois confirmer tel ou tel détail, en particulier si l'accent n'est pas familier.
	Peut suivre des films utilisant largement l'argot et des expressions idiomatiques.
	Peut utiliser la langue avec efficacité et souplesse dans des relations sociales, y compris pour un usage affectif, allusif ou pour plaisanter.
B2	Peut s'exprimer avec assurance, clairement et poliment dans un registre formel ou informel approprié à la situation et aux personnes en cause.
	Peut poursuivre une relation suivie avec des locuteurs natifs sans les amuser ou les irriter sans le vouloir ou les mettre en situation de se comporter autrement qu'avec un locuteur natif.
	Peut s'exprimer convenablement en situation et éviter de grossières erreurs de formulation.
B1	Peut s'exprimer et répondre à un large éventail de fonctions langagières en utilisant leurs expressions les plus courantes dans un registre neutre.
	Est conscient des règles de politesse importantes et se conduit de manière appropriée.
	Est conscient des différences les plus significatives entre les coutumes, les usages, les attitudes, les valeurs et les croyances qui prévalent dans la communauté concernée et celles de sa propre communauté et en recherche les indices.
A2	Peut s'exprimer et répondre aux fonctions langagières de base telles que l'échange d'information et la demande et exprimer simplement une idée et une opinion.
	Peut entrer dans des relations sociales simplement mais efficacement en utilisant les expressions courantes les plus simples et en suivant les usages de base.
	Peut se débrouiller dans des échanges sociaux très courts, en utilisant les formes quotidiennes polies d'accueil et de contact. Peut faire des invitations, des excuses et y répondre.
A1	Peut établir un contact social de base en utilisant les formes de politesse les plus élémentaires ; accueil et prise de congé, présentations et dire « merci », « s'il vous plaît », « excusez-moi », etc.

Les utilisateurs du *Cadre de référence* envisageront et expliciteront selon le cas
- **la gamme des salutations, des adresses et des exclamations** que les apprenants devront a. reconnaître, b. situer sociologiquement, c. utiliser ou dont ils auront besoin ou dont ils devront disposer
- **les règles de politesse** que les apprenants devront a. reconnaître et comprendre, b. utiliser ou dont ils auront besoin ou dont ils devront disposer
- **les formes d'impolitesse** que les apprenants devront a. reconnaître et comprendre, b. utiliser s'ils le souhaitent, en connaissance de cause ou dont ils auront besoin ou dont ils devront disposer
- **les proverbes, stéréotypes et expressions idiomatiques** que les apprenants devront a. reconnaître et comprendre, b. utiliser ou dont ils auront besoin ou dont ils devront disposer
- **les registres** que les apprenants devront a. reconnaître, b. utiliser ou dont ils auront besoin ou dont ils devront disposer
- **quels groupes sociaux** de la communauté cible et, le cas échéant, de la communauté internationale, l'apprenant devra reconnaître à leur usage de la langue ou qu'il aura besoin de reconnaître.

5.2.3 Compétence pragmatique

La compétence pragmatique traite de la connaissance que l'utilisateur/apprenant a des principes selon lesquels les messages sont
a. organisés, structurés et adaptés (**compétence discursive**)
b. utilisés pour la réalisation de fonctions communicatives (**compétence fonctionnelle**)
c. segmentés selon des schémas interactionnels et transactionnels (**compétence de conception schématique**).

5.2.3.1 La compétence discursive

C'est celle qui permet à l'utilisateur/apprenant d'ordonner les phrases en séquences afin de produire des ensembles cohérents. Elle recouvre
- **la connaissance de l'organisation des phrases** et de leurs composantes
- **la capacité à les maîtriser** en termes
  - de thème/rhème
  - d'information donnée/information nouvelle
  - d'enchaînement « naturel » (par exemple, temporel : *Il est tombé (et) je l'ai frappé. – Je l'ai frappé (et) il est tombé.*)
  - de cause/conséquence (par exemple, *Les prix montent ; les gens réclament une augmentation de salaire.*)
- **la capacité de gérer et de structurer** le discours en termes
  - d'organisation thématique
  - de cohérence et de cohésion
  - d'organisation logique
  - de style et de registre
  - d'efficacité rhétorique
  - de *principe coopératif* (maximes conversationnelles de Grice, 1975)

« faites en sorte que votre contribution corresponde à ce qui est exigé, au niveau où elle a lieu, par la finalité ou le sens acceptés de l'échange conversationnel dans lequel vous êtes engagé(s), en observant les principes suivants :
– la qualité (essayez de rendre votre contribution véridique) ;
– la quantité (rendez votre contribution aussi informative que possible mais pas plus) ;
– la pertinence (ne dites que ce qui est approprié) ;
– la modalité (soyez bref et précis ; évitez l'obscurité et l'ambiguïté). »

La dérogation à ces critères en vue d'une communication directe et efficace ne devrait se faire que dans un but précis et non par incapacité à les respecter.

- **la capacité à structurer ; le plan du texte**
  C'est la connaissance des conventions organisationnelles des textes dans une communauté donnée, par exemple :
  - comment est structurée l'information pour réaliser les différentes macro-fonctions (description, narration, argumentation, etc.)
  - comment sont racontées les histoires, les anecdotes, les plaisanteries, etc.
  - comment est construite une argumentation (dans un débat, une cour de justice, etc.)
  - comment les textes écrits (essais, lettres officielles, etc.) sont mis en page, en paragraphes, etc.

Une grande partie de l'enseignement de la langue maternelle est consacrée à l'acquisition des capacités discursives. Dans l'apprentissage d'une langue étrangère, il est probable que l'apprenant commencera par de brefs énoncés d'une phrase seulement en général. Aux niveaux supérieurs, le développement de la compétence discursive dont les composantes sont inventoriées dans cette section devient de plus en plus important.

Les échelles suivantes viennent illustrer certains aspects de la compétence discursive
- souplesse
- tours de parole
- développement thématique
- cohérence et cohésion.

	SOUPLESSE
C2	Montre une grande souplesse dans la reformulation d'idées en les présentant sous des formes linguistiques variées pour accentuer l'importance, marquer une différence selon la situation ou l'interlocuteur, ou lever une ambiguïté.
C1	Comme B2 +
B2	Peut adapter ce qu'il/elle dit et la façon de le dire à la situation et au destinataire et adapter le niveau d'expression formelle convenant aux circonstances. Peut s'adapter aux changements de sujet, de style et de ton rencontrés normalement dans une conversation. Peut varier la formulation de ce qu'il/elle souhaite dire.
B1	Peut adapter son expression pour faire face à des situations moins courantes, voire difficiles. Peut exploiter avec souplesse une gamme étendue de langue simple afin d'exprimer l'essentiel de ce qu'il/elle veut dire.
A2	Peut adapter à des circonstances particulières des expressions simples bien préparées et mémorisées au moyen d'une substitution lexicale limitée. Peut développer des expressions apprises par la simple recombinaison de leurs éléments.
A1	Pas de descripteur disponible.

	TOURS DE PAROLE
C2	Comme C1
C1	Peut choisir une expression convenable dans un ensemble disponible de fonctions discursives pour introduire son discours en attirant l'attention de l'audience ou pour gagner du temps et garder l'attention de l'audition pendant qu'il/elle réfléchit.
B2	Peut intervenir dans une discussion de manière adéquate en utilisant la langue qui convient. Peut lancer, poursuivre et clore un discours convenablement en respectant efficacement les tours de parole. Peut lancer un discours, intervenir à son tour au bon moment et terminer la conversation quand il le faut bien que maladroitement quelquefois. Peut utiliser des expressions toutes faites (par exemple « C'est une question difficile ») pour gagner du temps et garder la parole pendant qu'il/elle réfléchit à ce qu'il/elle va dire.
B1	Peut intervenir dans une discussion sur un sujet familier en utilisant l'expression qui convient pour attirer l'attention. Peut lancer, poursuivre et clore une conversation simple en face à face sur des sujets familiers ou personnels.
A2	Peut utiliser des techniques simples pour lancer, poursuivre et clore une brève conversation. Peut commencer, poursuivre et clore une conversation simple en face à face. Peut attirer l'attention.
A1	Pas de descripteur disponible.

	DÉVELOPPEMENT THÉMATIQUE
C2	Comme C1
C1	Peut faire des descriptions et des récits compliqués, avec des thèmes secondaires et certains plus développés et arriver à une conclusion adéquate.
B2	Peut faire une description ou un récit clair en développant et argumentant les points importants à l'aide de détails et d'exemples significatifs.
B1	Peut avec une relative aisance raconter ou décrire quelque chose de simple et de linéaire.
A2	Peut raconter une histoire ou décrire quelque chose avec une simple liste de points successifs.
A1	Pas de descripteur disponible.

COHÉRENCE ET COHÉSION	
C2	Peut créer un texte cohérent et cohésif en utilisant de manière complète et appropriée les structures organisationnelles adéquates et une grande variété d'articulateurs.
C1	Peut produire un texte clair, fluide et bien structuré, démontrant un usage contrôlé de moyens linguistiques de structuration et d'articulation.
B2	Peut utiliser avec efficacité une grande variété de mots de liaison pour marquer clairement les relations entre les idées.
	Peut utiliser un nombre limité d'articulateurs pour relier ses énoncés bien qu'il puisse y avoir quelques « sauts » dans une longue intervention.
B1	Peut relier une série d'éléments courts, simples et distincts en un discours qui s'enchaîne.
A2	Peut utiliser les articulations les plus fréquentes pour relier des énoncés afin de raconter une histoire ou décrire quelque chose sous forme d'une simple liste de points.
	Peut relier des groupes de mots avec des connecteurs simples tels que « et », « mais » et « parce que ».
A1	Peut relier des groupes de mots avec des connecteurs élémentaires tels que « et » ou « alors ».

5.2.3.2 La compétence fonctionnelle

Cette composante recouvre l'utilisation du discours oral et des textes écrits en termes de communication à des fins fonctionnelles particulières (voir 4.3).

La compétence conversationnelle ne se réduit pas à savoir quelles formes linguistiques expriment quelles fonctions particulières (**micro-fonctions**). Les participants sont engagés dans une interaction dans laquelle chaque initiative entraîne une réponse et fait avancer l'échange vers son but par une série d'étapes successives du début à la conclusion finale. Les locuteurs compétents ont une compréhension de la démarche et des capacités en jeu. Une **macro-fonction** se caractérise par sa structure interactionnelle. Il se peut que des situations plus complexes aient une structure interne composée de séquences de macro-fonctions qui, dans de nombreux cas, s'ordonnent selon les modèles formels ou informels de l'interaction sociale (**schèmes**).

1. **Les micro-fonctions** sont des catégories servant à définir l'utilisation fonctionnelle d'énoncés simples (généralement courts), habituellement lors d'une intervention dans une interaction.

Ces micro-fonctions font l'objet d'une classification détaillée (mais non exhaustive) dans *Threshold Level 1990*, Chapitre 5.

1. Donner et demander des informations
 – identification
 – compte rendu
 – correction
 – demande
 – réponse

2. Exprimer et découvrir des attitudes
 – factuelles (accord/désaccord)
 – de connaissance (savoir/ignorance, souvenir/oubli, probabilité/certitude)
 – de modalité (obligations, nécessité, capacité, permission)
 – de volition (volontés, désirs, intentions, préférences)
 – émotives (plaisir/déplaisir, goût/indifférence, satisfaction, intérêt, surprise, espoir, déception, inquiétude, gratitude)
 – morales (excuses, approbation, regret, compassion)

3. Faire faire (suggérer)
 – suggestions, requêtes, avertissements, conseils, encouragements, demandes d'aide, invitations, offres

4. Établir des relations sociales
 – attirer l'attention, s'adresser aux gens, saluer, présenter, porter un toast, prendre congé

5. Structurer le discours
 – (28 micro-fonctions, ouvrir les débats, prendre la parole, clôturer, etc.)

6. Remédier à la communication
 – (16 micro-fonctions)

Threshold Level, 1990, Chapitre 5

2. **Les macro-fonctions** sont des catégories servant à définir l'utilisation fonctionnelle du discours oral ou du texte écrit qui consistent en une suite (parfois importante) de phrases.

Par exemple :

 – description
 – narration
 – commentaire
 – exposé
 – exégèse
 – explication
 – démonstration
 – instruction
 – argumentation
 – persuasion
 – etc.

3. Les schémas d'interaction

La compétence fonctionnelle comprend aussi la capacité à utiliser les schémas (modèles d'interaction sociale) qui sous-tendent la communication, tels que les modèles d'échanges verbaux. Les activités de communication interactive présentées en 4.4.3 comprennent des suites structurées d'actions effectuées à tour de rôle par les différentes parties. Sous leur forme la plus simple, on trouve des paires telles que :

question	→	réponse
déclaration	→	accord/désaccord
requête/offre/excuses	→	acceptation/refus
salutations/toast	→	réponse

Des échanges triples dans lesquels le premier locuteur prend acte de la réponse de l'interlocuteur ou y répond sont courants. **Échanges doubles et triples** font généralement partie de transactions et d'interactions plus longues.

Par exemple, dans des interactions coopératives plus complexes et avec un but précis, les ressources langagières seront nécessairement utilisées pour
- former le groupe de travail et créer des relations entre les participants
- mettre en place la connaissance partagée des caractéristiques propres à la situation pour en avoir une lecture commune
- identifier ce qui pourrait et devrait être changé
- parvenir à un consensus sur les finalités et les moyens de les atteindre
- se mettre d'accord sur l'attribution des rôles
- gérer les aspects pratiques de la tâche à effectuer, par exemple :
  - en reconnaissant et résolvant les problèmes qui surgissent
  - en coordonnant et en gérant les interventions
  - en s'encourageant mutuellement
  - en prenant acte de la réalisation d'objectifs secondaires tels que
    - reconnaître l'accomplissement final de la tâche
    - évaluer la transaction
    - compléter et achever la transaction.

L'ensemble du processus peut être représenté de manière schématique. Le schéma général pour décrire les interactions lors de l'achat de marchandises ou de services proposé dans le *Threshold Level 1990*, Chapitre 8, en fournit un exemple.

Schéma général pour l'achat de marchandises ou de services

1. Se rendre à l'endroit de la transaction
  1.1 Trouver le chemin de la boutique, du magasin, du supermarché, du restaurant, de la gare, de l'hôtel, etc.
  1.2 Trouver où se situe le comptoir, le rayon, le bureau, le guichet, la réception, etc.
2. Établir le contact
  2.1 Saluer le commerçant, l'employé, le serveur, le réceptionniste, etc.
    2.1.1 salutations de l'employé
    2.1.2 salutations du client
3. Choisir la marchandise/le service
  3.1 Identifier la catégorie de marchandises/services désirée
    3.1.1 rechercher l'information
    3.1.2 donner l'information
  3.2 Identifier les choix
  3.3 Discuter le pour et le contre des différentes possibilités (par exemple, la qualité, le prix, la couleur, la dimension des marchandises)
    3.3.1 rechercher les informations
    3.3.2 donner les informations
    3.3.3 demander conseil
    3.3.4 conseiller
    3.3.5 demander les préférences
    3.3.6 exprimer ses préférences, etc.
  3.4 Identifier les marchandises choisies
  3.5 Examiner les marchandises
  3.6 Donner son accord sur l'achat
4. Échanger les marchandises contre un paiement
  4.1 Donner son accord sur le prix des articles
  4.2 Donner son accord sur le total de la note
  4.3 Effectuer/recevoir le paiement
  4.4 Remettre/réceptionner les marchandises (et le reçu)
  4.5 Échanger des remerciements
    4.5.1 remerciements de l'employé
    4.5.2 remerciements du client
5. Prendre congé
  5.1 Exprimer sa satisfaction (mutuelle)
    5.1.1 l'employé exprime sa satisfaction
    5.1.2 le client exprime sa satisfaction
  5.2 Échanger des menus propos (par exemple sur le temps, les potins)

5.3 Échanger des salutations finales
    5.3.1 salutations de l'employé
    5.3.2 salutations du client

Threshold Level, 1990, Chapitre 8

Note : avec des schémas de ce type il faut, bien sûr, souligner que le fait qu'ils soient disponibles pour le vendeur et pour l'acheteur ne signifie pas que l'acte d'achat prenne toujours cette forme. Dans les conditions actuelles notamment, la langue n'est souvent utilisée que pour résoudre les problèmes qui surgissent lors de transactions au demeurant semi-automatiques ou dépersonnalisées, ou pour les rendre plus humaines (voir 4.1.1).

On ne peut pas proposer des échelles de descripteurs illustrant tous les domaines de compétence en question lorsqu'on parle de capacité fonctionnelle. Certaines activités relevant des micro-fonctions apparaissent en fait dans les échelles qui illustrent les activités communicatives d'interaction et de production.

Les **deux facteurs qualitatifs** génériques qui déterminent le succès fonctionnel de l'utilisateur/apprenant sont
a. l'aisance ou capacité à formuler, à poursuivre et à sortir d'une impasse
b. la précision ou capacité à exprimer sa pensée, à suggérer afin de rendre clair le sens.

Des échelles de descripteurs illustrent ces deux dimensions qualitatives.

	AISANCE À L'ORAL
C2	Peut s'exprimer longuement dans un discours naturel et sans effort. Ne s'arrête que pour réfléchir au mot juste qui exprimera précisément sa pensée ou pour trouver un exemple approprié qui illustre l'explication.
C1	Peut s'exprimer avec aisance et spontanéité presque sans effort ; seul un sujet conceptuellement difficile est susceptible de gêner le flot naturel et fluide du discours.
B2	Peut communiquer avec spontanéité, montrant souvent une remarquable aisance et une facilité d'expression même dans des énoncés complexes assez longs.
	Peut parler relativement longtemps avec un débit assez régulier bien qu'il/elle puisse hésiter en cherchant tournures et expressions, l'on remarque peu de longues pauses.
	Peut communiquer avec un degré d'aisance et de spontanéité qui rend tout à fait possible une interaction régulière avec des locuteurs natifs sans imposer d'effort de part ni d'autre.
B1	Peut s'exprimer avec une certaine aisance. Malgré quelques problèmes de formulation ayant pour conséquence pauses et impasses, est capable de continuer effectivement à parler sans aide.
	Peut discourir de manière compréhensible même si les pauses pour chercher ses mots et ses phrases et pour faire ses corrections sont très évidentes, particulièrement dans les séquences plus longues de production libre.
A2	Peut se faire comprendre dans une brève intervention, même si la reformulation, les pauses et les faux démarrages sont très évidents.
	Peut construire des phrases sur des sujets familiers avec une aisance suffisante pour gérer des échanges courts et malgré des hésitations et des faux démarrages évidents.
A1	Peut se débrouiller avec des énoncés très courts, isolés, généralement stéréotypés, avec de nombreuses pauses pour chercher ses mots, pour prononcer les moins familiers et pour remédier à la communication.

	PRÉCISION
C2	Peut exprimer avec précision des nuances de sens assez fines en utilisant avec une correction suffisante une gamme étendue de procédés de modalisation (par exemple, adverbes exprimant le degré d'intensité, propositions restrictives) Peut insister, discriminer et lever l'ambiguïté.
C1	Peut qualifier avec précision des opinions et des affirmations en termes de certitude/doute, par exemple, ou de confiance/méfiance, similitude, etc.
B2	Peut transmettre une information détaillée de façon fiable.
B1	Peut expliquer les points principaux d'une idée ou d'un problème avec une précision suffisante. Peut transmettre une information simple et d'intérêt immédiat, en mettant en évidence quel point lui semble le plus important. Peut exprimer l'essentiel de ce qu'il/elle souhaite de façon compréhensible.
A2	Peut communiquer ce qu'il/elle veut dire dans un échange d'information limité, simple et direct sur des sujets familiers et habituels, mais dans d'autres situations, doit généralement transiger sur le sens.
A1	Pas de descripteur disponible.

Les utilisateurs du *Cadre de référence* envisageront et expliciteront selon le cas
- les éléments discursifs que l'apprenant doit contrôler ou dont il doit disposer
- les macro-fonctions que l'apprenant doit contrôler ou dont il doit disposer
- les micro-fonctions que l'apprenant doit contrôler ou dont il doit disposer
- le schéma d'interaction dont l'apprenant a besoin ou qu'il doit maîtriser
- ce qu'il est censé déjà contrôler et ce qui doit lui être enseigné
- les principes selon lesquels les micro- et les macro-fonctions sont sélectionnées et organisées
- comment caractériser le *progrès qualitatif* de la compétence pragmatique.

CHAPITRE 6
LES OPÉRATIONS D'APPRENTISSAGE ET D'ENSEIGNEMENT DES LANGUES

PANORAMA

INTRODUCTION

Dans le Chapitre 6 nous nous interrogerons sur les points suivants :
– De quelle(s) façon(s) **l'apprenant** devient-il capable de mener à bien les tâches, les activités et les opérations et de construire les compétences nécessaires à la communication ?
– Comment **les enseignants**, aidés par tout le matériel pédagogique, peuvent-ils faciliter ces opérations ?
– Comment **les autorités éducatives** et autres décideurs peuvent-ils élaborer au mieux les programmes de langues vivantes ?

En premier lieu, toutefois, nous nous attacherons aux **objectifs d'apprentissage**.

6.1 QU'EST-CE QUE LES APPRENANTS DOIVENT APPRENDRE OU ACQUÉRIR ?

6.1.1 Les objectifs d'apprentissage

L'énoncé des buts et des objectifs de l'enseignement et de l'apprentissage des langues devrait se fonder sur une estimation des besoins des apprenants et de la société, sur les tâches, les activités et les opérations que les apprenants doivent effectuer afin de satisfaire ces besoins, et sur les compétences ou les stratégies qu'ils doivent construire ou développer pour y parvenir. En conséquence, dans les Chapitres 4 et 5, on s'efforce d'exposer ce qu'un utilisateur réellement compétent de la langue est capable de faire et quelles sont les connaissances, les savoir-faire et les attitudes qui rendent possible son activité langagière. On traite cette question aussi complètement que possible puisqu'il n'est pas possible de présupposer quelles activités seront importantes pour tel ou tel apprenant. Ces chapitres exposent que, afin de participer à des actes de communication, les apprenants doivent avoir appris ou acquis
– les compétences nécessaires telles qu'elles sont détaillées dans le Chapitre 5
– la capacité de mettre ces compétences en œuvre comme il est dit dans le Chapitre 4
– la capacité d'utiliser les stratégies nécessaires pour mettre en œuvre ces compétences.

6.1.2 Piloter la progression avec souplesse

Pour représenter ou piloter la progression des apprenants de langue, il est utile de décrire leurs aptitudes selon une série de niveaux successifs. On a proposé des échelles de ce type le cas échéant dans les Chapitres 4 et 5. Lorsqu'on étalonne la progression des étudiants au cours des niveaux élémentaires d'enseignement général, à un moment où leurs besoins professionnels futurs ne sauraient être envisagés, ou encore lorsqu'il faut faire une évaluation générale de la compétence en langue d'un apprenant, il peut être à la fois utile et pratique de combiner un certain nombre de ces catégories en une caractérisation récapitulative de la capacité langagière comme, par exemple, dans le Tableau 1 du Chapitre 3.

Un schéma tel que celui du Tableau 2 du Chapitre 3, conçu pour l'auto-évaluation de l'apprenant offre une grande souplesse ; les différentes activités langagières y sont étalonnées individuellement bien que chacune soit traitée dans sa globalité. Cette présentation permet de tracer un profil dans le cas où les compétences sont inégalement développées. Une souplesse encore plus grande est évidemment fournie par l'étalonnage détaillé séparément des sous-catégories, comme dans les Chapitres 4 et 5. Si toutes les capacités présentées dans ces chapitres doivent être mises en œuvre par un usager de la langue pour traiter efficacement l'ensemble des actes de communication, ce ne sont pas tous les apprenants qui auront besoin de toutes les acquérir ou qui voudront le faire dans une langue autre que leur langue maternelle. Par exemple, certains apprenants peuvent n'avoir aucune demande pour l'écrit. D'autres, en revanche, ne seront intéressés que par la compréhension de textes écrits. Néanmoins, cela ne signifie pas que de tels apprenants en seront respectivement réduits aux formes orale ou écrite de la langue.

Il se peut, selon le style cognitif de l'apprenant, que la mémorisation des formes orales soit largement facilitée par leur association aux formes écrites correspondantes. En retour, la perception des formes écrites peut être facilitée par leur association aux formes orales correspondantes. Si tel est le cas, l'aptitude non exigée par l'usage – et, en conséquence, non déclarée comme **objectif** – peut toutefois être invoquée dans l'apprentissage de la langue comme **moyen** pour atteindre une fin. C'est une question de décision, consciente ou pas, de donner le rôle d'objectif ou de moyen à telle ou telle des compétences, activités et stratégies pour le perfectionnement d'un apprenant donné.

Il n'y a pas non plus d'obligation logique qu'une compétence, une tâche, une activité ou une stratégie, identifiée comme objectif nécessaire à la satisfaction des besoins des apprenants, entre dans un programme d'apprentissage. Par exemple, on peut faire l'hypothèse que l'essentiel de ce que l'on met sous « connaissance du monde » relève d'un savoir antérieur, déjà présent dans la compétence générale de l'apprenant du fait de son expérience de la vie ou de l'enseignement donné en langue maternelle. Le problème peut se réduire à trouver en L2 le bon équivalent d'une catégorie notionnelle en L1. Il faudra décider quelle connaissance nouvelle doit être apprise et laquelle peut être considérée comme acquise. Un problème surgit lorsqu'un champ conceptuel particulier est organisé différemment en L1 et L2, ce qui est un cas fréquent, de telle sorte que le sens des mots ne correspond que partiellement ou pas du tout. Quelle est l'importance de l'équivoque ? À quels malentendus peut-elle conduire ? En conséquence, quelle priorité doit-on lui donner à tel moment de l'apprentissage ? À quel niveau la distinction doit-elle être prise en considération ou maîtrisée ? Peut-on laisser le problème se résoudre de lui-même avec l'expérience ?

Des questions semblables se posent eu égard à la prononciation. De nombreux phonèmes sont transférables sans problème de L1 en L2. Dans d'autres cas, il se peut que les allophones en question soient différents de façon notable. D'autres phonèmes de L2 peuvent ne pas exister en L1. S'ils ne sont pas acquis ou appris, cela entraînera un déficit d'information et des malentendus peuvent surgir. Quels sont les risques de fréquence de ces malentendus et leur gravité ? Quelle priorité doit-on leur donner ? Ici, la question de l'âge ou de la période d'apprentissage pendant laquelle il est préférable d'apprendre ces différences se complique du fait que la fossilisation des erreurs est très importante au niveau phonétique. Rendre conscient des erreurs phonétiques et désapprendre des comportements devenus automatiques peut être beaucoup plus coûteux (en temps et en efforts) lorsque l'apprenant s'est approprié une forme approximative par rapport à la norme que cela l'aurait été au début de l'apprentissage, notamment précoce.

De telles considérations signifient que les objectifs appropriés pour un apprenant donné ou une catégorie d'apprenants d'un âge donné peuvent ne pas dériver automatiquement d'une lecture directe et complète des échelles proposées pour chaque paramètre. Il faut prendre une décision au cas par cas.

6.1.3 Compétence plurilingue et pluriculturelle

Le fait que le *Cadre de référence* ne se contente pas de donner de l'étalonnage des compétences communicatives une « vision panoramique » mais détaille dans leurs composantes les catégories globales et les échelonne également est d'une particulière importance si l'on examine le développement des compétences plurilingues et pluriculturelles.

6.1.3.1 Une compétence déséquilibrée et évolutive

Une compétence plurilingue et pluriculturelle se présente généralement comme déséquilibrée. Et ce de différentes manières :
– maîtrise générale plus grande dans une langue que dans d'autres
– profil de compétences différent dans une langue de ce qu'il peut être dans telle ou telle autre (par exemple : excellente maîtrise orale de deux langues, mais efficacité à l'écrit pour l'une d'entre elles seulement)
– profil multiculturel de configuration autre que le profil multilingue (par exemple : bonne connaissance de la culture d'une communauté dont on connaît mal la langue, ou faible connaissance de la culture d'une communauté dont on maîtrise pourtant bien la langue dominante).

Ces déséquilibres n'ont rien que de normal. Et si l'on étend la notion de plurilinguisme et de pluriculturalisme à la prise en compte de la situation de tous les acteurs sociaux qui, dans leurs langue et culture premières sont, au cours du processus de socialisation, exposés à différentes variétés linguistiques et à la différenciation culturelle interne à toute société complexe, il est clair que, là aussi, les déséquilibres (ou, si l'on préfère, les modes différents d'équilibre) sont de règle.

Ce déséquilibre est lié aussi au caractère évolutif de la compétence plurilingue et pluriculturelle. Alors que les représentations qu'on se donne de la compétence à communiquer « monolingue » en « langue maternelle » la posent comme vite stabilisée, une compétence plurilingue et pluriculturelle présente, elle, un profil transitoire, une configuration évolutive. Suivant la trajectoire professionnelle de l'acteur social considéré, son histoire familiale, ses voyages, ses lectures et ses loisirs, des modifications sensibles viennent affecter sa biographie linguistique et culturelle, modifier les formes de déséquilibre de son plurilinguisme, rendre plus complexe son expérience de la pluralité des cultures. Ce qui n'implique aucunement une instabilité, une incertitude, un « déséquilibre » de l'acteur considéré, mais contribue plutôt, dans la plupart des cas, à une meilleure prise de conscience identitaire.

6.1.3.2 Une compétence différenciée pouvant jouer de l'alternance

En raison de ce déséquilibre, la compétence plurilingue et pluriculturelle se caractérise aussi par le fait que, dans sa mise en œuvre, les capacités et connaissances tant générales que langagières (voir Chapitres 4 et 5) que possède un individu sont sollicitées de manière différenciée. Par exemple, les **stratégies** mobilisées pour la réalisation de **tâches** à dimensions langagières peuvent varier suivant les langues auxquelles il est fait recours. Ainsi, des **savoir-être** soulignant l'ouverture, la convivialité, la bonne volonté (dans la gestuelle, les mimiques, la proxémique générale) peuvent, dans une langue dont on maîtrise mal la composante linguistique, compenser cette relative déficience au cours de l'interaction avec un natif, alors que, dans la langue mieux maîtrisée, le même acteur pourrait avoir une attitude plus distante ou plus réservée. La **tâche** pourra aussi être redéfinie, le message linguistique redimensionné ou redistribué différemment en fonction des ressources d'expression dont on dispose effectivement ou de la représentation qu'on se fait de ces ressources.

Autre trait d'une compétence plurilingue et pluriculturelle : ne consistant pas en une simple addition de compétences monolingues, elle autorise des combinaisons, des alternances, des jeux sur plusieurs tableaux. Il est possible de procéder à des changements de codes en cours de message, de recourir à des formes de parler bilingue. Un même répertoire, plus riche, autorise donc aussi des choix, des stratégies d'accomplissement de tâches, reposant sur cette variation interlinguistique, ces changements de langue, lorsque les circonstances le permettent.

6.1.3.3 Prise de conscience et dynamique de l'usage et de l'apprentissage

C'est dire encore que posséder une compétence plurilingue et pluriculturelle développe une conscience linguistique et communicationnelle, voire des stratégies métacognitives qui permettent à l'acteur social de mieux prendre connaissance et contrôle de ses propres modes « spontanés » de gestion des tâches et, notamment, de leur dimension langagière. En outre, cette **expérience du plurilinguisme et du pluriculturalisme**
– tire parti des **composantes sociolinguistique et pragmatique** préexistantes mais les élargit en retour
– installe une meilleure perception de ce qu'il y a de général et de ce qu'il y a de spécifique dans les organisations linguistiques de langues différentes (forme de prise de conscience métalinguistique, interlinguistique voire, si l'on peut dire, « hyperlinguistique »)

– est de nature à affiner les savoir-apprendre et les capacités à entrer en relation avec l'autre et le nouveau.

Et elle peut ainsi accélérer jusqu'à un certain point des apprentissages ultérieurs dans le domaine langagier et culturel. Ceci même si la compétence plurilingue et pluriculturelle se présente comme « déséquilibrée » et si la maîtrise de telle ou telle langue demeure « partielle ».

Il est possible de dire, en outre, que, si la connaissance d'une langue et d'une culture étrangères ne conduit pas toujours à dépasser ce que peut avoir d'ethnocentrique la relation à la langue et à la culture « maternelles » et peut même avoir l'effet inverse (il n'est pas rare que l'apprentissage d'une langue et le contact avec une culture étrangères renforcent plus qu'ils ne les réduisent les stéréotypes et les préjugés), la connaissance de plusieurs mène, elle, plus sûrement à un tel dépassement, tout en enrichissant le potentiel d'apprentissage.

C'est dans cette perspective que l'insistance sur le respect de la diversité des langues et sur l'importance d'apprendre plus d'une langue étrangère en contexte scolaire prend son plein sens. Il ne s'agit pas seulement d'un choix de politique linguistique à un moment déterminé de l'histoire, par exemple, de l'Europe, ni même – si importante soit cette visée, de donner de meilleures chances d'avenir à des jeunes capables de recourir à plus de deux langues. Il s'agit bien surtout d'**aider les apprenants**
- à construire leur identité langagière et culturelle en y intégrant une expérience diversifiée de l'altérité ;
- à développer leurs capacités d'apprenants à travers cette même expérience diversifiée de la relation à plusieurs langues et cultures autres.

6.1.3.4 Compétence partielle et compétence plurilingue et pluriculturelle

C'est aussi dans cette perspective que **la notion de compétence partielle** dans une langue donnée peut avoir un sens : il ne s'agit pas de se satisfaire, par principe ou par réalisme, de la mise en place d'une maîtrise limitée ou sectorisée d'une langue étrangère par un apprenant, mais bien de poser que cette maîtrise, imparfaite à un moment donné, fait partie d'une **compétence plurilingue** qu'elle enrichit. Il s'agit aussi de préciser que cette compétence dite « partielle », inscrite dans une **compétence plurielle**, est en même temps une **compétence fonctionnelle** par rapport à un objectif délimité que l'on se donne.

La compétence partielle dans une langue donnée peut concerner des **activités langagières** de réception (mettre l'accent par exemple sur le développement d'une capacité de compréhension orale ou écrite) ; elle peut concerner un **domaine particulier** et **des tâches spécifiques** (permettre par exemple à un employé de la poste de donner des renseignements à des clients étrangers d'une langue donnée sur les opérations postales les plus courantes). Mais elle peut aussi avoir trait à des **compétences générales** (par exemple des **savoirs** autres que langagiers sur les caractéristiques et les acteurs de langues et de cultures autres), pour autant qu'il existe une fonctionnalité de ce développement complémentaire de telle ou telle dimension des compétences établies. En d'autres termes, dans le *Cadre de référence* ici proposé, la notion de compétence partielle est à penser par rapport aux différentes composantes du modèle (voir Chapitre 3) et en regard de la variation des objectifs.

6.1.4 Variation des objectifs en relation au *Cadre de référence*

Toute construction de curriculum dans le cas de l'apprentissage des langues (plus encore sans doute que pour d'autres disciplines et d'autres types d'apprentissage) suppose des choix entre des types et des niveaux d'objectifs. Tel qu'il est ici proposé, le *Cadre de référence* rend compte à sa manière de cette situation. Chacune des grandes composantes du modèle présenté peut focaliser sur des objectifs d'apprentissage et constituer une entrée privilégiée dans l'utilisation du *Cadre*.

6.1.4.1 Types d'objectifs en relation au *Cadre de référence*

Les objectifs de l'enseignement/apprentissage peuvent en effet être conçus en termes variés.

a. En termes de développement des compétences générales individuelles de l'apprenant (voir Section 5.1) et relever alors des **savoirs, savoir-faire** (capacités), **savoir-être** (traits de la personnalité, attitudes, etc.) ou **savoir-apprendre** ou plus particulièrement de l'une ou l'autre de ces dimensions. Il est des cas où l'apprentissage d'une langue étrangère vise avant tout à doter l'apprenant de savoirs déclaratifs (par exemple sur la grammaire ou sur la littérature ou sur certaines caractéristiques culturelles du pays étranger). Il en est où l'apprentissage d'une langue sera considéré comme un moyen pour l'apprenant de développer sa personnalité (par exemple une plus grande assurance ou confiance en soi, une relation plus aisée à la prise de parole) ou des savoir-apprendre (une plus grande ouverture à la nouveauté, une prise de conscience de l'altérité, une curiosité pour l'inconnu). Rien n'interdit de penser que ces visées particulières portant, à un moment donné, sur un secteur ou un type particulier de compétence, une mise en place ou un développement de compétence partielle, permettent l'installation ou le renforcement d'une compétence plurilingue et pluriculturelle transversale. En d'autres termes encore, la poursuite d'un objectif partiel peut trouver place dans un projet d'ensemble pour l'apprentissage.

b. En termes d'extension et de diversification de la compétence à communiquer langagièrement (voir Section 5.2) et relever alors de la **composante linguistique** ou de la **composante pragmatique** ou de la **composante sociolinguistique** ou des trois. Il est des cas où l'apprentissage d'une langue étrangère vise avant tout à faire que l'apprenant acquière une maîtrise de la composante linguistique d'une langue (connaissance de son système phonétique, de son vocabulaire et de sa syntaxe) sans souci de finesse sociolinguistique ni d'efficacité pragmatique. Dans d'autres circonstances, il se pourra que l'objectif soit avant tout d'ordre pragmatique et cherche à mettre en place une capacité d'agir dans la langue étrangère avec des moyens linguistiques limités et sans recherche particulière d'adéquation sociolinguistique. Bien entendu, les options ne sont jamais aussi exclusives et un progrès harmonieux de ces différentes composantes est généralement recherché, mais les exemples ne manquent pas, passés ou contemporains, d'inflexions fortes des visées d'apprentissage au profit de telle ou telle des composantes de la compétence à communiquer. La compétence à communiquer langagièrement, pensée comme compétence plurilingue et pluriculturelle, étant **une** (c'est-à-dire comportant des variétés de langue maternelle et des variétés d'une ou de plusieurs langues étrangères), il serait tout aussi facile de défendre le point de vue selon lequel, à certaines époques et dans certains contextes, l'enseignement d'une langue étrangère avait surtout pour objectif (même non apparent) un affinement de la connaissance et de la maîtrise de la langue maternelle (par exemple par le recours à la traduction, au travail des registres et de la précision du vocabulaire en version, à des formes de stylistique et de sémantique comparée).

c. En termes de meilleure réalisation de telle(s) ou telle(s) activité(s) langagière(s) (voir Section 4.4) et relever alors de la réception, de la production, de l'interaction ou de la médiation. Il est des cas où l'apprentissage d'une langue étrangère a pour objectif déclaré majeur des résultats effectifs dans des activités de réception (lire ou écouter), d'autres où c'est une activité de médiation (traduction ou interprétariat) qui doit être rendue plus opérationnelle, d'autres encore où c'est une interaction en face à face qu'on privilégie systématiquement. Là encore, il va de soi que ces polarisations ne sauraient être totales et se faire indépendamment de tout autre visée. Mais, dans la définition des objectifs, il est possible de mettre résolument en avant une dimension particulière et cette insistance majeure affecte ensuite, pour peu qu'on soit cohérent, l'ensemble du dispositif de formation ; choix des contenus et des tâches d'apprentissage, détermination des progressions ou des mises en ordre possibles, sélection des types de textes, etc.

On remarquera que c'est en général à propos de certains des choix de cet ordre (par exemple une insistance sur un apprentissage privilégiant dans ses objectifs les activités de réception et de compréhension écrite et/ou orale) que la notion de compétence partielle semble avoir d'abord été introduite et se trouve surtout utilisée. Mais c'est une extension de cet usage qui est ici proposée

- d'une part, en pointant que d'autres objectifs partiels de compétence peuvent être caractérisés (comme il est indiqué en a. ou b. ou d.) en relation au *Cadre de référence*
- d'autre part, en rappelant que ce même *Cadre de référence* permet d'inscrire toute compétence dite « partielle » à l'intérieur d'un ensemble plus général de capacités pour la communication et l'apprentissage.

d. En termes d'insertion fonctionnelle optimale dans un domaine particulier (voir Section 4.1.1) et relever alors du **domaine public**, ou du **domaine professionnel** ou du **domaine éducationnel** ou du **domaine personnel**. Il est des cas où l'apprentissage d'une langue étrangère a pour objectif essentiel une meilleure adéquation à un poste de travail ou à un contexte de formation ou à certaines conditions de vie quotidienne dans un pays étranger. Comme pour les autres constituants majeurs du modèle présenté, de telles visées donnent lieu à affichages explicites dans des propositions de cours, des offres et demandes de formation, des outils publiés. C'est là qu'on a pu parler, notamment, « d'objectifs spécifiques », de « cours de spécialités », de « langues des professions », de « préparation au séjour à l'étranger », « d'accueil linguistique de travailleurs migrants ». Ce qui ne veut pas dire que la prise en compte de besoins particuliers d'un public déterminé ayant à accommoder sa compétence plurilingue et pluriculturelle à un domaine précis d'activité sociale s'accompagne toujours d'un traitement pédagogique adéquat à cette visée. Mais, comme pour les autres constituants, formuler un objectif sous cette entrée et dans cette perspective devrait normalement avoir des conséquences sur d'autres aspects et étapes de la construction de programmes et de l'élaboration de démarches pour l'enseignement/apprentissage.

Il est à relever que cette forme d'objectif d'insertion fonctionnelle dans un domaine correspond aussi aux situations d'enseignement bilingue, d'immersion (au sens donné à ce terme à partir des expériences menées en contexte canadien) et de scolarisation dans une langue qui n'est pas celle de l'environnement familial (par exemple : scolarisation entièrement en français dans certains pays plurilingues d'Afrique anciennement colonisés). De ce point de vue, et sans paradoxe à l'intérieur de la présente analyse, ces situations d'immersion, quels que soient par ailleurs les résultats linguistiques auxquels elles permettent de parvenir, visent le développement de compétences partielles : celles convenant au domaine éducationnel et à la construction de savoirs disciplinaires autres que linguistiques. On rappellera que, dans nombre d'expériences d'immersion totale précoce au Canada, la langue d'enseignement (le français) ne donnait lieu initialement à aucune provision spécifique dans l'emploi du temps des enfants anglophones concernés.

e. En termes d'enrichissement ou de diversification des stratégies ou en termes d'accomplissement de tâches (voir Section 4.5 et Chapitre 7) et toucher alors l'opérationalisation même des actions liées à l'usage ou à l'apprentissage d'une ou de plusieurs langues, à la découverte ou à l'expérience de cultures autres.

Dans bien des parcours d'apprentissage, il peut paraître souhaitable, à un moment ou à un autre, de concentrer l'attention sur le développement des stratégies qui permettent d'accomplir tel ou tel type de tâches comportant une dimension langagière. L'objectif est alors d'améliorer les stratégies auxquelles l'apprenant a habituellement recours, en les complexifiant, en les étendant, en les rendant plus conscientes, en facilitant leur transfert à des tâches où elles n'étaient pas d'abord activées. Qu'il s'agisse de stratégies de communication ou de stratégies d'apprentissage, si l'on considère qu'il y a là ce qui permet à un acteur social de mobiliser les compétences qui sont siennes pour les mettre à l'œuvre et peut-être les renforcer ou les accroître, il vaut la peine de faire en sorte que de telles stratégies soient effectivement cultivées aussi en tant qu'objectif, même si elles ne sauraient constituer en soi une finalité ultime.

Quant aux tâches, elles seront normalement visées à l'intérieur d'un domaine particulier et prises en compte comme objectifs à atteindre en relation à ce domaine, ce qui renvoie au point d. ci-dessus. Mais il est des cas où l'objectif d'apprentissage se réduit à l'exécution plus ou moins stéréotypée de quelques tâches pouvant impliquer le recours à des éléments linguistiques limités dans une ou plusieurs langues étrangères : par exemple, souvent cité, dans des postes de travail comme celui de standardiste téléphonique où la performance « plurilingue » attendue se ramènerait, par décision locale dans une entreprise donnée, à la production de quelques formules figées liées à des opérations routinières. Ces derniers cas de figure relèvent plus d'un comportement semi-automatisé que d'une compétence partielle, mais on conviendra que la réalisation de tâches répétitives bien déterminées peut aussi constituer, dans des circonstances de cet ordre, l'essentiel d'un objectif d'apprentissage.

Plus généralement, la formulation des objectifs en termes de tâches a une vertu illustrative qui permet de concrétiser, pour l'apprenant même, les résultats attendus et qui peut jouer ainsi un rôle pour la motivation fonctionnelle à courte échéance, dans la durée d'un apprentissage. Si on s'en tient là encore à un exemple élémentaire, dire à des enfants que l'activité qu'on leur propose leur permettra de jouer ensuite, dans la langue étrangère, au jeu des *Sept Familles* (objectif de réalisation possible d'une « tâche ») peut aussi constituer une présentation motivante pour une visée d'apprentissage linguistique du vocabulaire de désignation des membres d'une famille (partie de la composante linguistique d'un objectif communicatif plus large). En ce sens aussi, la pédagogie dite du projet, les simulations globales, nombre de jeux de rôles, mettent en place des sortes d'objectifs transitoires effectivement définis en termes de tâches à réaliser, mais dont l'intérêt majeur pour l'apprentissage tient soit aux ressources et activités langagières que requiert telle tâche (ou telle séquence de tâches), soit aux stratégies ainsi exercées ou mises en action pour la réalisation de ces tâches. Autrement dit, bien que, dans la logique adoptée pour la conception du *Cadre de référence*, la compétence plurilingue et pluriculturelle se manifeste et se construise à travers la réalisation de tâches, celles-ci ne sont présentées, dans une dynamique d'apprentissage, que comme des objectifs apparents ou relais pour la poursuite d'autres objets.

6.1.4.2 De la complémentarité des objectifs partiels

Définir ainsi les types d'objectifs d'un enseignement/apprentissage des langues en fonction de chacun des constituants majeurs du modèle général de référence, voire de chacune des composantes de ces constituants majeurs, ne relève pas de l'exercice de style, mais bien de ce que peuvent être la diversité des visées d'un apprentissage et la variété des formulations exhibées pour une offre d'enseignement. Bien évidemment, un grand nombre de propositions de formation, scolaires ou extra-scolaires, affichent simultanément plusieurs de ces objectifs. Et, bien évidemment aussi, mais il importe de le redire, viser un objectif formulé de telle ou telle manière signifie également que, dans la cohérence du modèle ici illustré, l'objectif visé une fois atteint, d'autres résultats auront été obtenus en sus qui n'étaient pas explicitement visés ou qui l'étaient moins.

Si, pour recourir à une illustration, on suppose que l'objectif est à entrée domaniale et met l'accent sur l'adéquation à un poste de travail, par exemple serveur dans un restaurant, on développera, pour atteindre cet objectif, des activités langagières relevant de l'interaction orale, on travaillera, dans la compétence à communiquer, certaines zones lexicales de la composante linguistique (présentation et description des plats, etc.), certaines normes sociolinguistiques (formules d'adresse à la clientèle, recours éventuel à la troisième personne, etc.), on insistera sans doute sur certains modes de **savoir-être** (discrétion de bon ton, affabilité souriante, patience, etc.) ou sur des savoirs portant sur les cuisines ou les habitudes alimentaires de telle ou telle culture étrangère. Et on pourrait développer ainsi d'autres exemples en prenant pour objectif premier d'autres constituants. Mais cette illustration ponctuelle suffit sans doute à compléter ce qui a été indiqué plus haut à propos de la notion de compétence partielle (voir aussi les remarques qui portent sur la relativisation de ce qu'on peut entendre par connaissance partielle d'une langue).

6.2 LES OPÉRATIONS D'APPRENTISSAGE DES LANGUES

6.2.1 Acquisition ou apprentissage ?

Les mots « acquisition » et « apprentissage » sont couramment utilisés de façons différentes. D'aucuns les utilisent indifféremment. D'autres utilisent l'un ou l'autre comme terme général et prennent le second dans un sens plus restrictif.

- « **Acquisition** » peut ainsi être utilisé au sens général ou se réduire
  a. aux **interprétations** de la langue des locuteurs étrangers en termes des théories actuelles de la grammaire universelle. Ce travail est presque toujours une branche de la psycholinguistique théorique et n'a guère ou pas d'intérêt pour les praticiens, notamment puisqu'on y considère que la grammaire reste inconsciente
  b. à la **connaissance** d'une langue étrangère (autre que maternelle) ainsi qu'à la capacité spontanée à l'utiliser qui résultent d'une exposition directe au texte ou d'une participation à des actes de communication.

- « **Apprentissage** » peut être utilisé au sens général ou se réduire au processus par lequel la capacité langagière est le résultat d'une démarche planifiée, notamment lors d'études reconnues en milieu institutionnel.

Il ne semble pas possible, à l'heure actuelle, d'imposer une terminologie standardisée car il n'y a pas de terme générique évident qui recouvrirait « apprentissage » et « acquisition » dans leur acception limitée.

> Les utilisateurs du *Cadre de référence* sont invités à considérer et, si possible, à expliciter quel sens ils donnent à ces termes et à éviter de les utiliser de manière contraire à l'usage en vigueur.
> Ils peuvent aussi envisager et, le cas échéant, préciser comment créer et exploiter les occasions, au sens de b. ci-dessus, en vue de l'acquisition de la langue.

6.2.2 Comment les apprenants apprennent-ils ?

6.2.2.1 À l'heure actuelle, il n'y a pas de consensus fondé sur une recherche assez solide en ce qui concerne cette question pour que le *Cadre de référence* lui-même se fonde sur une quelconque théorie de l'apprentissage. Certains théoriciens prétendent que les capacités humaines de traitement de l'information sont assez puissantes pour qu'il suffise à un être humain d'être exposé à suffisamment de langue pour lui compréhensible pour qu'il l'acquière et soit capable de l'utiliser tant pour la compréhension que pour la production. Ils croient que le processus « d'acquisition » est inaccessible à l'observation ou à l'intuition et qu'il ne saurait être facilité par une manipulation consciente, qu'elle provienne des méthodes d'enseignement ou des façons d'étudier.

Pour eux, la chose la plus importante qu'un professeur puisse faire consiste à créer l'environnement linguistique le plus riche possible dans lequel l'apprentissage aura lieu sans enseignement formel.

6.2.2.2 D'autres pensent qu'outre l'exposition à un apport compréhensible, la participation active à l'interaction communicative est une condition nécessaire et suffisante pour que la langue se développe. Ils considèrent également que l'enseignement ou l'étude explicite de la langue sont hors de propos. À l'opposé, certains considèrent que les activités cognitives sont suffisantes, que les étudiants qui ont appris les règles de grammaire appropriées et du vocabulaire seront capables de comprendre et d'utiliser la langue à la lumière de leur expérience antérieure et de leur bon sens, sans avoir besoin de répéter. Entre ces deux extrêmes, la plupart des étudiants et des enseignants « courants », ainsi que les supports pédagogiques, suivront des pratiques plus éclectiques. Ils admettent que les apprenants n'apprennent pas nécessairement ce que les enseignants enseignent et qu'il leur faut un apport de langue substantiel, contextualisé et intelligible ainsi que des occasions d'utiliser la langue de manière interactive ; ils admettent aussi que l'apprentissage est facilité, notamment dans les conditions artificielles de la salle de classe, par la combinaison d'un apprentissage conscient et d'une pratique suffisante afin de réduire ou de supprimer l'attention consciente portée aux aptitudes physiques de niveau élémentaire de la parole et de l'écriture, ainsi qu'à l'exactitude morphologique et syntaxique, libérant ainsi l'esprit pour des stratégies de communication d'un niveau supérieur. Certains (encore qu'ils soient bien moins nombreux qu'autrefois) croient que l'on peut atteindre ce but par des exercices systématiques jusqu'à saturation.

6.2.2.3 De toute évidence, il existe des variations de réaction considérables selon l'âge, la nature et l'origine des apprenants quant aux éléments auxquels ils répondent de la manière la plus productive ; ces mêmes variations se retrouvent parmi les enseignants, les auteurs de méthodes, etc. quant à l'équilibre des éléments qu'ils introduisent dans un cours, selon l'importance qu'ils attachent à la production plutôt qu'à la réception, à la correction plutôt qu'à l'aisance, etc.

> Les utilisateurs du *Cadre de référence* envisageront et expliciteront selon le cas sur quelles hypothèses le travail relatif à l'apprentissage de la langue se fonde, et leurs conséquences méthodologiques.

6.3 QUE PEUT FAIRE CHAQUE TYPE D'UTILISATEUR DU *CADRE DE RÉFÉRENCE* POUR FACILITER L'APPRENTISSAGE DE LA LANGUE ?

L'enseignement comme métier est un partenariat pour l'apprentissage constitué de nombreux spécialistes en plus des enseignants et des apprenants, premiers concernés par l'apprentissage. On examinera, dans cette section, le rôle respectif de chacune des parties.

6.3.1 **Ceux qui s'occupent d'examens et de diplômes** devront prendre en considération les paramètres pertinents pour les diplômes en question et le niveau requis. Ils devront prendre des décisions concrètes quant à la nature des tâches et des activités spécifiques à proposer, les thèmes à traiter, les expressions, les éléments lexicaux et idiomatiques que les candidats devront reconnaître ou dont ils devront se souvenir, les connaissances socioculturelles et les aptitudes à tester, etc. Ils peuvent ne pas se préoccuper des procédés par lesquels la compétence a été apprise ou acquise, sauf dans la mesure où leurs méthodes d'évaluation peuvent avoir un effet en retour positif ou négatif sur l'apprentissage de la langue.

6.3.2 Quand elles donnent des orientations curriculaires ou établissent des programmes, **les autorités** se concentreront sur la définition des objectifs d'apprentissage. Ce faisant, elles peuvent se contenter de ne préciser que les objectifs de niveau supérieur en termes de tâches, de thèmes, de compétence, etc. Elles n'ont pas l'obligation – mais elles peuvent vouloir le faire – de spécifier en détail les contenus de vocabulaire, de grammaire et de notions et fonctions qui permettront aux apprenants d'accomplir les tâches et de traiter les thèmes. Elles n'ont pas l'obligation – mais elles peuvent vouloir le faire – d'indiquer des lignes directrices ou de faire des suggestions quant aux méthodes à utiliser en classe et aux étapes qui marqueront le progrès de l'apprenant.

6.3.3 **Les auteurs de manuels et de cours** ne sont pas tenus – bien qu'ils puissent vouloir le faire – de formuler leurs objectifs en se référant aux tâches pour la réalisation desquelles ils veulent que les apprenants soient outillés, ou la compétence et les stratégies qu'ils doivent développer. En revanche, ils sont tenus de prendre des décisions détaillées et concrètes sur la sélection et la progression des textes, des activités, du vocabulaire et de la grammaire à présenter à l'apprenant. On attend d'eux qu'ils donnent des instructions détaillées pour la classe et/ou les tâches et activités que les apprenants entreprendront en réponse au matériel présenté. Leurs productions ont une influence importante sur le processus d'enseignement/apprentissage et elles doivent inévitablement se fonder sur des hypothèses explicites (ce qu'elles font rarement ; en effet, elles sont souvent non analysées, voire même inconscientes) quant à la nature du processus d'apprentissage.

6.3.4 **Les enseignants** se trouvent généralement dans l'obligation de respecter les instructions officielles, d'utiliser des manuels et du matériel pédagogique (qu'ils ne sont pas nécessairement en mesure d'analyser, d'évaluer, de choisir ni d'y apporter des compléments), de concevoir et de faire passer des tests et de préparer les élèves et les étudiants aux diplômes. Ils doivent, à tout instant, prendre des décisions sur les activités de classe qu'ils peuvent prévoir et préparer auparavant mais qu'ils doivent ajuster avec souplesse à la lumière de la réaction des élèves ou des étudiants. On attend d'eux qu'ils suivent le progrès de leurs élèves ou étudiants et trouvent des moyens d'identifier, d'analyser et de surmonter leurs difficultés d'apprentissage, ainsi que de développer leurs capacités individuelles à apprendre. Il leur faut comprendre les processus d'apprentissage dans toute leur complexité, encore que cette compréhension puisse s'avérer être un résultat de l'expérience plutôt que le produit clairement formulé d'une réflexion théorique, ce qui constitue leur contribution dans le partenariat sur l'apprentissage qui doit s'établir entre chercheurs en éducation et formateurs d'enseignants.

6.3.5 Bien entendu, ce sont **les apprenants** qui sont, en fin de compte, concernés par l'acquisition de la langue et le processus d'apprentissage. Ce sont eux qui doivent développer des compétences et des stratégies (pour autant qu'ils ne l'aient pas fait auparavant) et exécuter les tâches, les activités et les opérations nécessaires pour participer efficacement à des actes de communication. Toutefois, peu nombreux sont ceux qui apprennent avec anticipation (de manière proactive) en prenant des initiatives pour planifier, structurer et exécuter leurs propres opérations d'apprentissage. La plupart apprennent de manière réactive en suivant les instructions et en réalisant les activités que leur proposent enseignants et manuels. Néanmoins, lorsque l'enseignement proprement dit s'arrête, l'apprentissage qui suit doit se faire en autonomie. L'apprentissage autonome peut être encouragé si l'on considère « qu'apprendre à apprendre » fait partie intégrante de l'apprentissage langagier, de telle sorte que les apprenants deviennent de plus en plus conscients de leur manière d'apprendre, des choix qui leur sont offerts et de ceux qui leur conviennent le mieux. Même dans le cadre d'une institution donnée, on peut les amener peu à peu à faire leurs choix dans le respect des objectifs, du matériel et des méthodes de travail, à la lumière de leurs propres besoins, motivations, caractéristiques et ressources.

Nous espérons que le *Cadre de référence* sera utile non seulement aux enseignants et aux partenaires éducatifs mais aussi aux apprenants en les aidant à devenir, eux aussi, plus conscients des choix qui leur sont offerts et plus clairs en ce qui concerne les choix qu'ils font.

6.4 QUELQUES OPTIONS MÉTHODOLOGIQUES POUR L'ENSEIGNEMENT ET L'APPRENTISSAGE DES LANGUES

Jusqu'ici, le *Cadre de référence* s'est attaché à l'élaboration d'un modèle d'utilisation de la langue et de son utilisateur aussi complet que possible, en attirant l'attention, tout au long du parcours, sur la pertinence des différentes composantes du modèle d'apprentissage, d'enseignement et d'évaluation. On a considéré cette pertinence essentiellement en termes de contenus et d'objectifs d'apprentissage qui sont brièvement résumés dans les Sections 6.1 et 6.2.

Un Cadre de référence pour l'apprentissage, l'enseignement et l'évaluation des langues doit cependant traiter aussi de méthodologie puisque ses utilisateurs voudront sans aucun doute réfléchir à leurs démarches et faire connaître leurs décisions méthodologiques dans un cadre général. Le Chapitre 6 entreprend de proposer un cadre de ce type.

Bien évidemment, il faut insister sur le fait que l'on applique à ce chapitre les mêmes critères qu'aux autres. Il faut que l'approche de la méthodologie d'enseignement et d'apprentissage soit aussi complète que possible et présente, en conséquence, toutes les options de manière explicite et transparente en évitant le plaidoyer ou le dogmatisme. **Le Conseil de l'Europe a pour principe méthodologique fondamental** de considérer que les méthodes à mettre en œuvre pour l'apprentissage, l'enseignement et la recherche sont celles que l'on considère comme les plus efficaces pour atteindre les objectifs convenus en fonction des apprenants concernés dans leur environnement social. L'efficacité est subordonnée aux motivations et aux caractéristiques des apprenants ainsi qu'à la nature des ressources humaines et matérielles que l'on peut mettre en jeu. Le respect de ce principe fondamental conduit nécessairement à une grande variété d'objectifs et à une variété plus grande encore de méthodes et de matériels.

À l'heure actuelle, les façons d'apprendre et d'enseigner les langues vivantes sont nombreuses. Pendant de longues années, le Conseil de l'Europe a encouragé une méthodologie fondée sur les besoins communicatifs des apprenants et l'adoption de méthodes et de matériels appropriés à leurs caractéristiques et permettant de répondre à ces besoins. Cependant, comme exposé clairement en 2.3.2 (voir p. 21) et tout au long du présent document, le *Cadre de référence* n'a pas pour vocation de promouvoir une méthode d'enseignement particulière mais bien de présenter des choix. Un échange d'information sur ces options et l'expérience qu'on en a doit venir du terrain. À ce niveau on ne peut que signaler quelques-unes des options relevées dans les pratiques existantes et demander aux utilisateurs du *Cadre de référence* de les compléter à partir de leur propre connaissance et de leur expérience. Un ensemble de « guides de l'utilisateur » est disponible à cet effet.

Si certains praticiens, après réflexion, restent convaincus que l'on atteindra mieux les objectifs propres au public dont ils ont la responsabilité par des méthodes autres que celles préconisées ailleurs par le Conseil de l'Europe, nous souhaiterions qu'ils nous le fassent savoir et qu'ils nous disent, ainsi qu'aux autres partenaires, quelles méthodes ils utilisent et quels objectifs ils poursuivent. Un tel échange pourrait conduire à une compréhension plus étendue de la diversité et de la complexité du monde de l'enseignement des langues, à un débat sur le sujet, toujours préférable à une l'acceptation de la pensée dominante essentiellement parce qu'elle est dominante.

6.4.1 Approches générales

En règle générale on attend des apprenants qu'ils acquièrent/apprennent une L2 selon l'une des **modalités** suivantes :
a. par l'exposition directe à l'utilisation authentique de la langue en L2
  – en face à face avec des locuteurs natifs
  – en écoutant des conversations auxquelles ils ne participent pas

- en écoutant la radio, des enregistrements, etc.
- en écoutant et regardant la télévision, des vidéos, etc.
- en lisant des textes écrits non manipulés et non progressifs (journaux, magazines, récits, romans, affiches et panneaux publics, etc.)
- en utilisant des logiciels, des cédéroms, etc.
- en participant à des forums en ligne et hors ligne
- en participant à des cours où l'on utilise la L2 comme langue d'enseignement.

b. par l'exposition directe à des discours oraux et à des textes écrits sélectionnés (c'est-à-dire progressifs) en L2 (« apport intelligible »)

c. par la participation directe à une interaction communicative authentique en L2, par exemple comme partenaire d'un interlocuteur compétent

d. par la participation à des tâches spécialement conçues et élaborées en L2 (« apport compréhensible ») ;

e. en autodidaxie, par l'étude individuelle (guidée), en poursuivant des objectifs que l'on s'est fixés et en utilisant le matériel pédagogique disponible

f. par une combinaison de présentations, d'explications, d'exercices (mécaniques) et d'activités d'exploitation, le tout conduit en L2

g. par une combinaison des activités comme en **f.** mais en utilisant la L1 pour l'organisation de la classe, les explications, etc.

h. par la combinaison des activités ci-dessus en commençant peut-être par **f.** mais en réduisant progressivement l'usage de la L1, en proposant plus de tâches et de textes authentiques oraux et écrits et en augmentant la part d'étude individuelle

i. en combinant tout ce qui précède dans le cadre d'une planification, d'une exécution et d'une évaluation de l'activité de classe individuellement ou en groupe, avec l'aide de l'enseignant et en négociant l'interaction afin de répondre aux besoins des différents apprenants, etc.

Les utilisateurs du *Cadre de référence* envisageront et expliciteront les approches qu'ils suivent en règle générale, que ce soit l'une de celles mentionnées ci-dessus ou une autre.

6.4.2 Approches particulières

Il faut prendre en considération le **rôle respectif des enseignants, des apprenants et des supports**.

6.4.2.1 Quelles proportions différentes du **temps du cours** peuvent (doivent) être consacrées

a. par l'enseignant à l'exposé et à l'explication, etc. à l'ensemble de la classe ?

b. à des séries de questions/réponses à l'ensemble de la classe (en distinguant les questions référentielles, d'information et de contrôle) ?

c. à du travail de groupe ou par deux ?

d. à du travail individuel ?

6.4.2.2 Les **enseignants** doivent se rendre compte que leur comportement, qui reflète leurs attitudes et leurs capacités, constitue une part importante de l'environnement de l'apprentissage/acquisition d'une langue. Ils jouent un **rôle** que leurs élèves seront amenés à imiter dans leur usage futur de la langue et dans leur éventuelle pratique ultérieure d'enseignants.

Quelle importance accorder
- à l'aptitude à enseigner ?
- à l'aptitude à tenir la classe (organisation) ?
- à la capacité à faire de la recherche et à prendre ses distances par rapport à son expérience ?
- aux styles d'enseignement ?
- à la compréhension de l'évaluation et à la capacité à la mettre en œuvre ?
- à la connaissance du socioculturel et à la capacité à l'enseigner ?
- aux attitudes et aux aptitudes interculturelles ?
- à la connaissance critique et à l'appréciation de la littérature ainsi que la capacité à l'enseigner ?
- à la capacité à individualiser l'enseignement dans des classes où se trouvent des apprenants dont le mode d'apprentissage et les aptitudes sont différents ?

Comment les différentes capacités et qualités se développent-elles le mieux ?

Pendant le travail de groupe ou par deux, l'enseignant peut-il
a. se contenter de superviser et de veiller à la discipline ?
b. circuler pour aider l'exécution du travail ?
c. rester disponible pour du travail individuel ?
d. adopter un rôle de facilitateur et de superviseur, accepter les remarques des élèves sur leur apprentissage et y réagir, coordonner leurs activités en plus de conseiller et de contrôler ?

6.4.2.3 Peut-on attendre ou exiger des apprenants
a. qu'ils suivent toutes les directives de l'enseignant et seulement celles-là, de façon ordonnée et disciplinée, et ne prennent la parole que lorsqu'ils sont appelés à le faire ?

b. qu'ils participent activement au processus d'apprentissage en coopérant avec l'enseignant et les autres étudiants afin de se mettre d'accord sur les objectifs et les méthodes et qu'ils s'engagent dans des activités d'évaluation et d'enseignement mutuels afin de progresser régulièrement vers une plus grande autonomie ?

c. qu'ils travaillent de manière autonome à l'aide de matériel d'auto-apprentissage et qu'ils s'auto-évaluent ?

d. qu'ils soient en compétition ?

6.4.2.4 Quel **usage** doit-on faire **des supports techniques** (cassettes audio et vidéo, ordinateur, etc.) ?

a. aucun

b. pour des démonstrations, des répétitions etc. avec l'ensemble de la classe

c. à la manière d'un laboratoire multimédias

d. pour un enseignement individuel autoguidé

e. comme base pour un travail de groupe (discussions, négociation, jeux coopératifs et compétitifs, etc.)

f. dans un réseau scolaire informatisé international ouvert à des écoles, des classes et des particuliers.

Les utilisateurs du *Cadre de référence* envisageront et expliciteront selon le cas
  – les responsabilités et rôles relatifs des enseignants et des apprenants dans l'organisation, la gestion, la conduite et l'évaluation du processus d'enseignement/apprentissage
  – l'usage fait du matériel pédagogique.

6.4.3 Rôle des textes

Quel **rôle** doivent jouer les **textes** dans l'enseignement et l'apprentissage des langues ?

6.4.3.1 Comment les apprenants sont-ils censés apprendre, ou qu'exige-t-on qu'ils apprennent de textes oraux ou écrits (voir 4.6)

a. par l'exposition simple au texte ?

b. par l'exposition simple mais en s'assurant de l'intelligibilité du nouveau matériel par l'inférence du contexte verbal, du support visuel, etc. ?

c. par l'exposition au texte, avec une compréhension soutenue et assistée par des questions/réponses en L2, des QCM, des appariements texte/image, etc. ?

d. comme en **c.** mais avec :
  – un contrôle de la compréhension en L1 ?
  – des explications en L1 ?
  – des explications en L2, y compris les traductions nécessaires ?
  – la traduction systématique en L1 par les élèves ou étudiants ?
  – des activités de compréhension en groupe ou de compréhension préalable et de pré-lecture, etc. ?

6.4.3.2 Jusqu'à quel point les textes oraux ou écrits proposés aux apprenants doivent-ils être

a. « authentiques », c'est-à-dire produits dans un but communicatif et non pour l'enseignement de la langue ?
  Par exemple :
  – les documents authentiques non trafiqués que l'apprenant rencontre au cours de son expérience directe de l'usage de la langue (quotidiens, magazines, émissions de radio, etc.)
  – les textes authentiques sélectionnés, classés par ordre de difficulté et/ou partiellement modifiés afin d'être appropriés pour tenir compte de l'expérience, des centres d'intérêt et des caractéristiques de l'apprenant

b. conçus spécifiquement comme matériel pour l'enseignement de la langue ?
  Par exemple :
  – textes à la manière des textes authentiques ci-dessus (par exemple, du matériel de compréhension orale enregistré par des acteurs)
  – textes élaborés afin d'apporter, en contexte, des exemples du contenu linguistique à enseigner (par exemple, dans une leçon ou unité donnée)
  – phrases isolées en vue d'exercices (phonétiques, grammaticaux, etc.)
  – consignes et explications, etc. du manuel, consignes de tests et d'examen, la langue de l'enseignant en classe (directives, explications, organisation, etc.).

On peut considérer ces derniers comme des types de textes particuliers. Sont-ils faciles à comprendre et agréables à manier ? Quelle attention a été accordée à leur contenu, leur formulation et leur présentation pour s'assurer qu'ils le sont ?

6.4.3.3 Jusqu'à quel point les apprenants doivent-ils non seulement **traiter des textes** mais également **en produire** ? Ce peuvent être

a. à l'oral
  – des textes écrits lus à haute voix
  – des réponses orales à des questions d'exercices
  – la récitation de textes appris par cœur (pièces de théâtre, poèmes, etc.)
  – des exercices à deux et en groupe

- la participation à des discussions formelles et informelles
- la conversation libre (en classe ou au cours d'échanges entre les élèves)
- des exposés.
  b. à l'écrit
    - la dictée
    - des exercices écrits
    - des rédactions
    - des traductions
    - des rapports écrits
    - un projet de travail
    - des lettres à un correspondant
    - la participation à un réseau d'échanges scolaires par télécopie ou courrier électronique.

6.4.3.4 Dans les modes réceptif, productif et interactif, peut-on attendre des apprenants qu'ils reconnaissent des types de textes, qu'ils développent des manières différentes et adéquates d'écouter, de lire, de parler et d'écrire, tant individuellement que comme membres d'un groupe (par exemple, en partageant leurs idées et leurs interprétations lors des démarches de compréhension et de reformulation) et jusqu'à quel point ? Peut-on les y aider ?

Les utilisateurs du *Cadre de référence* envisageront et expliciteront selon le cas
- **la place des textes (oraux et écrits) dans leur programme d'enseignement/apprentissage et les activités d'exploitation**
- **les principes selon lesquels les textes sont sélectionnés, adaptés ou composés, organisés et présentés**
- **si les textes sont progressifs**
- **si a. l'on attend des apprenants qu'ils fassent la différence entre les types de textes et qu'ils développent des styles de lecture différents appropriés au type de texte, et qu'ils lisent en détail ou pour les idées générales, des points particuliers, etc. et si b. on les aide à le faire.**

6.4.4 Tâches et activités

Jusqu'où peut-on attendre ou exiger des apprenants qu'ils apprennent par des tâches et des activités ? (voir 4.3 et 4.4) et par
a. la simple participation à des activités spontanées ?
b. la simple participation à des activités planifiées en termes de type d'activités, de buts, de supports, de produits, de rôles et d'activité des participants, etc. ?
c. par la participation non seulement à la tâche mais à sa   préparation, à son analyse et à son évaluation ?
d. comme **c.** mais accompagné d'une prise de conscience explicite sur les objectifs, la nature et la structure des tâches, des attentes quant au rôle des participants, etc. ?

6.4.5 Stratégies communicatives

Le développement de la capacité de l'apprenant à utiliser des **stratégies communicatives** (voir 4.4) devrait-il être
a. considéré comme transférable de l'usage que l'apprenant en a en L1 ou facilité
b. en créant des situations et en mettant en place des activités (par exemple le jeu de rôle et la simulation) qui exigent des opérations stratégiques de planification, d'exécution, d'évaluation et de remédiation ?
c. comme en **b.** mais en utilisant des techniques de prise de conscience (par exemple, enregistrement de jeux de rôles et de simulations) ?
d. comme en **b.** mais en encourageant l'apprenant à se centrer sur une stratégie donnée et à la suivre ou en exigeant qu'il le fasse le cas échéant ?

Les utilisateurs du *Cadre de référence* envisageront et expliciteront selon le cas la place des tâches, des activités et des stratégies dans leur programme d'enseignement/apprentissage en langue.

6.4.6 Formes variées du développement des compétences générales

Le développement des compétences générales (voir Section 5.1) peut prendre des voies variées.

6.4.6.1 En ce qui concerne la connaissance du monde, l'apprentissage d'une nouvelle langue ne signifie pas que l'on part de rien. Une grande partie, si ce n'est l'essentiel de la connaissance dont on a besoin, peut être considérée comme allant de soi. Cependant, il ne s'agit pas seulement de mettre des mots nouveaux sur des idées anciennes, bien qu'il est remarquable que le cadre de notions générales et spécifiques proposées dans *Threshold Level* (et le *Niveau seuil* en français) se soit révélé largement approprié et adéquat pour une vingtaine de langues européennes appartenant à des familles linguistiques différentes. Il faut se faire une opinion pour se prononcer sur des questions telles que : la langue à enseigner ou à évaluer suppose-t-elle une connaissance du monde qui dépasse, en fait, le niveau de maturité de l'apprenant, ou est-elle extérieure à leur expérience d'adulte ? Si tel est le cas, cela ne va pas de soi. Il ne faut pas éluder la question ; dans le cas de l'utilisation d'une langue étrangère (non maternelle) comme langue d'enseignement à l'école ou à l'université (comme, en fait, dans l'enseignement de la langue maternelle), le contenu et la langue dans laquelle il est enseigné sont nouveaux tous les deux. Dans le passé, des manuels de langue comme ceux de l'éducateur tchèque renommé du XVIIe siècle, Comenius, ont tenté de structurer explicitement l'enseignement de la langue afin de donner aux jeunes gens une vue structurée du monde.

6.4.6.2 En ce qui concerne le développement du savoir socioculturel et des habiletés interculturelles, la position est quelque peu différente. À certains égards, les peuples d'Europe semblent partager une culture commune. À d'autres, il y a une diversité considérable, non seulement d'un pays à un autre mais également entre les régions, les classes, les communautés ethniques, les genres, etc. Il faut examiner avec précaution la représentation de la culture cible et le choix du ou des groupes sociaux sur lesquels on se focalise. Y a-t-il la moindre place pour les stéréotypes pittoresques, généralement archaïques et folkloriques semblables à ceux que l'on trouve dans les livres illustrés pour enfants (les sabots et les moulins en Hollande, les chaumières anglaises au seuil fleuri de roses) ? Ils captent l'imagination et peuvent s'avérer motivants notamment pour les plus jeunes enfants. Ils correspondent souvent, d'une façon ou d'une autre, à l'image que le pays en question se donne de lui-même, et on les protège et les promeut dans des festivals. S'il en est ainsi, on peut les présenter sous cet éclairage. Ils n'ont pas grand-chose à voir avec la vie quotidienne de la majorité de la population. Il faut trouver un équilibre à la lumière du but éducatif qui est de développer la compétence pluriculturelle des apprenants.

6.4.6.3 En conséquence, comment doit-on traiter les compétences non spécifiquement langagières dans un cours de langue ?
    a. en considérant qu'elles existent déjà ou qu'elles ont été mises en place ailleurs (par exemple dans d'autres disciplines enseignées en L1) de manière suffisante pour qu'on les considère comme acquises en L2
    b. en les traitant au coup par coup quand la question surgit
    c. en sélectionnant ou en produisant des textes qui illustrent de nouveaux points et de nouveaux domaines de connaissance
    d. par des cours ou des manuels qui traitent des domaines particuliers (*Landeskunde, civilisation,* etc.) en L1 et en L2
    e. par une composante inter culturelle conçue pour provoquer la prise de conscience de la partie pertinente du *background* respectif de l'apprenant et du locuteur natif en termes socioculturels, d'expérience et de processus cognitifs
    f. par des jeux de rôle et des simulations
    g. par l'utilisation de la L2 comme langue d'enseignement d'autres disciplines
    h. par le contact direct avec des locuteurs natifs et des textes authentiques.

6.4.6.4 **Les traits de la personnalité**, les motivations, les attitudes, les croyances, etc., de l'apprenant (voir 5.1.3) peuvent être
    a. laissés de côté comme ne regardant que l'apprenant
    b. pris en considération dans la planification et le suivi du processus d'apprentissage
    c. traités comme un objectif du programme d'apprentissage.

> **Les utilisateurs du *Cadre de référence* envisageront et expliciteront selon le cas**
>   – **les moyens inventoriés ci-dessus (ou d'autres) qu'ils mettent en œuvre pour développer des compétences générales**
>   – **les différences qui émergent si a. on parle des aptitudes pratiques comme d'un sujet, b. elles font l'objet d'un entraînement, c. elles sont démontrées par des actes accompagnés d'usage de la langue ou si, d. elles sont enseignées en utilisant la langue cible comme langue d'enseignement.**

6.4.6.5 En ce qui concerne la capacité à apprendre, on attendra/exigera des apprenants qu'ils développent leurs **capacités à apprendre** et leurs **aptitudes à la découverte** lorsqu'ils acceptent la **responsabilité** de leur propre apprentissage (voir 5.1.4)
    a. comme une simple « retombée » de l'enseignement et de l'apprentissage, sans dispositions ni planifications particulières
    b. en transférant progressivement la responsabilité de l'apprentissage de l'enseignant aux élèves et étudiants et en les encourageant à réfléchir à leur apprentissage et à partager leur expérience avec d'autres apprenants
    c. en élevant systématiquement le degré de conscience qu'a l'apprenant du processus d'enseignement/apprentissage dans lequel il est engagé
    d. en invitant les apprenants à participer à l'expérimentation de démarches méthodologiques différentes
    e. en obtenant des apprenants qu'ils identifient leur propre style cognitif et développent leurs propres stratégies d'apprentissage en conséquence.

> **Les utilisateurs du *Cadre de référence* envisageront et expliciteront selon le cas les mesures qu'ils prennent pour faire progresser le développement des élèves et étudiants vers une utilisation et un apprentissage de la langue responsable et autonome.**

6.4.7 Développer les compétences linguistiques

Comment peut-on faciliter au mieux le développement des **compétences linguistiques** de l'apprenant en ce qui concerne le vocabulaire, la grammaire, la prononciation et l'orthographe ?

6.4.7.1 Jusqu'où peut-on attendre ou exiger des apprenants qu'ils développent leur **vocabulaire** ?
- **a.** par la simple exposition à des mots et des locutions figées utilisés dans des textes authentiques oraux ou écrits
- **b.** par la déduction de l'apprenant ou l'utilisation d'un dictionnaire consulté selon les besoins au cours des tâches et des activités
- **c.** par la présentation des mots en contexte, par exemple dans les textes des manuels scolaires et l'utilisation qui s'en suit dans des exercices, des activités d'exploitation, etc.
- **d.** par leur présentation accompagnée d'aides visuelles (images, gestes et mimiques, actions correspondantes, objets divers, etc.)
- **e.** par la mémorisation de listes de mots, etc. avec leur traduction
- **f.** par l'exploration de champs sémantiques et lexicaux
- **g.** par l'entraînement à l'utilisation de dictionnaires unilingues et bilingues, de glossaires et *thesaurus* et tout autre ouvrage de référence
- **h.** par l'explication du fonctionnement de la structure lexicale et l'application qui en résulte (par exemple, dérivation, suffixation, synonymie, antonymie, mots composés, collocations, idiomes, etc.)
- **i.** par une étude plus ou moins systématique de la distribution différente des éléments lexicaux en L1 et L2 (sémantique contrastive).

> **Les utilisateurs du *Cadre de référence* envisageront et expliciteront selon le cas la façon dont les éléments de vocabulaire (sens et forme) seront présentés et appris par les élèves et les étudiants.**

6.4.7.2 La **quantité**, l'**étendue** et la **maîtrise du vocabulaire** sont des paramètres essentiels de l'acquisition de la langue et, en conséquence, de l'évaluation de la compétence langagière de l'apprenant et de la planification de l'enseignement et de l'apprentissage de la langue.

> **Les utilisateurs du *Cadre de référence* envisageront et expliciteront selon le cas**
> - **la quantité de vocabulaire que l'apprenant aura besoin de maîtriser ou qu'il devra maîtriser ou dont il devra être outillé (par exemple, le nombre de mots et d'expressions)**
> - **l'étendue de vocabulaire que l'apprenant aura besoin de maîtriser ou qu'il devra maîtriser ou dont il devra être outillé (par exemple, les thèmes, domaines, etc., couverts)**
> - **le type de contrôle du vocabulaire que l'apprenant aura besoin d'exercer ou qu'il devra exercer**
> - **s'il y a lieu, la distinction entre l'apprentissage pour la reconnaissance et la compréhension et celui pour la mémorisation et la production**
> - **l'usage de techniques d'induction ; la façon dont elles sont mises en œuvre.**

6.4.7.3 Le choix du vocabulaire

Les concepteurs d'examens et de matériel pédagogique sont tenus de choisir le vocabulaire qu'ils y feront entrer. Les concepteurs de programmes et de référentiels ne sont pas obligés de le faire mais peuvent souhaiter donner des lignes directrices dans l'intérêt de la transparence et de la cohérence des instructions officielles. Il y a un certain nombre d'**options**.
- Choisir des mots et des expressions clés **a.** dans les domaines thématiques exigés pour réaliser les tâches communicatives correspondant aux besoins des apprenants, **b.** qui concrétisent la différence culturelle et/ou les valeurs et croyances significatives partagées par le ou les groupes sociaux dont on étudie la langue.
- Suivre les principes de statistiques lexicales en sélectionnant les mots à grande fréquence dans un large corpus ou dans des domaines thématiques réduits.
- Sélectionner des textes (authentiques) oraux et écrits et apprendre/enseigner sans restrictions les mots qu'ils contiennent.
- Ne pas planifier l'enrichissement du vocabulaire mais lui permettre de se développer organiquement en quelque sorte en réponse à la demande de l'apprenant lorsqu'il entreprend des tâches communicatives.

> **Les utilisateurs du *Cadre de référence* envisageront et expliciteront selon le cas les principes qui ont présidé à la sélection lexicale.**

6.4.7.4 La compétence grammaticale, ou capacité d'organiser des phrases pour transmettre du sens, est au centre même de la compétence communicative et la plupart de ceux (bien que pas tous) qui s'intéressent à la planification, à l'enseignement et à l'évaluation des langues s'attachent tout particulièrement à la gestion du processus d'apprentissage qui y conduit. Ce qui a généralement pour conséquence la sélection, l'organisation, la progression et la pratique de données nouvelles, en commençant par des phrases simples constituées d'une seule proposition et dont chaque élément est représenté par un seul mot (par exemple, *Marie est heureuse*) et en terminant par des phrases multi-propositionnelles complexes dont la structure et la longueur sont, de toute évidence, illimitées. Cela n'empêche toutefois nullement l'introduction précoce de phrases complexes en termes d'analyse, mais présentées comme des locutions figées (par exemple comme un élément de vocabulaire) ou comme une structure pour l'insertion d'un élément paradigmatique (*S'il vous plaît, pourrais-je avoir…*) ou comme les mots appris globalement d'une chanson (*C'est la mère Michel qui a perdu son chat, qui crie par la fenêtre qui le lui rendra…*).

6.4.7.5 La complexité inhérente à la syntaxe n'est pas le seul principe de progression à considérer.

1. **La productivité communicative des catégories grammaticales** doit être prise en considération, c'est-à-dire leur rôle pour l'expression de notions générales. Par exemple, est-il judicieux de faire suivre aux apprenants une progression qui les laisse incapables, après deux ans d'études, de raconter un événement passé ?

2. **Les données contrastives** ont une importance capitale dans l'estimation de la charge d'apprentissage et, en conséquence, dans la rentabilité de progressions concurrentes. Par exemple, les propositions subordonnées en allemand posent aux apprenants anglais et français plus de difficultés en ce qui concerne l'ordre des mots qu'à un néerlandophone. Toutefois, les apprenants de langues proches comme, par exemple, allemand/néerlandais ou tchèque/slovaque, risquent de tomber dans une traduction mécanique mot à mot.

3. **Le discours authentique** oral comme écrit peut, dans une certaine mesure, faire l'objet d'une progression grammaticale. Mais il est probable qu'il exposera l'apprenant à de nouvelles structures, voire de nouvelles catégories. Il se peut que l'apprenant habile les acquière et en fasse usage avant d'autres qui sembleraient plus fondamentales.

4. On peut aussi éventuellement prendre en compte « l'ordre naturel » de l'acquisition de la langue maternelle par l'enfant dans la planification d'un programme de L2.

Le *Cadre de référence* ne saurait remplacer les grammaires de référence ou fournir une progression stricte (encore que le classement des apprenants selon leur niveau suppose une sélection, d'où une organisation globale) mais il donne un cadre par lequel les praticiens pourront faire connaître leurs décisions.

6.4.7.6 On considère généralement la phrase comme le domaine de la description grammaticale. Cependant, certaines des relations interphrastiques (par exemple l'anaphore : pronoms et propositions adverbiales) peuvent être traitées comme faisant partie de la compétence linguistique plutôt que de la compétence pragmatique (par exemple : *Nous ne pensions pas que Jean irait à l'exposition. Et pourtant, il y était*).

Les utilisateurs du *Cadre de référence* envisageront et expliciteront selon le cas
- **la base sur laquelle les éléments grammaticaux, les catégories, les structures, les opérations et les relations sont sélectionnés et organisés en progression**
- **les moyens d'accès au sens que l'on donne aux apprenants**
- **le rôle de la grammaire contrastive dans l'enseignement et l'apprentissage des langues**
- **l'importance relative accordée au registre, à l'aisance et à l'exactitude de la langue utilisée en relation à la construction grammaticale des phrases**
- **dans quelle mesure on rendra les apprenants conscients de la grammaire a. de leur langue maternelle, b. de la langue cible, c. de leurs relations contrastives.**

6.4.7.7 On peut attendre ou exiger des apprenants qu'ils développent leur compétence grammaticale
- **a.** de manière inductive par l'exposition à de nouvelles données grammaticales telles qu'elles apparaissent dans des documents authentiques
- **b.** de manière inductive en faisant entrer de nouveaux éléments grammaticaux, des catégories, des structures, des règles, etc. dans des textes produits spécialement pour montrer leur forme, leur fonction et leur sens
- **c.** comme dans **b.** mais suivis d'explications et d'exercices formels
- **d.** par la présentation de paradigmes formels, de tableaux structuraux, etc. suivis d'explications métalinguistiques appropriées en L2 ou en L1 et d'exercices formels
- **e.** par la clarification et, le cas échéant, la reformulation des hypothèses des apprenants, etc.

6.4.7.8 Si l'on utilise des exercices formels, ils peuvent appartenir aux types suivants
- **a.** textes lacunaires
- **b.** construction de phrases sur un modèle donné
- **c.** choix multiples
- **d.** exercices de substitution dans une catégorie (par exemple, singulier/pluriel, présent/passé, actif/passif, etc.)
- **e.** combinaison de phrases (par exemple, relatives, propositions adverbiales et nominales, etc.)
- **f.** traduction de phrases de la L1 vers la L2
- **g.** questions/réponses entraînant l'utilisation de certaines structures
- **h.** exercices de développement de l'aisance langagière centrés sur la grammaire, etc.

Les utilisateurs du *Cadre de référence* envisageront et expliciteront selon le cas
- comment la structure grammaticale est a. analysée, progressive et présentée aux apprenants et, b. comment ils la maîtrisent
- comment, et selon quels principes, le sens lexical, grammatical et pragmatique en L2 est transmis aux apprenants et comment ils le mettent en évidence

Par exemple :
- par la traduction de L1 ou en L1
- par une définition ou une explication en L2
- par une utilisation en contexte.

6.4.7.9 La prononciation

Comment peut-on attendre ou exiger des apprenants qu'ils développent leur capacité à prononcer une langue
a. par la simple exposition à des énoncés oraux authentiques ?
b. par une imitation en chœur (collective)
  – de l'enseignant ?
  – d'enregistrements audio de locuteurs natifs ?
  – d'enregistrements vidéo de locuteurs natifs ?
c. par un travail personnalisé en laboratoire de langues ?
d. par la lecture phonétique à haute voix de textes calibrés ?
e. par l'entraînement de l'oreille et l'exercice phonétique ?
f. comme dans **d.** et **e.** mais avec l'appui de textes en transcription phonétique ?
g. par un entraînement phonétique explicite (voir 5.2.1.4) ?
h. par l'apprentissage des conventions orthoépiques (c'est-à-dire, la prononciation des différentes graphies) ?
i. par une combinaison des pratiques ci-dessus ?

6.4.7.10 L'orthographe

Comment peut-on attendre ou exiger de l'apprenant qu'il développe sa capacité à maîtriser le système de l'écrit d'une langue
a. par un simple transfert de la L1 ?
b. par l'exposition à des textes écrits authentiques
  – imprimés ?
  – dactylographiés ?
  – manuscrits ?
c. par la mémorisation de l'alphabet en question associé aux valeurs phonétiques (par exemple l'écriture latine, cyrillique ou grecque lorsque l'alphabet de la langue maternelle est différent) ainsi qu'aux marques diacritiques et à la ponctuation ?
d. par la pratique de l'écriture cursive (par exemple, les écritures cyrillique ou gothique) et la connaissance des conventions nationales caractéristiques du manuscrit ?
e. par la mémorisation de la forme des mots (pris individuellement ou en appliquant les règles de l'orthographe) ainsi que des règles de ponctuation ?
f. par la pratique de la dictée ?

Les utilisateurs du *Cadre de référence* envisageront et expliciteront selon le cas comment les formes orthographiques et phonétiques des mots, des phrases, etc. sont transmises aux apprenants et comment ils les maîtrisent.

6.4.8 Transférer la compétence sociolinguistique ?

Peut-on considérer que le développement de la compétence sociolinguistique de l'apprenant (voir 5.2.2) est transférable de l'expérience qu'a l'apprenant de la vie sociale ou facilité
a. par l'exposition à une langue authentique utilisée de manière appropriée dans son cadre social ?
b. par la sélection ou la production de textes qui exemplifient les contrastes sociolinguistiques entre la société d'origine et celle de la langue cible ?
c. en attirant l'attention sur les contrastes sociolinguistiques lorsqu'ils apparaissent, en les expliquant et en les discutant ?
d. en attendant que des erreurs soient commises et en les faisant alors remarquer pour les analyser, les expliquer et indiquer l'usage correct ?
e. comme une partie de l'enseignement explicite d'une composante socioculturelle dans l'étude d'une langue vivante ?

6.4.9 Développement des compétences pragmatiques

Le développement des **compétences pragmatiques** (voir 5.2.3) de l'apprenant peut-il être

a. considéré comme transférable de l'éducation et de l'expérience en général dans la langue maternelle (L1) ?
ou facilité

b. en augmentant progressivement la difficulté de la structure du discours et l'étendue fonctionnelle des textes présentés aux apprenants ?

c. en exigeant de l'apprenant qu'il produise des textes de complexité croissante ou en traduisant de la L1 à la L2 des textes de complexité croissante ?

d. en mettant en place des tâches qui exigent une étendue fonctionnelle de plus en plus large et l'adhésion aux modèles de l'échange verbal ?

e. par un travail sur la prise de conscience (analyse, explication, terminologie, etc.) qui s'ajoute aux activités pratiques ?

f. par un enseignement explicite et l'exercice des fonctions, des modèles de l'échange verbal et de la structure du discours ?

Les utilisateurs du *Cadre de référence* envisageront et expliciteront selon le cas
- **dans quelle mesure on peut considérer comme acquises les compétences sociolinguistiques et pragmatiques ainsi que l'utilisation d'une stratégie de discours, ou les laisser se développer naturellement**
- **quelles méthodes et techniques doivent être mises en œuvre pour faciliter leur développement lorsqu'il est nécessaire et judicieux de le faire.**

6.5 FAUTES ET ERREURS

Les erreurs sont causées par une déviation ou une représentation déformée de la compétence cible. Il s'agit alors d'une adéquation de la compétence et de la performance de l'apprenant qui a développé des règles différentes des normes de la L2.

Les fautes, pour leur part, ont lieu quand l'utilisateur/apprenant est incapable de mettre ses compétences en œuvre, comme ce pourrait être le cas pour un locuteur natif.

6.5.1 Attitudes face aux erreurs

Plusieurs **attitudes** sont possibles **face aux erreurs** de l'apprenant, par exemple :

a. les fautes et les erreurs sont la preuve de l'échec de l'apprentissage

b. les fautes et les erreurs sont la preuve de l'inefficacité de l'enseignement

c. les fautes et les erreurs sont la preuve de la volonté qu'a l'apprenant de communiquer malgré les risques

d. les erreurs sont inévitables ; elles sont le produit transitoire du développement d'une interlangue par l'apprenant. Les fautes sont inévitables dans tout usage d'une langue, y compris par les locuteurs natifs.

6.5.2 Mesures à prendre

Les **mesures à prendre** eu égard aux fautes et erreurs de l'apprenant peuvent être

a. toutes les fautes et les erreurs doivent être corrigées immédiatement par l'enseignant

b. la correction mutuelle immédiate devrait être systématiquement encouragée pour faire disparaître les erreurs

c. toutes les erreurs devraient être relevées et corrigées lorsque cela n'interfère pas avec la communication (par exemple, en séparant l'objectif de correction de celui d'aisance)

d. les erreurs devraient non seulement être corrigées mais aussi analysées et expliquées en temps opportun

e. les fautes qui ne sont guère que des lapsus doivent être ignorées mais les erreurs systématiques doivent disparaître

f. on ne devrait corriger que les erreurs qui interfèrent dans la communication

g. les erreurs devraient être acceptées comme « langue transitoire » et ignorées.

6.5.3 Utilisation des erreurs

Que peut-on faire de l'observation et de l'analyse des erreurs de l'apprenant

a. pour la planification de l'enseignement et de l'apprentissage sur une base collective ou individuelle ?

b. pour la mise en place d'un cours ou l'élaboration de matériel ?

c. pour l'évaluation de l'enseignement et de l'apprentissage, par exemple :
- les étudiants sont-ils essentiellement évalués sur leurs erreurs et leurs fautes dans la réalisation de la tâche ?
- si tel n'est pas le cas, quels sont les critères de réussite mis en œuvre ?
- les erreurs et les fautes font-elles l'objet d'un barème et, si oui, selon quel critère ?
- quelle importance relative donne-t-on aux erreurs et fautes de
  - de prononciation ?
  - d'orthographe ?
  - de vocabulaire ?
  - de morphologie ?
  - de syntaxe ?
  - d'usage ?
  - de contenu socioculturel ?

Les utilisateurs du *Cadre de référence* envisageront et expliciteront selon le cas leur attitude et les mesures qu'ils prennent face aux fautes et erreurs des apprenants et s'ils appliquent les mêmes critères ou des critères différents aux fautes et erreurs

- phonétiques
- orthographiques
- lexicales
- morphologiques
- syntaxiques
- sociolinguistiques et socioculturelles
- pragmatiques.

PANORAMA

7.1 DESCRIPTION DE LA TÂCHE

Les tâches ou activités sont l'un des faits courants de la vie quotidienne dans les domaines personnel, public, éducationnel et professionnel. L'exécution d'une tâche par un individu suppose la mise en œuvre stratégique de compétences données, afin de mener à bien un ensemble d'actions finalisées dans un certain domaine avec un but défini et un produit particulier (voir 4.1). La nature des tâches peut être extrêmement variée et exiger plus ou moins d'activités langagières ; elles peuvent être créatives (la peinture, l'écriture créative), fondées sur des habiletés (le bricolage), de résolution de problèmes (puzzles, mots croisés), d'échanges courants mais aussi telles que l'interprétation d'un rôle dans une pièce, la participation à une discussion, la présentation d'un exposé, un projet, la lecture d'un message et les réponses à y apporter (courrier électronique par exemple), etc. Une tâche peut être tout à fait simple ou, au contraire, extrêmement complexe (par exemple l'étude d'un certain nombre de plans et d'instructions pour monter un appareil compliqué et inconnu). Le nombre d'étapes ou de tâches intermédiaires peut être plus ou moins grand et, en conséquence, la définition des limites d'une tâche donnée risque de s'avérer difficile.

La communication fait partie intégrante des tâches dans lesquelles les participants s'engagent en interaction, réception, production, compréhension ou médiation ou une combinaison de deux ou plus de ces activités comme, par exemple, l'interaction avec un service public et la réponse à un formulaire ou la lecture d'un rapport suivie d'une discussion avec des collègues pour parvenir à une décision sur un projet, ou le respect d'un mode d'emploi pour réaliser un assemblage et, dans le cas où il y a un observateur ou un assistant, le commentaire ou la demande d'aide sur la procédure, ou encore la préparation (à l'écrit) d'une conférence et la conférence, ou la traduction officieuse pour un visiteur, etc.

Des types de tâches ou activités similaires constituent l'unité centrale de nombreux programmes, manuels scolaires, expériences d'apprentissage en classe et de tests, encore que leur forme puisse être différente selon qu'il s'agit d'apprendre ou de tester. Ces tâches « cibles » ou de « répétition » ou « proches de la vie réelle » sont choisies en fonction des besoins de l'apprenant hors de la classe, que ce soit dans les domaines personnel ou public ou en relation à des besoins plus particulièrement professionnels ou éducationnels.

D'autres sortes de tâches ou activités, de nature plus spécifiquement « pédagogique », sont fondées sur la nature sociale et interactive « réelle » et le caractère immédiat de la situation de classe. Les apprenants s'y engagent dans un « faire-semblant accepté volontairement » pour jouer le jeu de l'utilisation de la langue cible dans des activités centrées sur l'accès au sens, au lieu de la langue maternelle à la fois plus simple et plus naturelle. Ces activités de type pédagogique sont assez éloignées de la vie réelle et des besoins des apprenants ; elles visent à développer une compétence communicative en se fondant sur ce que l'on sait ou croit savoir de l'apprentissage en général et de celui des langues en particulier. Les tâches pédagogiques communicatives (contrairement aux exercices formels hors contexte) visent à impliquer l'apprenant dans une communication réelle, ont un sens (pour l'apprenant), sont pertinentes (ici et maintenant dans la situation formelle d'apprentissage), exigeantes mais faisables (avec un réajustement de l'activité si nécessaire) et ont un résultat identifiable (ainsi que d'autres, moins évidents dans l'immédiat). Les activités de ce type peuvent avoir pour complément des tâches intermédiaires « méta-communicatives » telles que les échanges autour de la mise en œuvre de la tâche et la langue utilisée pour la mener à bien. Cela suppose que l'apprenant contribue à la sélection, à la gestion et à l'évaluation de l'activité ce qui, dans la situation d'apprentissage d'une langue, peut devenir partie intégrante des activités elles-mêmes.

Les activités de classe, qu'elles se veuillent « authentiques » ou essentiellement « pédagogiques » sont communicatives dans la mesure où elles exigent des apprenants qu'ils en comprennent, négocient et expriment le sens afin d'atteindre un but communicatif. Dans une tâche communicative, l'accent est mis sur le succès de l'exécution de la tâche et, en conséquence, le sens est au centre du processus tandis que les apprenants réalisent leurs intentions communicatives. Cependant, dans le cas des activités conçues en vue de l'apprentissage et de l'enseignement d'une langue, l'intérêt de la performance porte à la fois sur le sens et sur la façon dont le sens est compris, exprimé et négocié. Dans le plan général présidant au choix des activités et à leur organisation, il faut maintenir constamment l'équilibre toujours instable entre forme et fond, aisance et correction de telle sorte que la réalisation de la tâche, mais aussi les opérations d'apprentissage, puissent être facilitées et convenablement identifiées.

7.2 EXÉCUTION DE LA TÂCHE : COMPÉTENCES, CONDITIONS, CONTRAINTES ET STRATÉGIES

Lorsqu'on examine la réalisation d'une tâche en situation pédagogique, il faut prendre en compte à la fois les compétences de l'apprenant, les conditions et contraintes propres à une tâche donnée (que l'on peut manipuler afin d'en modifier le niveau de difficulté pour la classe) et le jeu stratégique des compétences de l'apprenant et des paramètres de la tâche.

7.2.1 Compétences

Tout type de tâche requiert que soit activé un ensemble de compétences générales appropriées telles que la connaissance et l'expérience du monde, le savoir socioculturel (sur le mode de vie dans la communauté cible et les différences essentielles entre les pratiques, les valeurs et les croyances dans cette communauté et dans celle de l'apprenant), des aptitudes d'apprentissage et des aptitudes et savoir-faire pratiques de la vie quotidienne (voir 5.1). Afin d'accomplir une tâche communicative, que ce soit en situation réelle ou en situation d'apprentissage ou d'évaluation, l'utilisateur/apprenant d'une langue s'appuie aussi sur des compétences langagières communicatives (connaissances et aptitudes linguistiques, sociolinguistiques et pragmatiques – voir 5.2). En outre, les traits de la personnalité et les attitudes individuelles affectent le rôle de l'utilisateur ou de l'apprenant dans sa réalisation de l'activité.

On peut faciliter la réussite d'une tâche en activant au préalable les compétences de l'apprenant. Par exemple, lors de l'énoncé des consignes ou la définition des objectifs, on peut apporter les éléments linguistiques nécessaires ou en faire prendre conscience, puiser dans les connaissances antérieures ou l'expérience afin d'activer les schémas cognitifs convenables et encourager la planification et la préparation de la tâche. On réduit ainsi le poids de la procédure d'exécution et de contrôle ; l'attention de l'apprenant peut alors se porter sur cette partie du contenu qui est imprévisible et/ou sur les problèmes formels qui peuvent surgir, augmentant ainsi sa chance de mener sa tâche à bien avec succès tant au plan quantitatif que qualitatif.

7.2.2 Conditions et contraintes

Outre les caractéristiques et les compétences de l'apprenant/utilisateur, la performance est affectée par certaines conditions et contraintes propres à la tâche et qui peuvent varier d'une activité à l'autre. L'enseignant ou l'auteur de méthode peut contrôler un certain nombre d'éléments afin d'augmenter ou de diminuer le niveau de difficulté d'une activité lors de son exécution.

Dans le cas d'**activités de compréhension**, on peut proposer un même texte à tout apprenant mais les produits seront différents au point de vue quantitatif (par exemple, la quantité d'information demandée) ou qualitatif (niveau de la performance attendue). Dans d'autres cas, le texte support peut contenir une quantité d'informations ou se situer à des niveaux de complexité cognitive et/ou d'organisation différents ; ou encore un certain nombre de facilitateurs variés (images, mots-clés, déclencheurs, tableaux, schémas, etc.) peut être mis à disposition de l'apprenant. Le texte support peut être choisi pour sa pertinence à l'égard de l'apprenant (motivation) ou pour des raisons propres à l'apprenant. Un texte peut être écouté ou lu aussi souvent qu'il faut ou un nombre limité de fois. Le type de réponse attendu peut être très simple (*Levez le doigt !*) ou plus exigeant (*Écrivez un nouveau texte*). Dans le cas d'activités d'interaction et de production, on peut jouer sur les conditions de la performance afin de rendre une tâche plus ou moins difficile, par exemple en faisant varier la durée de la préparation et de la réalisation, la durée de l'interaction ou de la production, le degré de prévisibilité, le nombre et la nature des supports non verbaux proposés, etc.

7.2.3 Stratégies

La réalisation d'une tâche est une procédure complexe qui suppose donc l'articulation stratégique d'une gamme de facteurs relevant des compétences de l'apprenant et de la nature de la tâche. Pour répondre aux exigences de l'exécution d'une tâche, l'utilisateur/apprenant de langues met en œuvre celles de ces stratégies qui sont les plus efficaces pour la mener à bien. L'utilisateur ou l'apprenant adapte, ajuste et filtre naturellement les données de la tâche, les buts, les conditions et les contraintes pour les accorder à ses propres ressources, à ses buts et (dans la situation d'apprentissage d'une langue) à son mode spécifique d'apprentissage.

Mener une communication à bien suppose la sélection, l'équilibre, la mise en œuvre et la coordination des composantes pertinentes de celles de ces compétences qui sont nécessaires à la planification, à l'exécution, au suivi, à l'évaluation et (le cas échéant) au rattrapage de la tâche, afin de réaliser avec succès l'intention communicative. Ce sont les stratégies (générales et communicatives) qui créent un lien vital entre les différentes compétences de l'apprenant (innées ou acquises) et l'exécution réussie de sa tâche (voir 4.4 et 4.5).

7.3 LA DIFFICULTÉ DE LA TÂCHE

L'approche d'une même tâche ou activité peut être très sensiblement différente selon les individus. En conséquence, la difficulté d'une tâche donnée pour un individu, et les stratégies qu'il adopte pour la réaliser, sont le résultat de la combinaison d'un certain nombre de facteurs qui font partie de ses compétences (générales ou communicatives) et de ses caractéristiques personnelles, ainsi que des conditions et des contraintes dans lesquelles la tâche est accomplie. Pour toutes ces raisons, il est difficile de prévoir avec certitude la difficulté ou la simplicité d'une tâche, encore moins pour les apprenants pris individuellement, et il faut envisager des moyens pour différencier et assouplir la conception et la mise en œuvre d'une tâche selon la situation d'apprentissage.

En dépit des problèmes liés à l'estimation de la difficulté, l'utilisation efficace des expériences d'apprentissage scolaire exige une approche cohérente et motivée du choix et de la progression des activités. Une telle approche tiendra donc compte des compétences spécifiques de l'apprenant et des facteurs qui déterminent la difficulté de la tâche dont on peut manipuler les paramètres afin de la réajuster et de la modifier en fonction des besoins et des capacités de l'apprenant.

On peut dès lors considérer la difficulté de la tâche selon
- les compétences et les caractéristiques de l'utilisateur/apprenant, y compris les intentions propres à l'apprenant ainsi que son style d'apprentissage
- les conditions et les contraintes qui en déterminent l'exécution par l'apprenant/utilisateur et qui, en situation d'apprentissage, peuvent être ajustées pour s'adapter à ses compétences et à ses caractéristiques propres.

7.3.1 Compétences et caractéristiques de l'apprenant

Les compétences diverses des apprenants sont en relation étroite avec leurs caractéristiques individuelles de nature cognitive, affective et linguistique, ce dont on doit tenir compte quand on analyse la difficulté potentielle d'une tâche donnée pour un apprenant particulier.

7.3.1.1 Les facteurs cognitifs
- **La familiarité de la tâche** : la charge cognitive est réduite et le succès de l'exécution d'une tâche facilité par la plus ou moins grande familiarité de l'apprenant avec
  - le type de tâche et les opérations à effectuer
  - le(s) sujet(s) ou thème(s)
  - le type de texte, le genre
  - le schéma interactionnel (scénario et structure) en jeu car la disponibilité, inconsciente pour l'apprenant, du schéma interactionnel en cause ou son automatisme peuvent le laisser libre de faire face à d'autres aspects de la performance. Cette même disponibilité peut aussi l'aider dans son anticipation du contenu et de l'organisation du texte
  - la connaissance nécessaire du contexte et de l'arrière-plan (présupposée par le locuteur ou le scripteur)
  - le savoir socioculturel pertinent, par exemple la connaissance des règles de savoir-vivre et de leurs variations, des conventions sociales, des formes langagières convenables à la situation, des références relatives à l'identité nationale ou culturelle, les différences notables entre la culture cible et celle de l'apprenant (voir 5.1.1.2) et la conscience interculturelle (voir 5.1.1.3).

- **Les aptitudes** : l'accomplissement de la tâche dépend de la capacité de l'apprenant à exercer, entre autres
  - les capacités interpersonnelles et d'organisation nécessaires pour mener à bien les différentes étapes de la tâche
  - les aptitudes et les stratégies d'apprentissage qui en facilitent la réalisation, y compris se débrouiller quand les ressources linguistiques sont inadéquates, trouver tout seul, planifier et contrôler la réalisation de la tâche
  - les capacités interculturelles (voir 5.1.2.2) parmi lesquelles l'aptitude à affronter l'implicite du discours des locuteurs natifs.

- **En termes d'opérations d'apprentissage** : une tâche sera plus au moins difficile pour l'apprenant selon sa capacité
  - à manipuler les différentes étapes ou « opérations cognitives » et leur nature concrète ou abstraite
  - à traiter l'enchaînement des opérations exigées par la tâche (succession linéaire d'opérations) et la relation entre les différentes étapes de la tâche (ou la combinaison de tâches différentes mais apparentées).

7.3.1.2 Les facteurs affectifs
- **La confiance en soi** : une image positive de soi et l'absence d'inhibitions contribueront au succès de l'exécution d'une tâche lorsque l'apprenant a la confiance en soi qu'il faut pour la mener à son terme. Il prendra, par exemple, le contrôle de l'interaction si nécessaire (intervenir pour demander une clarification, vérifier que le sens est compris, prendre des risques le cas échéant ou, en cas de problème de compréhension, continuer à lire ou à écouter et faire des hypothèses et des déductions, etc.) ; le degré d'inhibition peut dépendre de la situation donnée ou de la tâche.

- **L'implication et la motivation** : il est plus probable que l'exécution d'une tâche sera couronnée de succès si l'apprenant s'y implique. Un niveau élevé de motivation personnelle à réaliser une tâche, créé par l'intérêt qu'elle suscite ou parce qu'elle est perçue comme pertinente par rapport aux besoins réels par exemple, ou encore par l'accomplissement d'une tâche qui lui est rattachée (interdépendance des tâches), conduira l'apprenant à une plus grande implication. La motivation externe peut jouer également un rôle, par exemple dans le cas où il est important que la tâche soit couronnée de succès pour ne pas perdre la face, ou pour des raisons de gratification ou de compétition.

- **L'état général** : la performance est influencée par la condition physique et émotive de l'apprenant (un apprenant détendu et vigilant a plus de chances d'apprendre et de réussir qu'un anxieux fatigué).

- **L'attitude** : la difficulté d'une tâche qui apporte des expériences et un savoir socioculturel nouveaux sera affectée, par exemple, par l'intérêt de l'apprenant pour les autres et son ouverture à eux ; par sa volonté de relativiser son propre point de vue culturel et son système de valeurs ; par sa volonté de jouer le rôle « d'intermédiaire culturel » entre sa culture et la culture étrangère et de résoudre les malentendus interculturels et les dysfonctionnements de type référentiel.

7.3.1.3 Les facteurs linguistiques

L'un des facteurs essentiels à prendre en considération pour déterminer la pertinence d'une tâche donnée ou la manipulation de ses différents paramètres est le niveau de développement des ressources linguistiques de l'apprenant ; niveau de connaissance et de contrôle de la grammaire, du vocabulaire, de la phonologie et de l'orthographe requis pour réaliser la tâche, en d'autres termes, les registres, l'exactitude grammaticale et lexicale et les aspects de l'usage de la langue tels que l'aisance, la souplesse, la cohérence, la pertinence et la précision.

Une tâche peut être à la fois complexe linguistiquement et simple au plan cognitif ou inversement et, en conséquence, un facteur peut en contrebalancer un autre dans le choix qu'on en fait dans un but pédagogique (encore qu'une réponse appropriée apportée à une tâche exigeante au plan cognitif puisse constituer, linguistiquement parlant, un défi en situation authentique). Les apprenants doivent maîtriser le contenu et la forme pour exécuter une tâche ; ils auront plus de disponibilité pour les opérations cognitives s'ils ne doivent pas consacrer toute leur attention aux aspects formels et inversement. L'accessibilité d'une connaissance des schémas d'interaction courants libère l'apprenant qui peut alors s'occuper du contenu et, dans le cas d'activités d'interaction et de production, à l'utilisation judicieuse de formes plus rares. La capacité de l'apprenant à compenser les lacunes de sa compétence linguistique est un facteur important dans le succès de toute activité (voir 4.4, *Activités de communication langagière et stratégies*).

7.3.2 Les conditions et les contraintes de la tâche

On peut manipuler une variété de facteurs en ce qui concerne les conditions et les contraintes des activités de classe comprenant
- l'interaction et la production
- la réception.

7.3.2.1 Interaction et production

Conditions et contraintes qui affectent la difficulté des activités d'interaction et de production
- l'aide extérieure
- le temps
- le(s) but(s)
- la prévisibilité
- les conditions matérielles
- les participants.

- **L'aide extérieure**
  L'apport d'une information adéquate relative aux éléments du contexte et la disponibilité d'une aide linguistique peuvent faciliter la tâche.
  - **La quantité d'informations sur la situation** : par exemple, une information pertinente et suffisante sur les participants, les rôles, le contenu, les buts, le cadre (y compris les aspects visuels) peuvent faciliter l'exécution de la tâche ; de même que la pertinence, la clarté et l'adéquation des consignes, des instructions ou des directives ;
  - **Le degré de l'aide linguistique apportée** : dans des activités interactives, la préparation de la tâche ou la réalisation d'une tâche intermédiaire préparatoire et l'apport de langue (mots-clés, etc.) aident à susciter des attentes et à activer les connaissances ou l'expérience antérieure ainsi que les schémas acquis ; la disponibilité de ressources telles que des ouvrages de référence, des modèles pertinents et l'aide des autres faciliteront, de toute évidence, les activités de production différée.

- **Le temps**
  Moins il y a de temps de préparation et de réalisation, plus la tâche risque d'être difficile.
  Les aspects temporels à prendre en compte incluent
  - **le temps alloué pour la préparation** : c'est-à-dire la possibilité de planifier ou de préparer. Dans la communication spontanée, la planification est impossible et, en conséquence, il y faut un niveau élevé d'utilisation inconsciente des stratégies pour exécuter la tâche avec succès ; dans d'autres cas, l'apprenant peut se trouver dans une situation plus libre et il mettra alors en œuvre les stratégies pertinentes de manière plus consciente. Par exemple quand le schéma de la communication est relativement prévisible, voire déterminé comme c'est le cas dans les transactions courantes ou celles où il y a suffisamment de temps pour planifier, exécuter, évaluer et présenter un texte, comme c'est normalement le cas avec des activités interactives qui n'exigent pas de réponse immédiate (la correspondance, par exemple) ou des activités de production écrite ou orale non immédiates
  - **le temps alloué pour l'exécution** : plus l'acte de communication est urgent ou plus le temps alloué aux apprenants pour réaliser l'activité en classe est court, plus la tension de la réalisation de la tâche est grande en communication spontanée. Cependant, des activités non spontanées d'interaction ou de production peuvent aussi provoquer une tension due

à la durée, par exemple pour respecter une échéance pour achever un texte ce qui, en retour, réduit le temps de planification, d'exécution, d'évaluation et de correction
- **la durée des tours de parole** : les tours de parole d'une certaine longueur (par exemple un récit anecdotique) sont généralement plus exigeants que des tours plus courts
- **la durée de la tâche** : dans le cas où les facteurs cognitifs et les conditions de la performance sont constants, une longue interaction spontanée, une tâche complexe avec de nombreuses étapes ou la planification et l'exécution d'un texte écrit ou oral seront vraisemblablement plus exigeants qu'une tâche semblable de moindre durée.

• **Les buts**
Plus il faut négocier pour atteindre le ou les objectifs de l'activité, plus cette dernière est difficile. En outre, dans la mesure où les attentes relatives au produit de l'activité sont partagées par l'enseignant et les apprenants, l'acceptation d'une réalisation diversifiée mais acceptable sera facilitée.
- **Convergence ou divergence du ou des buts de la tâche** : dans une activité interactive, la convergence des buts entraîne plus de « tension communicative » que des buts divergents. En effet, les participants doivent parvenir à un seul et même résultat sur lequel ils se sont mis d'accord (par exemple, arriver à un consensus sur un mode de fonctionnement) ce qui entraîne une négociation plus dense puisqu'il y a échange de l'information nécessaire à la réussite de l'activité. En revanche, avec des buts divergents, on n'attend pas de résultat particulier et unique (par exemple, un simple échange de vue).
- **Attitude de l'apprenant et de l'enseignant face aux buts à atteindre** : la conscience qu'a l'enseignant de la possibilité et de l'acceptabilité de résultats différents (contrairement à l'apprenant qui recherche à tout prix – peut-être inconsciemment – une réponse unique « correcte ») peut influencer la réalisation de la tâche.

• **La prévisibilité**
Le changement des paramètres de l'activité durant son exécution risque d'en augmenter la difficulté pour les interlocuteurs.
- L'introduction, dans une activité interactive, d'une donnée inattendue (événement, circonstance nouvelle, information, participant) oblige l'apprenant à mettre en œuvre les stratégies pertinentes qui permettent d'affronter la dynamique de la nouvelle situation plus complexe.
- Dans une tâche de production, le développement d'un texte « dynamique » (par exemple, une histoire sans unité de lieu ni de temps et où les personnages changent) risque d'être plus exigeant que la production d'un texte « statique » (par exemple, la description d'un objet volé ou perdu).

• **Les conditions matérielles**
Le bruit peut entraver l'interaction.
- **Les interférences** : un bruit de fond ou une mauvaise ligne téléphonique peuvent obliger le participant à s'appuyer, par exemple, sur une expérience antérieure, sur sa connaissance du fonctionnement de l'interaction, à mettre en œuvre des aptitudes de déduction, etc. afin de remédier aux ruptures de la communication.

• **Les participants**
Lorsqu'on examine les conditions qui jouent sur la facilité ou la difficulté de tâches authentiques entraînant une interaction, outre les paramètres ci-dessus, il faut prendre en compte un certain nombre de facteurs relatifs aux participants, même s'il n'est pas normalement possible de les manipuler.
- La **coopération des interlocuteurs** : un interlocuteur bien disposé facilitera le succès d'une communication en laissant l'utilisateur/apprenant en prendre un certain contrôle, par exemple en négociant et en acceptant la modification des buts, en facilitant leur compréhension, ou encore en acceptant de parler plus lentement, de répéter, de clarifier.
- Les **traits d'élocution des interlocuteurs**, par exemple le débit, l'accent, la clarté, la cohérence.
- La **présence ou l'éloignement de l'interlocuteur** (les facteurs para linguistiques de la situation en face à face facilitent la communication).
- La **plus ou moins grande compétence communicative des interlocuteurs**, y compris leur attitude (degré de familiarité avec la norme dans une communauté linguistique donnée) et leur connaissance du sujet.

7.3.2.2 La réception
Conditions et contraintes qui affectent la difficulté des activités de compréhension
- l'aide extérieure pour la réalisation de la tâche
- les caractéristiques du texte
- les types de réponses attendus.

• **L'aide extérieure**
L'utilisation d'aides sous des formes différentes peut réduire l'éventuelle difficulté des textes. Par exemple, une phase préparatoire peut indiquer le sens à suivre et activer un savoir antérieur, des consignes claires permettent d'éviter la confusion, et l'organisation du travail en sous-groupes donne à l'apprenant des possibilités d'aide et de coopération mutuelles.
- **La phase de préparation** : créer des attentes, apporter les connaissances de base nécessaires, stimuler l'apprentissage et filtrer les difficultés linguistiques pendant une étape de pré-audition/visionnement/lecture réduisent les opérations de traitement et, en conséquence, la difficulté de la tâche. Une aide contextuelle peut être également envisagée comme, par exemple, l'étude de questions (placées de préférence avant un texte écrit) et la présence d'indices contextuels tels qu'illustrations, mise en page, intertitres, etc.

- **Des consignes** simples, pertinentes et suffisantes (ni trop ni trop peu d'information et un guidage non verbal approprié) réduisent la possibilité de confusion en ce qui concerne la démarche et les objectifs.
- **Le travail en sous-groupes** : pour certains apprenants, notamment (mais pas seulement) les plus lents, le travail en sous-groupe, qui suppose que la compréhension de l'oral ou de l'écrit se fasse en collaboration, aura vraisemblablement pour effet l'exécution réussie de la tâche, plus que ne l'aurait eu un travail individuel. En effet, les apprenants se partagent les différentes opérations de traitement et s'apportent une aide et un feed-back mutuels sur leur compréhension.

- **Les caractéristiques du texte**

  Lors du choix d'un texte à utiliser avec un apprenant ou un groupe d'apprenants donnés, il faut considérer des facteurs tels que la complexité linguistique, le type de texte, la structure discursive, la présentation matérielle, la longueur du texte et son intérêt pour l'apprenant.

  - **La complexité linguistique** : une syntaxe complexe, en particulier, consomme un potentiel d'attention qui pourrait se porter sur le contenu (par exemple, des phrases longues, avec de nombreuses subordonnées, de multiples négations, des limites ambiguës, des anaphoriques et des déictiques dont les antécédents ou les références sont obscurs). Néanmoins, une trop grande simplification de textes authentiques peut, en fait, déboucher sur un accroissement de la difficulté (à cause de la suppression des redondances, des indices textuels, etc.).
  - **Le type de texte** : la familiarité que l'apprenant peut avoir du type de discours ou du domaine de référence (et en partant du principe qu'il a les connaissances socioculturelles nécessaires) l'aidera à anticiper le contenu et la structure. Il est probable que la nature plus ou moins abstraite ou concrète du texte jouera également un rôle ; par exemple, une description, des instructions ou un récit concrets (notamment accompagnés de supports visuels adéquats) seront sans doute moins difficiles qu'une argumentation ou une explication abstraites.
  - **La structure du discours** : la cohérence textuelle et un plan clair (par exemple, l'articulation temporelle, la présentation et la mise en évidence des points importants avant leur exemplification), la présentation explicite plutôt qu'implicite de l'information, l'absence d'informations contradictoires ou inattendues, tout cela contribue à réduire la complexité des opérations de traitement de l'information.
  - **Les conditions matérielles** : de toute évidence l'oral et l'écrit présentent des difficultés différentes compte tenu de la nécessité de traiter l'information orale en temps réel. En outre, le bruit, les distorsions et les interférences (par exemple une réception de radio ou de télévision à faible volume ou une écriture peu soignée, une mise en page désordonnée) augmentent les difficultés de compréhension ; dans le cas d'un texte oral (audio), plus il y a de locuteurs au timbre indistinct, plus il est difficile de les identifier et de les comprendre ; parmi les autres facteurs qui augmentent la difficulté d'écoute ou de visionnement, on peut rappeler le chevauchement des voix, les élisions, les accents peu familiers, le débit, le faible volume, une voix monocorde, etc.
  - **La longueur du texte** : en règle générale, un texte court est moins difficile qu'un texte long sur un même sujet car ce dernier exige plus d'opérations de traitement, la mémoire est plus sollicitée, le risque de fatigue ou de distraction augmente (notamment avec de jeunes apprenants). Cependant, un texte long pas trop dense et relativement redondant peut s'avérer plus simple qu'un texte court et dense qui apporte la même information.
  - **L'intérêt de l'apprenant** : la forte motivation à comprendre provoquée par l'intérêt que l'apprenant a pour un contenu soutiendra ses efforts (bien qu'elle ne facilite pas directement la compréhension). L'utilisation d'un vocabulaire peu fréquent risque, en règle générale, d'accroître la difficulté d'un texte ; mais s'il contient un vocabulaire très spécialisé sur un sujet familier et pertinent, il sera moins difficile pour un spécialiste du domaine qu'un texte contenant un vocabulaire riche d'ordre très général et, en conséquence, sera abordé avec plus d'assurance.

  L'encouragement à manifester son savoir, à exprimer ses idées et ses opinions au cours de l'activité de compréhension peut accroître la motivation et l'assurance et activer la compétence relative au texte. Enchâsser une activité de compréhension dans une autre tâche peut aussi la rendre plus significative et faciliter l'implication de l'apprenant.

- **Le type de réponse attendue**

  Bien qu'un texte puisse être relativement difficile, le type de réponses exigées par la tâche peut être manipulé pour s'adapter aux compétences et aux caractéristiques de l'apprenant. La conception de l'activité dépendra également de son objectif qui peut être de développer les aptitudes à la compréhension ou de vérifier la compréhension. Selon le cas, le type de réponse demandée peut considérablement varier ainsi que l'illustrent les nombreuses typologies d'activités de compréhension.

Une activité de compréhension peut exiger une compréhension globale, ou sélective, ou de détails importants. Certaines tâches demandent au lecteur/auditeur de manifester sa compréhension d'une information principale clairement exposée dans le texte, tandis que d'autres exigeront de lui qu'il fasse des déductions. Une tâche peut être sommative (à exécuter sur la base du texte dans son ensemble) ou structurée de telle sorte qu'elle renvoie à des unités traitables (par exemple, accompagnant chaque partie d'un texte) faisant ainsi moins appel à la mémoire.

Une activité de compréhension peut entraîner une réponse non verbale (par exemple, une action simple ou une croix sous une image). Il se peut aussi qu'une réponse verbale (orale ou écrite) soit nécessaire. Dans le cas de l'écrit on peut trouver, par exemple, l'identification et la reproduction de l'information d'un texte dans un but précis ; on peut aussi demander à l'apprenant qu'il complète le texte ou produise un nouveau texte en passant par des tâches interactives ou productives similaires.

On pourra varier le temps de réponse afin d'augmenter ou de diminuer la difficulté. Plus l'apprenant a de temps pour répéter ou pour relire un texte, plus il aura de chances de le comprendre et de mettre en œuvre un éventail de stratégies pour faire face aux difficultés.

Les utilisateurs du *Cadre de référence* envisageront et expliciteront selon le cas
- les principes de sélection et de poids relatif des tâches « authentiques » et « pédagogiques » pour atteindre leurs objectifs, y compris l'adéquation de différents types de tâches à des situations d'apprentissage données
- les critères de sélection des tâches ciblées et significatives pour l'apprenant et qui proposent un but motivant mais atteignable, impliquant autant que possible l'apprenant et lui permettant des interprétations et des productions différentes
- la relation entre les activités portant essentiellement sur l'accès au sens et l'expérience d'apprentissage particulièrement centrée sur la forme, de sorte que l'attention de l'apprenant se centre régulièrement et utilement sur les deux aspects de manière équilibrée pour le développement de l'exactitude et de l'aisance
- des façons de prendre en compte le rôle central des stratégies de l'apprenant pour mettre en relation compétence et performances dans l'exécution réussie d'activités dans des conditions et sous des contraintes variables (voir Section 4.4)
- les moyens de facilitation d'une exécution réussie de la tâche et de l'apprentissage (y compris l'activation des compétences antérieures de l'apprenant dans une phase de préparation)
- les critères et les options appliqués pour sélectionner les tâches et, le cas échéant, modifier le niveau de difficulté d'une tâche en fonction des compétences différentes des apprenants et afin de tenir compte de leurs caractéristiques différentes (aptitudes, motivations, besoins, intérêts)
- dans quelle mesure la perception que l'on a de la difficulté ou de la facilité d'une tâche peut être prise en considération dans l'évaluation de la tâche accomplie et dans l'(auto)estimation de la compétence communicative de l'apprenant (voir notamment Chapitre 8, section 8.4).

PANORAMA

8.1 DÉFINITION ET PREMIÈRE APPROCHE

On désignera par **compétence plurilingue et pluriculturelle**, la compétence à communiquer langagièrement et à interagir culturellement d'un acteur social qui possède, à des degrés divers, la maîtrise de plusieurs langues et l'expérience de plusieurs cultures. On considérera qu'il n'y a pas là superposition ou juxtaposition de compétences distinctes, mais bien existence d'une compétence complexe, voire composite, dans laquelle l'utilisateur peut puiser.

La conception habituelle consiste à représenter l'apprentissage d'une langue étrangère comme l'adjonction, en quelque sorte cloisonnée, d'une compétence à communiquer en langue étrangère à une compétence à communiquer en langue maternelle.
La notion de compétence plurilingue et pluriculturelle tend à
– sortir de la dichotomie d'apparence équilibrée qu'instaure le couple habituel L1/L2 en insistant sur un plurilinguisme dont le bilinguisme n'est qu'un cas particulier
– poser qu'un même individu ne dispose pas d'une collection de compétences à communiquer distinctes et séparées suivant les langues dont il a quelque maîtrise, mais bien d'une compétence plurilingue et pluriculturelle qui englobe l'ensemble du répertoire langagier à disposition
– insister sur les dimensions pluriculturelles de cette compétence plurielle, sans pour autant postuler des relations d'implication entre développement des capacités de relation culturelle et développement des capacités de communication linguistique.

On peut toutefois faire une observation d'ensemble qui relie les différentes composantes de l'apprentissage des langues et les trajectoires possibles. En règle générale, l'enseignement scolaire des langues tend largement à valoriser les objectifs en rapport avec la **compétence générale** de l'individu (en particulier au niveau de l'école primaire) ou la **compétence communicative langagière** (notamment pour les apprenants de 11 à 16 ans), tandis que les cours pour adultes (à l'université ou en formation continue) formulent les objectifs en termes d'**activités langagières** spécifiques ou de capacité fonctionnelle dans un **domaine** donné. Dans le premier cas, l'accent mis sur la construction et le développement de compétences et, dans le second, sur une préparation optimale à des activités qui permettent d'être opérationnel dans un contexte particulier, correspond sans aucun doute aux rôles distincts d'une part de l'enseignement général initial et, d'autre part, de la formation continue. Dans ce contexte, plutôt que de les mettre en opposition, le *Cadre européen commun de référence* préfère faciliter la mise en relation de pratiques différentes dans le respect mutuel et montrer qu'elles devraient, en fait, être complémentaires.

8.2 OPTIONS POUR DES CONSTRUCTIONS CURRICULAIRES

8.2.1 Diversifier à l'intérieur d'une conception d'ensemble

Trois orientations majeures sont considérées comme de nature à commander une réflexion d'ordre curriculaire en relation au *Cadre européen de référence*.

• **La première** est que la réflexion sur le curriculum doit s'inscrire à l'intérieur d'une visée générale de promotion de la diversification linguistique. Ce qui implique que l'enseignement/apprentissage d'une langue soit aussi pensé en relation à ce que le système de formation prévoit pour d'autres langues et à ce que peuvent être, dans le temps, les trajectoires des apprenants dans leur construction d'une compétence diversifiée en langues.

• **La deuxième** est que cette diversification n'est possible, notamment dans le cadre scolaire, que si on s'interroge sur le rapport coût/efficacité du système de manière à éviter les redondances et à encourager, au contraire, les économies d'échelle et les transferts de capacités que facilite la diversification linguistique. Si, par exemple, le système scolaire permet à un élève d'engager, à des moments bien définis de son cursus, l'apprentissage obligatoire de deux langues étrangères et l'apprentissage facultatif d'une troisième, il n'est peut-être pas nécessaire que, pour chacune des langues qu'il choisira, les mêmes objectifs ou types de progression soient prévus (et que, par exemple, le point de départ soit à chaque fois un entraînement à des échanges fonctionnels répondant aux mêmes besoins de communication ou encore une insistance récurrente sur les stratégies d'apprentissage).

• **La troisième** est que la réflexion et l'intervention curriculaires se définissent alors non seulement en termes de curriculum pour une langue, non pas même seulement à l'intérieur d'un curriculum intégré pour les langues, mais aussi dans la perspective d'une sorte d'éducation langagière générale où on pose que des connaissances linguistiques (**savoirs**) et des capacités langagières (**savoir-faire**) sont, aussi bien que des **savoir-apprendre**, pour partie spécifiques à une langue donnée mais, pour partie aussi, transversaux ou transférables.

8.2.2 Du partiel au transversal

Particulièrement – mais pas seulement – entre **langues « voisines »**, des sortes d'osmoses de connaissances et de capacités interviennent. Et, du point de vue curriculaire, il convient d'affirmer simultanément que
- **toute connaissance d'une langue est partielle**, si apparemment « maternelle » et « native » soit-elle ; partielle doublement en ce que, d'une part, elle n'est jamais aussi développée ni si parfaite chez un usager réel ordinaire que chez l'utopique locuteur idéal et que, d'autre part, elle n'est jamais pleinement équilibrée, pour un communicateur donné, entre ses différentes composantes (par exemple entre oral et écrit, ou entre capacité de compréhension et d'interprétation et capacité de production)
- **toute connaissance partielle** est aussi moins partielle qu'il n'y paraît. Par exemple, pour atteindre l'objectif « limité » de la capacité à comprendre, dans une langue étrangère donnée, des textes spécialisés de telle ou telle discipline que l'on maîtrise, il faut acquérir des connaissances et des habiletés utilisables pour d'autres buts. Toutefois, ces « retombées » concernent plus l'apprenant que le planificateur
- **savoir une langue**, c'est aussi savoir déjà bien des choses de bien d'autres langues, mais sans toujours savoir qu'on les sait. Apprendre d'autres langues permet généralement d'activer ces connaissances et de les rendre plus conscientes, facteur à valoriser plutôt que de faire comme s'il n'existait pas.

Ces différents principes et constats, s'ils laissent une très grande latitude de choix pour des élaborations de programmes et de progressions, incitent aussi à rechercher transparence et cohérence dans la définition des options et les prises de décisions. C'est là que l'existence d'un Cadre de référence peut s'avérer précieuse.

8.3. VERS DES SCÉNARIOS CURRICULAIRES

8.3.1. Curriculum et variation des objectifs

De ce qui précède, on retiendra que chacun des constituants majeurs et chacune des composantes particulières du modèle proposé peut, si il ou elle est retenu(e) comme objectif privilégié de l'apprentissage, entraîner des choix variés de contenus, de démarches, de moyens pour mener à bien cet apprentissage. Par exemple, qu'il s'agisse de « savoir-faire » (compétences individuelles du sujet communicateur/apprenant) ou de « composante sociolinguistique » (à l'intérieur de la compétence à communiquer langagièrement) ou de stratégies, ou de compréhension (au chapitre des activités langagières), on a affaire, à chaque fois (et pour des parties bien distinctes dans la catégorisation proposée pour le *Cadre de référence*) à des dimensions sur lesquelles un curriculum peut mettre ou non l'accent, qu'il peut poser là comme un objectif, là comme un moyen, là comme un prérequis. Et pour chacune de ces dimensions, la question de la **structuration interne** retenue (par exemple : quelles sous-composantes distinguer dans la composante pragmatique ? Comment sous-catégoriser les stratégies ?) et celle des **critères** d'une éventuelle gradation, dans le temps d'un apprentissage (Quelle progression donner, dans la durée, aux différents types d'activité langagière de compréhension ?) peuvent être sinon traitées en détail, du moins posées et examinées. C'est bien dans cette direction que d'autres sections du présent document invitent le lecteur à aborder les questions et envisager les options convenant à sa propre situation.

Cette interrogation « éclatée » prend d'autant plus sens que, comme on l'a souligné, la nature et la hiérarchie des objectifs sur lesquels se focalise l'apprentissage d'une langue peuvent grandement varier selon les contextes, les publics et les niveaux. Mais aussi, et il faut également y insister, pour un même public, un même contexte, un même niveau, quel que soit par ailleurs le poids des traditions et des appareils scolaires.

Les débats autour de l'enseignement des langues étrangères **à l'école élémentaire** le montrent bien, qui mettent en évidence, à l'intérieur d'un même pays ou d'une même région, de grandes fluctuations et divergences dans la définition même des finalités premières et nécessairement « partielles » données à cet enseignement. Que doivent faire les élèves ? Apprendre quelques solides rudiments du système linguistique étranger (composante linguistique) ? Développer une conscience linguistique ? Des habiletés ? Des façons d'être ? Se décentrer par rapport à leur langue et à leur culture maternelles ou se conforter dans celles-ci ? Prendre confiance en se découvrant et en s'affirmant capable d'apprendre une langue autre ? Apprendre à apprendre ? Mettre en place une capacité minimale de compréhension de l'oral ? Jouer avec la langue étrangère et l'apprivoiser (notamment dans certaines de ses caractéristiques phonétiques ou rythmiques) à travers comptines et chansons ? Acquérir des connaissances autres ou pratiquer des activités scolaires autres (musique, éducation physique, etc.) par le médium de la langue étrangère ? Bien évidemment, il n'est pas interdit de courir plusieurs lièvres à la fois et des objectifs distincts peuvent être combinés ou enchâssés, mais l'important est bien ici de marquer que, dans la construction d'un curriculum, la sélection et la pondération des objectifs, des contenus, des mises en ordre, des modes d'évaluation, sont étroitement dépendantes de l'analyse qui a pu être faite pour chacune des dimensions distinguées.

Ces considérations conduisent à penser
– que, dans la durée d'un apprentissage d'une langue, y compris en contexte scolaire, il peut y avoir continuité aussi bien que reconfiguration des objectifs et de leur hiérarchie
– que, dans la pluralité linguistique d'un curriculum de langues, il peut y avoir aussi bien similarité que différenciation entre les objectifs et entre les programmes des diverses langues
– que des options assez radicalement différentes les unes des autres sont tout à fait envisageables, chacune pouvant avoir sa propre transparence et sa propre cohérence de choix et chacune pouvant être explicitée en référence au *Cadre européen*
– que la réflexion curriculaire peut donc prendre la forme d'une interrogation sur des scénarios possibles pour la construction de compétences plurilingues et pluriculturelles et sur le rôle de l'école dans cette construction.

8.3.2 Exemples de scénarios curriculaires différenciés

Pour ne prendre qu'un exemple sommaire de ce qu'on peut entendre par des options ou variations de scénarios, on esquisse ici deux types d'organisation et de décisions curriculaires pour un même dispositif scolaire où, comme évoqué plus haut, deux langues autres que la langue de l'école (conventionnellement et abusivement désignée ci-après comme langue maternelle, puisqu'on sait bien que la langue dominante de scolarisation est loin, même en Europe, d'être toujours la langue maternelle des enfants scolarisés), seraient obligatoires : l'une dès l'école élémentaire (*Langue étrangère 1*, ci-après Lé1), l'autre à partir du début du secondaire (*Langue étrangère 2*, ci-après Lé2), une troisième (*Langue étrangère 3*, ci-après Lé3) apparaissant comme option facultative au niveau du deuxième cycle du secondaire.

Pour ces exemples de scénarios, on adopte un découpage entre primaire, premier cycle du secondaire et deuxième cycle du secondaire qui ne correspond pas à tous les contextes nationaux. Mais les transpositions et adaptations de ces parcours fictifs ne sont pas compliquées, y compris à des contextes où l'éventail des langues en présence serait moins étendu et où le premier apprentissage institutionnel d'une langue étrangère se ferait plus tardivement qu'au niveau de l'école primaire. Qui peut le plus peut le moins. Et, si les variations ici proposées envisagent des formes d'apprentissage de trois langues étrangères (deux, au choix, faisant partie du programme obligatoire, la troisième, également au choix, étant proposée à titre facultatif supplémentaire ou en concurrence avec d'autres enseignements disciplinaires optionnels), c'est que ce cas de figure semble institutionnellement réaliste dans une majorité de cas et qu'il s'agit là d'une base utile pour la visée illustrative du présent développement. L'option essentielle est bien de considérer que, pour un même type de contexte, plusieurs scénarios peuvent être conçus et donner lieu à des mises en œuvre localement diversifiées, pour autant que, dans chaque cas, l'interrogation porte sur la cohérence et l'économie d'ensemble de telle ou telle option.

• **Premier scénario**

École primaire

La première langue étrangère (Lé1) commence au primaire avec, comme visée majeure, de servir un « éveil aux langages », une sensibilisation et une prise de conscience générales de phénomènes langagiers (relation établie avec la langue maternelle, voire d'autres langues présentes dans l'environnement ou la classe). On opère alors dans une zone d'objectifs partiels relevant avant tout des compétences générales individuelles – (découverte ou reconnaissance par l'école de la pluralité des langues et des cultures, préparation au dépassement de l'ethnocentrisme, relativisation mais aussi confirmation de l'identité linguistique et culturelle initiale ; par ailleurs, attention portée au corps et au geste, au sonore, au chant et au rythme, expérience de l'appropriation physique et esthétique de certains éléments d'une langue autre) – et de leur mise en relation à la compétence à communiquer, mais sans qu'il y ait recherche programmée et explicite d'un développement de celle-ci.

Premier cycle du secondaire

– La Lé1 se poursuit au début du secondaire avec insistance désormais sur le développement progressif d'une compétence communicative (dans ses composantes linguistique, sociolinguistique, pragmatique), mais prenant pleinement en compte les acquis du primaire pour ce qui est de la conscience et de la sensibilisation langagières.

– La deuxième langue étrangère (Lé2, non présente au primaire) ne part pas non plus de zéro : elle tient compte aussi de ce qui a été fait au primaire à partir et à propos de la Lé1, tout en poursuivant des objectifs légèrement distincts de ceux désormais prévalant pour la Lé1 (par exemple, en privilégiant les activités de compréhension par rapport à celles de production).

Second cycle du secondaire

En poursuivant l'exemple de ce scénario, on considérera toujours
– que la Lé1 voit se réduire son enseignement propre mais qu'elle est utilisée comme vecteur occasionnel ou régulier d'enseignement d'une discipline autre (forme de contextualisation domaniale et « d'enseignement bilingue »)
– que la Lé2 met toujours l'accent sur la compréhension, mais en travaillant plus particulièrement les différentes organisations textuelles en relation avec ce qui se fait parallèlement ou s'est fait antérieurement en langue maternelle, mais en mobilisant aussi des capacités développées dans l'apprentissage de la Lé1

– que les élèves qui font le choix facultatif d'une troisième langue étrangère (Lé3) se voient d'abord proposer une réflexion et des activités autour des styles et stratégies d'apprentissage dont ils ont déjà l'expérience et sont amenés ensuite à travailler de manière plus autonome, en relation avec un centre de ressources, et en contribuant à la définition d'un programme de travail (plus ou moins collectif ou individuel) pour atteindre les objectifs déterminés par le groupe ou par l'institution.

• **Second scénario**

École primaire

La première langue étrangère (Lé1) commence au primaire avec une concentration sur l'apprentissage d'une communication orale élémentaire et un contenu linguistique nettement prédéfini (on vise la mise en place d'un début de composante linguistique de base, en particulier pour ce qui est des dimensions phonétiques et syntaxiques, tout en cultivant une interaction orale élémentaire en classe).

Premier cycle du secondaire

– Pour la Lé1 mais aussi pour la Lé2 (au moment où commence l'introduction de cette deuxième langue étrangère) et pour la langue maternelle, un temps est consacré à un retour sur les modes et techniques d'apprentissage qui ont prévalu au primaire pour la Lé1 et, séparément, pour la LM (langue maternelle) ; l'objectif est de provoquer à ce niveau une prise en considération et une conscientisation plus grandes des rapports aux langues et aux activités d'apprentissage.

– Pour la Lé1, un programme « habituel » de développement des différentes capacités se poursuit et se poursuivra jusqu'à la fin du secondaire, mais avec, à divers intervalles, des moments de récapitulation et de réflexion quant aux ressources et modalités utilisées pour l'enseignement et l'apprentissage, de manière à introduire de plus en plus des marges de différenciation en fonction des profils des élèves et de leurs attentes et intérêts.

– Pour la Lé2, on imagine ici l'accentuation des savoirs et savoir-faire socioculturels et de la composante sociolinguistique, tels que perçus à travers un développement de la fréquentation des médias (journaux, radio et télévision grand public) en coordination éventuelle avec des activités qui sont au programme de langue maternelle et en « récupérant » des apports de ce qui a pu se faire en Lé1. L'hypothèse est ici que la Lé2, poursuivie jusqu'à la fin du secondaire devient, dans la construction curriculaire de ce scénario, le lieu privilégié d'une interrogation culturelle et interculturelle qui s'alimente au contact des différentes langues travaillées dans le cursus et qui prend pour objet particulier les discours des médias ; qui pourrait aussi intégrer dans la dynamique curriculaire une expérience d'échange international avec accent sur la relation interculturelle. On n'exclut pas non plus que d'autres disciplines scolaires (histoire, géographie, par exemple) contribuent à cette instauration d'une expérience réfléchie de la pluralité des cultures.

Second cycle du secondaire

Dans ce cas de figure, on imagine que Lé1 et Lé2 continuent chacune sur leur lancée, à des niveaux plus élevés de complexité et d'exigence, et que les élèves optant en outre pour une troisième langue étrangère (Lé3), le font dans une perspective avant tout « vocationnelle » et en relation avec une filière plus professionnelle ou à dominante académique autre que traditionnelle (orientation vers la langue du commerce ou de l'économie ou de la technologie, par exemple).

On soulignera que, dans cette deuxième esquisse aussi bien que dans la première, le profil terminal plurilingue et pluriculturel des apprenants peut se trouver « déséquilibré » en ce que

– les maîtrises des langues entrant dans la compétence plurilingue sont différenciées
– les dimensions culturelles sont inégalement développées suivant les langues
– ce n'est pas nécessairement pour les langues les plus « travaillées » linguistiquement que les dimensions culturelles se trouvent aussi les plus pratiquées
– le dispositif intègre la mise en place de compétences partielles, au sens donné plus haut à cette notion.

À ces indications sommaires, on ajoutera que, dans tous les cas de figure, devraient intervenir à un point ou à un autre, pour une langue et pour les autres, des temps de retour sur les cheminements, les voies et les moyens d'apprentissage auxquels les apprenants, dans leurs parcours respectifs, se trouvent exposés ou pour lesquels ils optent. Il y a là, dans la construction curriculaire que propose l'école, présence de formes d'explicitation, enrichissement progressif d'une prise de conscience de l'apprentissage, introduction d'une éducation langagière générale qui permet aux apprenants de mettre en place une maîtrise métacognitive relative à leurs propres compétences et à leurs propres stratégies. Ces dernières se trouvant elles-mêmes situées au regard d'autres compétences et stratégies possibles et mises en rapport avec les activités langagières dans lesquelles ils se trouvent engagés pour accomplir des tâches à l'intérieur de domaines donnés.

En d'autres termes, une des visées de la construction curriculaire, quelle qu'elle soit, serait aussi de sensibiliser les apprenants à des catégories et à des dynamiques telles que celles retenues pour le modèle général du présent *Cadre de référence*.

8.4. ÉVALUATION ET APPRENTISSAGES SCOLAIRES ET EXTRA- OU POSTSCOLAIRES

Si on définit le curriculum, ainsi que le voudrait le sens premier, en termes de parcours accompli par un apprenant à travers une séquence d'expériences éducationnelles, sous le contrôle ou non d'une institution, alors un curriculum ne s'achève pas avec la scolarité mais se poursuit en quelque sorte, et comme l'apprentissage, tout au long de la vie.

Dans cette perspective, le curriculum de l'institution scolaire a donc pour objet de développer chez l'apprenant une compétence plurilingue et pluriculturelle dont la configuration atteinte au terme des études peut prendre la forme de profils différenciés selon les individus et les parcours qu'ils ont effectivement suivis. Il va de soi que cette configuration n'a rien de figé et que les expériences personnelles et professionnelles ultérieures de chaque acteur social, sa trajectoire de vie, vont contribuer à la faire évoluer et à en modifier l'équilibre, par développement, réduction, remodelage. C'est ici qu'interviennent, entre autres, l'éducation et la formation continues des adultes. Trois brèves considérations complémentaires peuvent être faites à ce propos.

8.4.1 Place du curriculum scolaire

Admettre l'idée que le curriculum éducationnel ne commence ni ne finit ni ne se limite à l'école, c'est admettre aussi qu'une compétence plurilingue et pluriculturelle peut donner lieu à construction dès avant la scolarisation et parallèlement à la scolarisation : par l'expérience et l'éducation familiales, l'histoire et les contacts intergénérationnels, le voyage, l'expatriation, l'émigration, plus généralement l'appartenance à un environnement plurilingue et pluriculturel ou le passage d'un environnement à un autre, mais aussi par la lecture et la relation aux médias.

Ce constat est d'une grande banalité et c'en est une autre de relever que l'école est bien loin de le prendre toujours en compte. Il vaudrait donc la peine de penser le curriculum scolaire comme partie d'un curriculum plus large, mais comme une partie ayant aussi pour fonction de donner aux apprenants
- un premier répertoire plurilingue et pluriculturel différencié (comme les deux exemples de scénarios ci-dessus en suggèrent quelques voies)
- une meilleure conscience, connaissance, confiance quant aux compétences qu'ils possèdent et quant aux capacités et aux moyens dont ils disposent, à l'intérieur et en dehors de l'école, pour étendre et affiner ces compétences et les mettre en œuvre activement dans des domaines particuliers.

8.4.2 Portfolio et profil

À cet égard, l'appréciation et l'évaluation des connaissances et des savoir-faire devraient pouvoir tenir compte de l'ensemble des circonstances et expériences où ces connaissances et savoir-faire se mettent en place. Le projet d'un *Portfolio* (*Portefeuille européen des langues*) permettant à un individu d'enregistrer et de présenter différentes facettes de sa biographie langagière va bien dans ce sens. Il s'agit en effet d'y faire mention, non seulement des certifications ou validations officielles obtenues dans l'apprentissage de telle ou telle langue, mais aussi d'y enregistrer des expériences plus informelles de contact avec des langues et cultures autres.

Mais on notera, pour insister sur l'articulation entre le curriculum scolaire et le curriculum existentiel, que, lorsque sont mesurés les acquis en langues à la fin du secondaire, il serait bon de tenter d'apprécier la compétence plurilingue et pluriculturelle en tant que telle et de déterminer plus un profil de sortie, pouvant donner lieu à combinaisons variables, qu'un niveau prédéterminé unique dans telle langue et, le cas échéant, dans telles autres.

La reconnaissance « officielle » de compétences partielles peut aller dans ce sens (et il y aurait avantage à ce que les grandes certifications internationales s'orientent aussi plus résolument dans une telle direction, par exemple en délivrant des reconnaissances qui ne porteraient pas nécessairement sur la totalité des quatre capacités croisant compréhension/expression et oral/écrit). On aurait toutefois aussi intérêt à prendre en compte et à valider en tant que telle une compétence plurielle à même de jouer de plusieurs langues ou de plusieurs cultures. Traduire (ou résumer) d'une deuxième langue étrangère vers une première langue étrangère, participer à un échange oral plurilingue, interpréter un phénomène culturel en relation à une autre culture sont des activités d'interaction ou de médiation (au sens donné ici à cette notion) qui ont leur place dans des pratiques effectives. À bien des égards, c'est aussi le profil plurilingue et pluriculturel et les capacités de gestion d'un tel répertoire que les certifications devraient également permettre d'apprécier et de valoriser.

8.4.3 Une orientation multidimensionnelle et modulaire

Pour ce qui est de la conception et de la construction d'un curriculum, comme pour ce qui en résulte en termes d'évaluation, voire de certification, l'ensemble de ce chapitre conduit à considérer que les enjeux désormais se déplacent ou, à tout le moins, se complexifient. Il est évidemment important de définir des niveaux de contenus et des progressions ne prenant en compte qu'une dimension privilégiée (linguistique ou notionnelle-fonctionnelle, par exemple) ou s'efforçant de toujours tout mener de front pour l'apprentissage d'une langue particulière. Mais il l'est tout autant de distinguer nettement les composantes d'un **curriculum multidimensionnel** (prenant notamment en compte les différentes dimensions que distingue le *Cadre de référence*) et les modalités différenciées d'évaluation ; important aussi de s'orienter vers des **dispositifs d'apprentissage et de certification modulaires** autorisant, en synchronie (à un moment donné du parcours d'apprentissage) ou en diachronie (par étapes différenciées au long de ce parcours), la mise en place et la reconnaissance de compétences plurilingues et pluriculturelles à géométrie variable (c'est-à-dire dont les constitutions et les configurations ne se confondent pas d'un individu à un autre et se modifient dans le temps pour un même individu) mais descriptibles comme telles dans leurs composantes.

Ainsi, pour ce qui est du curriculum scolaire d'un apprenant, si on se reporte aux scénarios rapidement esquissés plus haut, il apparaît clairement que l'on gagnerait à mettre en place des modules brefs de portée transversale intéressant les différentes langues. De tels modules « translangues » pourraient notamment porter sur les différentes voies et ressources d'apprentissage, les modes d'exploitation de l'environnement extra-scolaire, les malentendus de la relation interculturelle. Ils renforceraient la cohérence et la transparence d'ensemble des choix curriculaires sous-jacents et contribueraient sans doute à l'économie générale du dispositif.

Ainsi encore, une construction modulaire des certifications permettrait de faire place, dans un module *ad hoc*, à une appréciation particulière des capacités de gestion plurilingue et pluriculturelle qui viennent d'être rappelées.

Multidimensionnalité et modularité apparaissent ainsi comme des **notions-clés** pour une introduction raisonnée de la diversification linguistique dans le curriculum et dans l'évaluation. Le *Cadre de référence*, par sa constitution même, peut, à travers les catégories qu'il mobilise, pointer des directions pour une telle organisation modulaire et multidimensionnelle. Mais c'est nécessairement par le biais de projets et d'expériences en contexte institutionnel et sur des terrains variés qu'il y a lieu d'aller plus avant.

Les utilisateurs du *Cadre de référence* peuvent souhaiter examiner et, quand il convient, déclarer

- si les apprenants concernés ont déjà une expérience de la pluralité linguistique et culturelle et de quelle nature est cette expérience
- si les apprenants concernés sont déjà en mesure, même de manière rudimentaire, d'opérer dans plusieurs communautés linguistiques et/ou culturelles et comment cette compétence se distribue et se différencie suivant les contextes d'usage et les activités langagières
- quelle expérience de la pluralité linguistique et culturelle les apprenants concernés peuvent avoir, dans le moment même de leur apprentissage (par exemple, parallèlement à et en dehors de la fréquentation d'une institution de formation)
- comment cette expérience peut être mise à profit dans la poursuite de l'apprentissage
- quels ordres d'objectifs paraissent le mieux convenir aux apprenants concernés (voir 7.2.) à un moment donné de leur construction d'une compétence plurilingue et pluriculturelle et compte tenu aussi bien de leurs caractéristiques, attentes, intérêts, projets et besoins que de leurs parcours antérieurs et de leurs ressources actuelles
- comment favoriser, pour les apprenants concernés, le décloisonnement et la mise en relation effective des différentes composantes de la compétence plurilingue et pluriculturelle en voie de construction ; comment notamment développer l'attention et le recours à ce qui est transférable, transversal, déjà disponible dans la connaissance et l'usage
- quelles compétences partielles (de quelle nature et de quelle fonctionnalité) peuvent, pour les apprenants concernés, venir enrichir, complexifier et différencier les compétences déjà installées
- comment insérer le travail d'apprentissage portant sur une langue ou une culture particulière, de manière cohérente, à l'intérieur d'un curriculum d'ensemble où se développe l'expérience de plusieurs langues et de plusieurs cultures
- quelles options, quels scénarios différenciés existent pour les apprenants concernés dans la gestion de leur parcours de développement d'une compétence diversifiée ; quelles économies d'échelle sont, le cas échéant, envisageables et réalisables
- quelles modalités d'organisation de l'apprentissage (par exemple, de type modulaire) seront de nature à favoriser, pour les apprenants concernés, cette gestion de parcours
- quelles modalités d'évaluation permettront d'apprécier et de valoriser les compétences partielles et la compétence plurilingue et pluriculturelle diversifiée des apprenants concernés.

PANORAMA

9.1 INTRODUCTION

Dans ce chapitre, on entend « Évaluation » au sens d'évaluation de la mise en œuvre de la compétence de la langue. Tout **test** de langue est une forme d'évaluation mais il existe de nombreuses autres formes d'évaluation (par exemple, les listes de contrôle en évaluation continue ; l'observation informelle de l'enseignant) qui ne sauraient être considérées comme un test. Évaluation est un terme plus large que contrôle. Tout **contrôle** est une forme d'évaluation mais, dans un programme de langue, la compétence de l'apprenant n'est pas la seule chose évaluée – par exemple, la rentabilité de certains matériels pédagogiques ou méthodes, le type et la qualité du discours effectivement produit, la satisfaction de l'enseignant et celle de l'apprenant, l'efficacité de l'enseignement, etc. Ce chapitre est consacré à l'évaluation de la performance et non aux autres aspects d'un programme d'enseignement/apprentissage.

Traditionnellement, **trois concepts** sont considérés comme fondamentaux pour traiter d'évaluation ; la validité, la fiabilité et la faisabilité ou praticabilité. Il est utile, dans le cadre de ce chapitre, d'avoir une vue d'ensemble sur ce que l'on entend par ces termes, leur lien et en quoi ils sont pertinents pour un cadre commun de référence.

    • **La validité** est le concept dont traite le *Cadre de référence*. La procédure d'un test ou d'une évaluation peut être considérée comme valide dans la mesure où l'on peut démontrer que ce qui est effectivement testé (le construct) est ce qui, dans le contexte donné, doit être évalué et que l'information recueillie donne une image exacte de la compétence des candidats en question.

    • **La fiabilité**, d'un autre côté, est un terme technique. C'est la mesure selon laquelle on retrouvera le même classement des candidats dans deux passations (réelles ou simulées) des mêmes épreuves.

    Plus importante, en fait, que la fiabilité est l'exactitude des décisions prises en fonction d'une norme. Si une évaluation rend compte des résultats en termes de réussite/échec ou de Niveaux A2 +/B1/B1 +, quelle est l'exactitude de ces décisions ? Cette exactitude dépendra de la validité pour le contexte d'une norme donnée (par exemple Niveau B1). Elle dépendra également de la validité des critères utilisés pour prendre les décisions ainsi que de celle des procédures selon lesquelles on les met en œuvre.

    Si deux régions ou deux organismes différents utilisent des critères rattachés aux mêmes normes afin de documenter leurs décisions d'évaluation pour la même habileté, si les normes elles-mêmes sont valides et appropriées aux deux contextes en question et si elles sont interprétées sans exception dans la conception des épreuves d'évaluation et l'interprétation des performances, alors les résultats des deux systèmes seront en corrélation. Habituellement, on appelle « validité convergente » la corrélation entre deux tests dont on pense qu'ils évaluent le même concept hypothétique (ou construct). De toute évidence ce concept est en rapport avec la fiabilité puisque des tests non fiables n'entreront pas en corrélation. Cependant, plus central est le degré de communauté des deux tests en ce qui concerne **ce qui est évalué** et **comment la performance est interprétée**.

Le *Cadre commun de référence* s'intéresse particulièrement à ces **deux questions**. La section suivante donne un aperçu des **trois utilisations principales** possibles d'utilisation du *Cadre de référence* :

1. Pour la spécification du contenu des tests et examens · · · · · · · · · · · · · · · · *ce qu'on évalue*

2. Pour la formulation des critères qui déterminent qu'un objectif d'apprentissage est atteint · · · · · · · *comment on interprète la performance*

3. Pour la description des niveaux de compétence dans les tests et examens existants, ce qui permet la comparaison de systèmes différents de qualification · · · · · · · *comment on peut comparer*

Ces questions sont en rapport de différentes manières avec différents types d'évaluation ; car il existe de nombreuses traditions différentes d'évaluation et des évaluations de toutes sortes. C'est une erreur de prétendre qu'une approche particulière (par exemple, une évaluation institutionnelle) a des retombées éducatives obligatoirement supérieures à une autre approche (par exemple, l'évaluation magistrale). Un ensemble de normes communes – comme le *Cadre européen commun de référence* – a l'avantage indéniable de rendre possible la mise en relation de différentes formes d'évaluation.

La troisième section du chapitre expose **les choix** entre différents types d'évaluation. Ces choix sont présentés en opposition par deux. Dans chacun des cas, les termes utilisés sont définis et les avantages et inconvénients relatifs sont débattus par rapport au but de l'évaluation dans son contexte éducationnel. On expose également les implications de l'application de l'une ou l'autre des options. On signale alors la pertinence du *Cadre de référence* pour le type d'évaluation en question.

Une procédure ou démarche d'évaluation se doit aussi d'être pratique, faisable.

• **La faisabilité** est un point essentiel de l'évaluation de la performance. Les examinateurs ne disposent que d'un temps limité. Ils ne voient qu'un échantillon limité de performances et il y a des limites au nombre et à la nature des catégories qu'ils peuvent manipuler comme critères. Le *Cadre de référence* vise à fournir des éléments de référence, et non un outil pratique d'évaluation. Le *Cadre de référence* se doit d'être aussi complet que possible mais tous ses utilisateurs seront sélectifs. Ce qui peut vouloir dire que l'on utilise un schéma opérationnel simplifié qui regroupe des catégories séparées dans le *Cadre de référence*. Par exemple, les catégories utilisées dans les échelles d'exemples de descripteurs juxtaposées au texte dans les Chapitres 4 et 5 sont souvent infiniment plus simples que les catégories et les items dont il est question dans le texte même. La dernière section de ce chapitre expose cette question et présente des exemples.

9.2 LE *CADRE DE RÉFÉRENCE* EN TANT QUE RESSOURCE POUR L'ÉVALUATION

9.2.1 Spécification du contenu des tests et des examens

Lors de l'élaboration de la spécification des épreuves d'une évaluation communicative, on peut consulter la description de « L'utilisation de la langue et l'utilisateur » du Chapitre 4 et, notamment, la Section 4.4 sur « Les activités langagières communicatives ». Il est désormais admis qu'une évaluation, pour être valide, exige que l'on dispose d'un échantillon de types représentatifs de discours. Par exemple, un test conçu récemment illustre ce point en ce qui concerne l'évaluation de l'expression orale. On y trouve d'abord une **Conversation** simulée qui joue le rôle de mise en train ; ensuite une **Discussion informelle** sur des sujets d'ordre général pour lesquels le candidat déclare son intérêt ; suivie d'une phase de **Transaction**, activité de recherche d'information soit en face à face, soit en conversation téléphonique simulée. Vient alors une phase de **Production** qui se réalise à travers un **Rapport écrit** dans lequel le candidat fournit une **Description** de son domaine et de ses projets universitaires. Il y a enfin une **Coopération finalisée**, tâche de recherche de consensus entre deux candidats.

En résumé, les catégories d'activités communicatives du *Cadre de référence* ici employées sont :

	Interaction (spontanée, courtes prises de parole)	**Production** (préparée, longues prises de parole)
Oral	*Conversation* *Discussion informelle* *Coopération finalisée*	*Description* de son domaine universitaire
Écrit		*Rapport/Description* de son domaine universitaire

Pour l'élaboration détaillée des spécifications de l'épreuve, l'utilisateur peut consulter la Section 4.1 sur le « Contexte de l'utilisation de la langue » (domaines, conditions et contraintes, contexte mental), la Section 4.6 sur les « Textes » et le Chapitre 7 sur « Les tâches et leur rôle dans l'enseignement », notamment la Section 7.3 sur la « Difficulté de la tâche ».

La Section 5.2 « Compétences communicatives langagières » apportera des données pour l'élaboration d'items ou sur les phases d'un test de production orale afin de mettre en évidence les compétences linguistiques, sociolinguistique et pragmatiques pertinentes. La batterie des spécifications de contenu au *Niveau seuil* produite par le Conseil de l'Europe pour plus de vingt langues européennes et, pour l'anglais, aux niveaux *Waystage* et *Vantage*, sans compter les équivalents et les niveaux qui existent pour d'autres langues, peuvent être considérés comme des compléments au *Cadre de référence*. Tous ces documents proposent des exemples de données plus détaillées pour l'élaboration de tests aux Niveaux A1, A2, B1 et B2.

9.2.2 Critères pour atteindre un objectif d'apprentissage

Les échelles peuvent apporter des données pour le développement de barèmes de notation pour l'évaluation de l'atteinte d'un objectif d'apprentissage donné, et les descripteurs faciliter la formulation des critères. L'objectif peut être une compétence langagière générale large, exprimé comme un *Niveau commun de référence* (par exemple B1). Il peut être, au contraire, une constellation bien particulière d'activités, d'habiletés et de compétences telle que celles de la Section 6.1.4 sur « Compétences partielles et variation des objectifs en relation au *Cadre de référence* ». On pourrait présenter un objectif modulaire de ce type sur une grille de catégories par niveaux comme dans le Tableau 2 (voir p. 26).

Le commentaire sur l'usage des descripteurs exige que l'on fasse une distinction entre
1. les descripteurs d'activités communicatives qui se trouvent au Chapitre 4
2. les descripteurs d'aspects de compétences particulières qui se trouvent au Chapitre 5.

Les premiers sont particulièrement adaptés à l'évaluation magistrale ou à l'auto-évaluation pour ce qui est des tâches authentiques de la vie réelle. Ces deux types d'évaluation se font sur la base de l'image détaillée de la capacité langagière que l'apprenant a développée pendant un cours. Leur intérêt réside dans le fait qu'elles peuvent aider à la fois l'enseignant et l'apprenant à se concentrer sur une approche actionnelle.

Toutefois, il n'est pas habituellement recommandé d'inclure des descripteurs d'activités communicatives dans les critères donnés à un examinateur pour noter une performance lors d'un test écrit ou oral si l'on veut que les résultats apparaissent en termes de niveau de compétence. En effet, pour rendre compte de la compétence, l'évaluation ne doit pas se focaliser sur une performance particulière mais tendre plutôt à juger les compétences généralisables mises en évidence par cette performance. Bien évidemment, il peut y avoir d'excellentes raisons éducatives de se focaliser sur la réussite d'une activité donnée, mais la généralisation des résultats n'est pas normalement au centre de l'attention que l'on porte à l'apprentissage de la langue à ses débuts.

Ceci vient renforcer le fait que les évaluations peuvent avoir nombre de fonctions différentes. Ce qui convient à l'une peut ne pas convenir à une autre.

9.2.2.1 Les descripteurs d'activités communicatives

On peut utiliser les descripteurs d'activités communicatives (Chapitre 4) de **trois façons** différentes selon les objectifs que l'on veut atteindre.

1. **Élaboration** : comme on l'a commenté ci-dessus dans la Section 9.2.1, les échelles d'activités communicatives aident à définir la spécification pour la conception des épreuves d'évaluation.
2. **Compte rendu des résultats** : les échelles d'activités communicatives peuvent s'avérer également très utiles pour rendre compte des résultats. Les utilisateurs des produits du système éducatif, les employeurs par exemple, sont souvent plus intéressés par les résultats d'ensemble que par un profil de compétence détaillé.
3. **Auto-évaluation ou évaluation magistrale** (l'enseignant) : en dernier lieu, les descripteurs d'activités communicatives peuvent être utilisés de diverses manières pour l'auto-évaluation et l'évaluation magistrale.

En voici quelques exemples : liste de contrôle et grille.
– **Liste de contrôle**. Pour l'évaluation continue ou l'évaluation sommative à la fin d'un cours. On peut faire la liste des descripteurs à un niveau donné. Alternativement, on peut faire « éclater » le contenu des descripteurs. Par exemple, le descripteur : *Peut donner des informations personnelles et en demander,* se décomposera selon ses constituants implicites en : « *Je peux me présenter ; je peux dire où j'habite ; je peux donner mon adresse en anglais ; je peux dire mon âge, etc.* » et « *Je peux demander à quelqu'un comment il/elle s'appelle ; je peux lui demander où il/elle habite ; je peux lui demander son âge, etc.* »
– **Grille**. Pour l'évaluation continue ou l'évaluation sommative, on notera sur une grille de catégories sélectionnées (par exemple, *Conversation ; Discussion ; Échange d'informations*) définies à différents niveaux (B1 +, B2, B2 +), ébauchant un profil.

Un tel usage des descripteurs est devenu plus fréquent dans les dix dernières années. L'expérience prouve que la cohérence avec laquelle enseignants et apprenants peuvent interpréter les descripteurs s'accroît si les descripteurs ne décrivent pas seulement CE QUE l'apprenant doit faire mais aussi COMMENT (et à quel niveau de qualité) il doit le faire.

9.2.2.2 Descripteurs d'aspects de compétences particulières

On peut utiliser les descripteurs d'aspects de la compétence de **deux façons** différentes selon les objectifs que l'on veut atteindre.

1. **Auto-évaluation ou évaluation (de l'enseignant) magistrale** : à condition que les **descripteurs** soient formulés pour être **positifs et indépendants**, on peut les inclure dans des listes de contrôle pour l'auto-évaluation ou l'évaluation magistrale. Toutefois, une des faiblesses de la majorité des échelles est que la formulation des descripteurs est souvent négative aux niveaux inférieurs et normative à mi-parcours. Souvent aussi, la distinction entre les niveaux est purement verbale ; elle se fait par le remplacement d'un ou deux mots de la description la plus proche et perd l'essentiel de son sens si on la sort de son contexte. La façon d'énoncer les descripteurs en évitant ces problèmes fait l'objet d'un bref commentaire dans l'Annexe A.

2. **Évaluation de la performance** : l'utilisation la plus évidente des échelles de descripteurs sur les aspects de la compétence du Chapitre 5 est de proposer des points de départ pour l'élaboration de critères d'évaluation. En aidant à la transformation d'impressions personnelles et subjectives en jugements motivés, de tels descripteurs peuvent faciliter la mise en place d'un cadre de référence partagé par les membres d'un même jury.

Il y a fondamentalement **trois manières de présenter** les descripteurs pour les utiliser comme critères d'évaluation.
- On peut d'abord les présenter sous forme d'**échelle** – souvent en combinant des descripteurs de différentes catégories en un paragraphe global pour chaque niveau. Il s'agit là d'une approche très courante.
- On peut ensuite les présenter sous forme de **liste de contrôle** (*check-list*), une, en général, par niveau pertinent et souvent en les regroupant sous un intitulé – comme, par exemple, les catégories. Les listes de contrôle sont moins fréquentes pour l'évaluation en face à face.
- On peut enfin les présenter sous forme de grilles de catégories sélectionnées, en fait comme des échelles parallèles pour chaque catégorie. Cette approche permet d'esquisser un profil diagnostique. Il y a néanmoins des limites au nombre de catégories qu'un examinateur est en mesure de dominer.

On peut obtenir une grille d'**échelles secondaires** de deux manières distinctes et différentes.
- **Échelle de compétence** : en réalisant une grille de profil définissant les niveaux pertinents pour certaines catégories, par exemple les Niveaux A2 et B2. L'évaluation se fait alors directement en référence à ces niveaux, quitte à utiliser éventuellement des systèmes d'affinement comme une décimale ou des + lorsqu'on souhaite une différenciation plus grande. Ainsi, même si le test de performance visait le Niveau B1, et même si aucun des apprenants n'a atteint le Niveau B2, les plus forts d'entre eux pourront être crédités d'un B1 +, B1 ++ ou B1, 8.
- **Échelle de notation** : en sélectionnant ou en définissant un descripteur pour chaque catégorie pertinente qui décrit la norme de réussite souhaitée ou la norme pour un module ou un examen donnés dans cette catégorie. Ce descripteur correspond alors à « Admis » ou à « 3 » et l'échelle s'organise autour de cette norme (un résultat faible = « 1 », un excellent résultat = « 5 »). La formulation de « 1 » et de « 5 » peut provenir d'autres descripteurs ou être l'adaptation de niveaux proches sur l'échelle dans la section appropriée du Chapitre 5, ou encore la formulation du descripteur peut se faire relativement à celle du descripteur « 3 ».

9.2.3 Description des niveaux de compétence dans les tests et examens pour faciliter la comparaison

Les échelles des *Niveaux communs de référence* ont pour but de faciliter la description du niveau de compétence atteint dans les certifications existantes – et d'aider ainsi à la comparaison des systèmes. Les études spécialisées sur la mesure identifient cinq façons de relier des évaluations distinctes : 1. l'appariement ; 2. le calibrage ; 3. l'harmonisation statistique ; 4. le repérage et 5. l'harmonisation sociale.
- **Les trois premières méthodes sont classiques** : 1. production de versions alternatives du même test ; 2. mise en relation des résultats de tests différents et d'une échelle commune et, 3. correction de la difficulté de certaines épreuves ou de la sévérité d'un examinateur (harmonisation statistique).
- **Les deux suivantes** supposent que l'on parvienne à un consensus par la discussion (harmonisation sociale) et que l'on compare des échantillons de travail à des définitions normalisées et à des exemples (repérage).

Soutenir la démarche qui aboutit à un consensus est l'un des buts du *Cadre de référence*. C'est pour cette raison que les échelles de descripteurs à utiliser dans ce but ont été normalisées selon une méthodologie rigoureuse. Dans le domaine de l'éducation, on décrit de plus en plus cette approche comme une évaluation centrée sur la **norme** ; mais on reconnaît généralement que la mise en place de cette approche centrée sur la norme prend du temps parce que les différents partenaires acquièrent le sens des normes par une démarche d'exemplifications et l'échange d'opinions.

On peut objecter que cette approche est, potentiellement, la méthode de mise en relation la plus solide parce qu'elle implique l'élaboration et la validation d'un point de vue commun sur le concept hypothétique (ou construct). La principale raison qui rend difficile la mise en relation d'évaluations en langues, et ce en dépit de la magie statistique des techniques traditionnelles, c'est que les évaluations, en règle générale, testent des choses radicalement différentes même quand elles prétendent couvrir le même domaine. Ceci est dû, d'une part, **a.** à une conceptualisation et à une opérationalisation insuffisantes du construct et, d'autre part, **b.** à l'interférence de la méthode d'évaluation.

Le *Cadre européen de référence* propose une tentative guidée méthodique pour trouver une solution au premier problème sous-jacent relatif à l'apprentissage des langues vivantes en contexte européen. Les Chapitres 4 et 7 entrent dans un schéma descriptif qui essaie de conceptualiser l'utilisation de la langue, les compétences et les méthodes d'apprentissage et d'enseignement d'une façon pratique qui aidera les partenaires à opérationaliser la capacité communicative langagière que nous souhaitons promouvoir.

Les échelles de descripteurs constituent une grille conceptuelle que l'on peut utiliser pour
a. mettre en relation les cadres de référence nationaux et institutionnels au moyen du *Cadre européen commun de référence*
b. établir les grandes lignes des objectifs d'examens et de modules d'enseignement particuliers en utilisant les catégories et les niveaux des échelles.

L'Annexe A donne aux lecteurs une vue d'ensemble des méthodes d'élaboration des échelles de descripteurs et les met en relation avec l'échelle du *Cadre de référence*.

Le *Guide de l'examinateur* produit par ALTE (Document CC-Lang (96) 10 rév) apporte des conseils détaillés sur l'opérationalisation des constructs dans les tests et sur l'évitement de la distorsion due aux effets de la méthode d'évaluation.

9.3 TYPES D'ÉVALUATION

On peut faire un certain nombre de distinctions importantes en ce qui concerne l'évaluation. Le tableau « Liste des paramètres » qui suit n'est nullement exhaustive. Il n'y a pas de jugement de valeur à faire apparaître un paramètre dans la colonne de droite ou dans celle de gauche.

1	Évaluation du savoir	Évaluation de la capacité
2	Évaluation normative	Évaluation critériée
3	Maîtrise	Continuum ou suivi
4	Évaluation continue	Évaluation ponctuelle
5	Évaluation formative	Évaluation sommative
6	Évaluation directe	Évaluation indirecte
7	Évaluation de la performance	Évaluation des connaissances
8	Évaluation subjective	Évaluation objective
9	Évaluation sur une échelle	Évaluation sur une liste de contrôle
10	Jugement fondé sur l'impression	Jugement guidé
11	Évaluation holistique ou globale	Évaluation analytique
12	Évaluation par série	Évaluation par catégorie
13	Évaluation mutuelle	Auto-évaluation

Tableau 7 - Liste des paramètres

9.3.1 Évaluation du savoir/Évaluation de la capacité

• **L'évaluation du savoir (ou du niveau)** est l'évaluation de l'atteinte d'objectifs spécifiques – elle porte sur ce qui a été enseigné – par voie de conséquence, elle est en relation au travail de la semaine ou du mois, au manuel, au programme. L'évaluation du savoir est centrée sur le cours. Elle correspond à une vue de l'intérieur.

• **L'évaluation de la capacité** (mise en œuvre de la compétence ou **performance**), au contraire, est l'évaluation de ce que l'on peut faire ou de ce que l'on sait en rapport avec son application au monde réel. Elle correspond à une vue de l'extérieur.

Les professeurs s'intéressent plus particulièrement à l'évaluation du savoir qui leur renvoie un feed-back sur leur enseignement. Les employeurs, l'administration scolaire et les apprenants adultes tendent à s'intéresser plus à l'évaluation de la capacité (ou performance) : c'est l'évaluation du produit, de ce qu'un sujet peut effectivement faire. L'avantage de l'évaluation du savoir réside dans le fait qu'elle est proche de l'expérience de l'apprenant. L'avantage de l'évaluation de la capacité est de permettre à chacun de se situer car les résultats ont une totale lisibilité.

Dans **l'évaluation communicative** en contexte d'enseignement et d'apprentissage centrés sur les besoins, on peut faire valoir que les distinctions entre **Savoir** (centré sur le contenu du cours) et **Capacité** (centrée sur l'utilisation en situation réelle) devraient, idéalement, être infimes. Lorsque l'évaluation du savoir teste l'utilisation pratique de la langue dans des situations significatives et tend à présenter une image équilibrée de la compétence qui se manifeste, elle a une dimension de capacité. Ce test a une dimension de savoir lorsque l'évaluation de la capacité se fait par des tâches langagières et communicatives fondées sur un programme connu approprié, donnant à l'apprenant l'occasion de montrer ce à quoi il est arrivé plutôt que de l'exposer au hasard de tâches qui, pour des raisons vraisemblablement inconnues, départagent les forts et les faibles.

Les échelles d'exemples de descripteurs sont relatives à l'évaluation de la capacité ; elles montrent le continuum de la capacité en situation authentique. L'importance de l'évaluation du savoir pour le renforcement de l'apprentissage est commentée au Chapitre 6.

9.3.2 Évaluation normative/Évaluation critériée

• **L'évaluation normative** classe les apprenants les uns par rapport aux autres.

Cela peut se faire en classe (*Vous êtes dix-huitième*) ou dans le cadre d'une population donnée (*Vous êtes le 21 567e ; vous êtes dans les premiers 14 %*) ou dans la population des candidats à un test. Dans ce dernier cas, on peut ajuster les notes brutes pour parvenir à un résultat « juste » en traçant la courbe des résultats en fonction de celle des années précédentes afin de maintenir un certain niveau et de s'assurer que le même pourcentage d'apprenants réussissent chaque année, quelles que soient la difficulté du test ou la compétence des candidats. On utilise couramment l'évaluation normative dans les tests de placement (ou les concours) qui servent à constituer des classes.

• **L'évaluation critériée** se veut une réaction contre la référence à la norme : on y évalue l'apprenant uniquement en fonction de sa capacité propre dans le domaine et quelle que soit celle de ses pairs.

L'évaluation critériée suppose que l'on dégage un **continuum de capacités** (verticalement) et une **série de domaines pertinents** (horizontalement) de telle sorte que les résultats individuels au test puissent être placés sur l'ensemble de l'espace critérié ; ce qui entraîne

a. la définition des domaines pertinents couverts par le test en question et

b. l'identification de points de césure ou seuils : la (ou les) note(s) au test jugée(s) nécessaire(s) pour correspondre au niveau de compétence.

Les échelles d'exemples de descripteurs se composent d'énoncés de critères correspondant à des catégories dans le schéma descriptif. Le *Cadre européen commun de référence* présente un ensemble de normes communes.

9.3.3 Maîtrise/Continuum ou suivi

• **L'approche de type Maîtrise** (ou compétences maîtrisées) en référence à des critères est une approche dans laquelle une seule « norme minimale de compétence » est établie pour départager les apprenants entre capables (réussite) et non capables (échec) sans que soit pris en compte le niveau de qualité manifesté dans la façon dont l'objectif est atteint.

• **L'approche de type Continuum** (ou compétences en cours d'acquisition) en référence à des critères est une approche dans laquelle une capacité donnée est classée en référence à la suite continue de tous les niveaux de capacité possibles dans le domaine en question.

Il existe, en fait, de nombreuses approches de l'évaluation critériée dont la plupart peuvent d'abord être identifiées comme une interprétation de la maîtrise ou du « continuum ».

Une assez grande confusion provient de ce que l'on identifie souvent exclusivement, de façon erronée, l'évaluation critériée avec la maîtrise ; **l'approche de type « maîtrise »** est une approche de type « savoir » en relation à la progression du cours ou du module. Elle accorde moins d'importance à situer ce module (et donc le savoir dans le cadre de ce module) sur une ligne continue de compétence.

L'alternative à cette approche est de reporter les résultats de chaque test sur une courbe de compétence en utilisant, habituellement, des mentions qualitatives. Dans ce cas, le continuum est le « critère », la réalité extérieure qui garantit que les résultats du test ont un sens. La référence à ce critère extérieur peut se faire en utilisant une analyse échelonnée (par exemple, le modèle de Rasch) pour mettre en relation les uns avec les autres les résultats de tous les tests et à les reporter directement sur une échelle commune.

On peut exploiter le *Cadre de référence* selon ces **deux approches**.

– L'échelle des niveaux utilisée pour le continuum peut s'aligner sur les *Niveaux communs de référence*.

– L'objectif à maîtriser dans l'approche « maîtrise » retrouve les grandes lignes de la grille conceptuelle des catégories et niveaux proposée par le *Cadre de référence*.

9.3.4 Évaluation continue/Évaluation ponctuelle

• **L'évaluation continue** est l'évaluation par l'enseignant et, éventuellement, par l'apprenant de performances, de travaux et de projets réalisés pendant le cours. La note finale reflète ainsi l'ensemble du cours, de l'année ou du semestre.

• **L'évaluation ponctuelle** se fait par l'attribution de notes ou la prise de décisions effectuées à la suite d'un examen ou d'une autre procédure d'évaluation qui a lieu à une date donnée, généralement à la fin du cours ou au début du cours suivant. On ne se préoccupe pas de ce qui s'est passé auparavant ; seul compte ce que l'apprenant est capable de faire ici et maintenant.

On considère souvent l'évaluation comme extérieure à l'enseignement. Elle a lieu à des moments précis et débouche sur des décisions. Le contrôle continu suppose que l'évaluation soit intégrée dans le cours et contribue, de manière cumulative, au résultat final. À côté de la notation des devoirs et de tests de connaissance occasionnels ou réguliers pour renforcer l'apprentissage, l'évaluation continue peut prendre la forme de questionnaires ou de grilles remplies par les enseignants et/ou les apprenants, d'évaluation dans une série de tâches ciblées, d'évaluation formelle du travail de classe et/ou la création de portefeuilles d'échantillons de travaux éventuellement à différents moments de leur réalisation et/ou à différents moments du cours.

Les avantages et les inconvénients des deux approches sont assez évidents.

– L'évaluation ponctuelle s'assure que quelqu'un est encore capable de faire des choses qui pouvaient être au programme deux ans plus tôt. Elle est, en revanche, assez traumatisante et favorise certains types d'apprenants.

– L'évaluation continue rend mieux compte de la créativité et d'aptitudes différentes mais elle repose lourdement sur la capacité de l'enseignant à être objectif ; au pire, elle peut transformer la vie de l'apprenant en course d'obstacles et devenir un cauchemar bureaucratique pour l'enseignant.

Les listes d'énoncés de critères décrivant la capacité relative aux activités communicatives (Chapitre 4) peuvent s'avérer utiles en évaluation continue. Les échelles d'évaluation conçues en relation avec les descripteurs pour des aspects de la compétence (Chapitre 5) peuvent s'utiliser pour accorder des notes en évaluation ponctuelle.

9.3.5 Évaluation formative/Évaluation sommative

• **L'évaluation formative** est un processus continu qui permet de recueillir des informations sur les points forts et les points faibles. L'enseignant peut alors les utiliser pour l'organisation de son cours et les renvoyer aussi aux apprenants. On utilise souvent l'évaluation formative au sens large afin d'y inclure l'information non quantifiable fournie par des interrogations et des entretiens.

• **L'évaluation sommative** contrôle les acquis à la fin du cours et leur attribue une note ou un rang. Il ne s'agit pas forcément d'une évaluation de la compétence. En fait, l'évaluation sommative est souvent normative, ponctuelle et teste le savoir.

La force de l'évaluation formative est de se donner pour but l'amélioration de l'apprentissage. Sa faiblesse est inhérente à la métaphore du feed-back.

L'information rétroactive n'a d'effet que si celui qui la reçoit est en position

a. d'en tenir compte, c'est-à-dire d'être attentif, motivé et de connaître la forme sous laquelle l'information arrive

b. de la recevoir, c'est-à-dire de ne pas être noyé sous l'information et d'avoir un moyen de l'enregistrer, de l'organiser et de se l'approprier

c. de l'interpréter, c'est-à-dire d'avoir une connaissance et une conscience suffisantes pour comprendre de quoi il s'agit précisément afin de ne pas agir de manière inefficace et

d. de s'approprier l'information, c'est-à-dire d'avoir le temps, l'orientation et les ressources appropriées pour y réfléchir, l'intégrer et mémoriser ainsi l'élément nouveau. Cela suppose une certaine autonomie, qui présuppose formation à l'autonomie, au contrôle de son propre apprentissage, au développement des moyens de jouer sur le feed-back.

Une telle formation de l'apprenant, avec la prise de conscience qu'elle suppose, a été appelée **évaluation formative**. Un certain nombre de techniques peuvent être utilisées pour cette formation à la prise de conscience mais l'un des principes de base est de comparer l'impression (c'est-à-dire ce que l'on se dit capable de faire sur une liste de contrôle) avec la réalité (c'est-à-dire, par exemple, écouter un document du type de ceux de la liste de contrôle et voir si on le comprend réellement). DIALANG met en relation l'auto-évaluation de la performance avec cette manière de faire. Une autre technique importante consiste à analyser des échantillons de travaux – de l'apprenant et d'autres – et de l'encourager à acquérir son propre métalangage relatif aux aspects de la qualité et avec lequel il puisse identifier ses points forts et ses points faibles et définir pour lui-même, de manière autonome, un contrat d'apprentissage.

La plupart du temps, **l'évaluation formative ou diagnostique** opère à un niveau très détaillé des points de langue ou des habiletés récemment enseignés ou à venir dans un futur proche. Pour **l'évaluation diagnostique**, les listes de la Section 5.2 sont encore trop générales pour être pratiquement exploitables ; il faudrait se référer à la spécification particulière qui serait pertinente (*Waystage, Niveau seuil,* etc.). Des grilles composées de descripteurs qui définissent des aspects différents de la compétence à différents niveaux (Chapitre 4) peuvent cependant s'avérer utiles pour le feed-back formatif d'une évaluation d'expression orale.

Les *Niveaux communs de référence* sembleraient être tout à fait appropriés pour l'évaluation sommative. Pourtant, comme le démontre le Projet DIALANG le feed-back d'une évaluation même sommative peut être diagnostique et, en conséquence, formatif.

9.3.6 Évaluation directe/Évaluation indirecte

• **L'évaluation directe** évalue ce que le candidat est en train de faire. Par exemple, lors d'un travail en sous-groupe qui consiste en une discussion, le professeur observe, confronte aux critères d'une grille et donne son évaluation.

• **L'évaluation indirecte**, en revanche, utilise un test, généralement écrit, qui évalue souvent les potentialités.

L'évaluation directe se limite, en fait, à la production orale et écrite et à la compréhension de l'oral en interaction puisqu'il est impossible d'observer directement les activités de réception mais seulement leurs effets. La lecture, par exemple, ne peut être évaluée qu'indirectement en demandant aux apprenants de prouver leur compréhension en cochant des cases, en finissant des phrases ou en répondant à des questions. La richesse et le contrôle de la langue peuvent être évalués soit directement par rapport aux critères que l'on s'est défini, soit indirectement par l'interprétation et la généralisation de réponses à des questions d'examen. L'entretien est un test direct classique ; un texte lacunaire est un test indirect classique.

On peut utiliser les descripteurs qui définissent des aspects différents de la compétence à différents niveaux au Chapitre 5 pour concevoir des critères d'évaluation pour des tests directs. Les paramètres du Chapitre 4 peuvent apporter des données pour la sélection des thèmes, des tests et des épreuves pour des tests directs de production et des tests indirects de compréhension de l'écrit et de compréhension de l'oral. Les paramètres du Chapitre 5 peuvent, en outre, apporter des données pour l'identification des compétences linguistiques fondamentales à inclure dans un test indirect de connaissance de la langue ainsi que des compétences fondamentales pragmatiques, sociolinguistiques et linguistiques sur lesquelles se concentrer lors de la formulation des questions pour des tests composés d'items portant sur les quatre habiletés.

9.3.7 Évaluation de la performance/Évaluation des connaissances

• **L'évaluation de la performance** exige de l'apprenant qu'il produise un échantillon de discours oral ou écrit.

• **L'évaluation des connaissances** exige de l'apprenant qu'il réponde à des questions de types différents afin d'apporter la preuve de l'étendue de sa connaissance de la langue et du contrôle qu'il en a.

Il est malheureusement toujours impossible de tester directement les compétences. On ne peut alors que se fonder sur l'évaluation d'un ensemble de performances à partir desquelles on s'efforce de généraliser à propos de la compétence. On peut considérer la capacité comme la mise en œuvre de la compétence. En ce sens, un test n'évalue jamais que la performance, bien que l'on tente de déduire des performances les compétences sous-jacentes.

Toutefois, un entretien exige plus de « performance » qu'un texte lacunaire et un texte lacunaire, à son tour, exige plus de « performance » qu'un QCM – ou même que l'identification d'items plus authentiques. C'est ainsi qu'on utilise le terme de « performance » au sens de production langagière. Mais il a un sens plus étroit dans l'expression « test de performance » où il signifie performance adéquate en situation (relativement) authentique et généralement de type professionnel ou académique. Dans un sens un peu plus relâché de l'expression « l'évaluation de la performance », certaines démarches d'évaluation de l'oral peuvent être considérées comme des tests de performance en ce sens qu'ils généralisent sur la capacité, à partir de performances, dans une variété de types de discours jugés pertinents pour la situation d'apprentissage et les besoins des apprenants. Certains tests équilibrent évaluation de la performance et évaluation des connaissances du système de la langue ; d'autres évaluations de la performance ne le font pas.

La distinction est très semblable à celle que l'on peut faire entre tests directs et indirects. On peut exploiter le *Cadre de référence* de la même manière. Les spécifications du Conseil de l'Europe pour différents niveaux (*Waystage, Niveau seuil, Vantage Level*) offrent en outre plus de détails en ce qui concerne la connaissance linguistique cible pour les langues dans lesquelles elles sont disponibles.

9.3.8 Évaluation subjective/Évaluation objective

• **L'évaluation subjective** se fait par un jugement d'examinateur. On entend habituellement par là le jugement sur la qualité de la performance.

• **L'évaluation objective** écarte la subjectivité. On entend habituellement par là l'utilisation d'un test indirect dans lequel une seule réponse correcte est possible, par exemple un QCM.

Une question complexe

Cependant, **la question de subjectivité/objectivité** est considérablement plus **complexe**.

On décrit souvent les tests indirects comme des « **tests objectifs** » ; cela signifie généralement que ces tests s'accompagnent d'une grille de correction ou d'un barème que le correcteur consulte pour se prononcer sur l'acceptabilité des réponses et dénombre ensuite les réponses justes pour donner le résultat. Certains types de tests vont un peu plus loin en ne permettant qu'une seule réponse par question (par exemple les QCM et les tests lacunaires basés sur les tests de closure) ; on adopte alors souvent une correction automatique afin d'éliminer toute erreur. En fait, l'objectivité des tests décrits comme « objectifs » est un tant soit peu surfaite puisque quelqu'un a décidé de limiter l'évaluation aux techniques qui assurent le plus de contrôle sur le test (décision subjective avec laquelle tous ne sont pas nécessairement d'accord), puis quelqu'un d'autre a défini les spécifications du test, un rédacteur a rédigé l'item qui vise à opérationnaliser tel point de la spécification et quelqu'un enfin l'a sélectionné parmi tous les autres items possibles pour ce test. Puisque toutes ces décisions impliquent un élément de subjectivité, il est sans doute préférable de dire que ces tests font l'objet d'une **correction objectivée**.

L'évaluation de la performance directe se fait généralement **selon une méthode** d'évaluation **subjective**. Cela signifie que la décision sur la qualité de la performance de l'apprenant se prend subjectivement en tenant compte de facteurs pertinents et en s'appuyant sur des instructions ou des critères et sur l'expérience. L'avantage d'une approche subjective repose sur le fait que la langue et la communication sont extrêmement complexes, se prêtent mal à l'atomisation et sont toujours plus que la simple somme de leurs constituants. Il est très souvent difficile de dire ce qu'un item teste et, en conséquence, le cibler sur un aspect particulier de la compétence ou de la performance est infiniment moins simple qu'il n'y paraît.

Pourtant, en toute impartialité, il faut dire que toute évaluation devrait être aussi objective que possible. Les effets des jugements de valeur personnels qui interviennent dans les décisions subjectives sur la sélection du contenu et la qualité de la performance devraient être réduits au maximum, particulièrement lorsqu'il s'agit d'évaluation sommative parce que les résultats des tests sont souvent utilisés par une tierce personne pour prendre des décisions qui engagent l'avenir des candidats évalués.

Vers la réduction de la subjectivité

Le poids de la subjectivité sur l'évaluation peut être diminué et, en conséquence, la **validité** et la **fiabilité augmentées**, en appliquant la démarche suivante :

– développer une **spécification du contenu** de l'évaluation fondée, par exemple, sur un cadre de référence commun au contexte en question

– utiliser la négociation ou les **jugements collectifs** pour sélectionner le contenu et/ou noter les performances

– adopter des **procédures normalisées** relatives à la passation des tests

– fournir des **grilles de correction précises** pour les tests indirects et baser l'évaluation des tests directs sur des critères de correction clairement définis

– exiger des **jugements multiples** et/ou l'**analyse de différents facteurs**

– mettre en place une **double correction** ou une **correction automatique** lorsque c'est possible

– assurer une **formation** relative aux **barèmes de correction**

– vérifier la qualité de l'évaluation (validité, fiabilité) par l'**analyse des résultats**.

Comme on l'a mentionné au début de ce chapitre, le premier pas vers une réduction de la subjectivité des jugements émis à chacune des étapes de la procédure d'évaluation est de parvenir à une compréhension commune du construct en question, à un cadre commun de référence. Le *Cadre de référence* essaie de proposer une base de ce type pour la **spécification du contenu** et de fournir des sources au développement de **critères spécifiquement définis** pour les tests directs.

9.3.9 Évaluation sur une échelle/Évaluation sur une liste de contrôle

• **L'évaluation sur une échelle** consiste à placer quelqu'un à un niveau donné sur une échelle constituée de plusieurs niveaux.

• **L'évaluation sur une liste de contrôle** consiste à juger quelqu'un selon une liste de points censés être pertinents pour un niveau ou un module donnés.

Dans le « classement sur une échelle », on met l'accent sur la place du sujet évalué sur une série de degrés ou échelons – c'est-à-dire sur la position sur une ligne verticale ; à quel niveau de l'échelle est-on arrivé ? L'échelle des descripteurs peut se présenter sous forme de questionnaire. Elle peut aussi avoir la forme d'un « camembert » ou tout autre forme. Les réponses peuvent être Oui/Non mais représentées par des parties ombrées afin de dessiner un schéma plutôt que d'entourer ou de cocher un chiffre (0/1) ou un mot (Oui/Non) ou une case. On peut affiner la réponse sur une échelle (par exemple de 0 à 4), de préférence en donnant un intitulé à chaque degré et, de préférence aussi, avec des définitions qui précisent l'interprétation que l'on doit donner aux intitulés.

Puisque les exemples de descripteurs se présentent comme des formulations indépendantes de critères calibrés selon les niveaux, on peut y puiser pour **produire à la fois une liste de contrôle** pour un niveau donné, comme c'est le cas dans certaines versions du *Portfolio des langues*, **et des échelles ou des grilles d'évaluation** couvrant les niveaux appropriés, comme celles présentées au Chapitre 3, dans le tableau 2 pour l'auto-évaluation et dans le Tableau 3 pour l'évaluation assurée par l'examinateur.

9.3.10 Jugement fondé sur l'impression/Jugement guidé

• **Jugement fondé sur l'impression** : jugement entièrement subjectif fondé sur l'observation de la performance de l'apprenant en classe, sans aucune référence à des critères particuliers relatifs à une évaluation spécifique.

• **Jugement guidé** : jugement dans lequel on réduit la subjectivité propre à l'examinateur en ajoutant à la simple impression une évaluation consciente en relation à des critères spécifiques.

« **Impression** » se réfère ici à ce qui se passe lorsqu'un enseignant ou un apprenant attribuent des notes uniquement sur la base de leur observation de la performance en classe, au moment des devoirs, etc. Plusieurs formes d'évaluation subjective, notamment celles que l'on utilise en contrôle continu, sont constituées par une notation basée sur la réflexion ou la mémoire, vraisemblablement obtenue par l'observation consciente de la personne en question pendant un certain temps. De nombreux systèmes scolaires fonctionnent ainsi.

L'expression « **jugement guidé** » décrit ici la situation dans laquelle on met en œuvre une approche de l'évaluation qui transforme l'impression en jugement raisonné. Une approche de ce type suppose

a. une activité d'évaluation guidée par une démarche et/ou

b. un ensemble de critères définis pour permettre la distinction entre les notes ou les différents résultats et

c. une formation à l'application d'une norme.

L'avantage d'une approche guidée du jugement réside dans le fait que, si l'on a mis en place de cette manière un cadre de référence commun pour le groupe des examinateurs impliqués, on accroîtra de façon radicale la constance des jugements. Le cas est d'autant plus clair que l'on apporte des repères sous forme d'échantillons de performances et de comparaisons stables avec d'autres systèmes. L'importance d'un tel guidage est mise en évidence par le fait que la recherche dans un certain nombre de disciplines a démontré à de nombreuses reprises que le degré de variation avec des jugements non guidés justifié par les différences de capacité des apprenants n'est guère plus grand que celui justifié par les différences de constance et de sévérité des examinateurs et laisse ainsi les résultats au hasard.

On peut exploiter les échelles de descripteurs pour les niveaux communs de référence pour obtenir un ensemble de critères définis comme en **b.** ci-dessus ou pour présenter les normes représentées par les critères existants en termes de niveaux communs. Ultérieurement, on peut fournir des échantillons repères de performance à différents niveaux communs de référence afin de faciliter la formation à la normalisation.

9.3.11 Évaluation holistique/Évaluation analytique

• **L'évaluation holistique** porte un jugement synthétique global. Les aspects différents sont mesurés intuitivement par l'examinateur.

• **L'évaluation analytique** considère séparément les différents aspects.

Il y a **deux façons** d'établir cette distinction : a. en fonction de ce que l'on cherche ; b. en fonction de la façon dont on attribue une note ou dont on classe à un certain niveau. Il arrive que des systèmes combinent une approche analytique à un niveau et une approche globale à un autre.

a. Ce qu'on évalue : certaines approches évaluent une catégorie dans son ensemble comme « expression orale » ou « interaction » et attribuent une note ou placent à un niveau. D'autres, plus analytiques, exigent de l'examinateur qu'il note séparément un certain nombre d'éléments distincts de la performance. D'autres systèmes encore demandent à l'examinateur de noter l'impression générale, de l'analyser ensuite selon différents critères afin de parvenir à un jugement global raisonné. L'avantage de critères différents dans une approche analytique est d'encourager l'examinateur à une observation minutieuse ; ils fournissent aussi le métalangage nécessaire à la discussion entre les examinateurs et au *feed-back* que l'on renverra aux apprenants. Leur inconvénient tient en ce que l'expérience tend à prouver que les examinateurs seraient incapables de maintenir des critères clairs dans une évaluation globale. Ils sont en outre intellectuellement surchargés lorsqu'ils doivent manipuler plus de 4 ou 5 critères.

b. Calcul des résultats : certaines approches mettent en relation de manière globale les performances observées et les descripteurs sur un **barème de notation**, que celui-ci soit **holistique** (une catégorie globale) ou **analytique** (3 à 6 catégories sur une grille). De telles approches n'entraînent aucun calcul. Les résultats sont reportés sous forme de lettres ou de chiffres, éventuellement un seul chiffre ou, comme un numéro de téléphone, un chiffre par catégorie. D'autres approches plus analytiques demandent que l'on donne une note à un certain nombre de points différents puis qu'on les additionne pour obtenir la note finale qui peut être convertie en niveau ou en mention. Une des caractéristiques de cette approche est d'attribuer des coefficients aux catégories, c'est-à-dire de ne pas donner la même valeur à chacune.

Les Tableaux 2 et 3 du Chapitre 3 donnent des exemples d'évaluation par l'examinateur et d'auto-évaluation respectivement avec des échelles de **critères analytiques** (c'est-à-dire des grilles) utilisées avec une stratégie de **notation globale** (c'est-à-dire d'apparier ce que l'on peut déduire des performances à des définitions et s'en faire une opinion).

9.3.12 Évaluation par série/Évaluation par catégorie

• **L'évaluation par catégorie** porte sur une seule tâche (qui peut, bien évidemment, proposer des activités différentes afin de faire produire des discours différents comme on l'a vu en 9.2.1) à partir de laquelle la performance est évaluée en fonction des catégories d'une grille d'évaluation : ainsi l'approche analytique esquissée en 9.3.11.

• Dans **l'évaluation par série**, on note habituellement de manière globale sur une échelle de 0 à 3 ou de 1 à 4 par exemple une série de tâches différenciées (il s'agit souvent de jeux de rôles entre apprenants ou avec l'enseignant).

L'évaluation par série tente de corriger la tendance qui fait que les résultats d'une catégorie affectent ceux d'une autre. Aux niveaux inférieurs, l'accent est mis sur la réalisation de la tâche : le but est de remplir une liste de contrôle de ce que l'apprenant est capable de faire sur la base de l'évaluation par l'enseignant ou l'apprenant des performances effectives plutôt que sur une simple impression. Aux niveaux supérieurs, on peut concevoir des tâches dans lesquelles se manifesteront des aspects particuliers de la compétence. On rend compte des résultats sous forme de profil.

On peut puiser dans les échelles pour différentes catégories de compétence langagière juxtaposées au texte dans le Chapitre 5 afin de développer des critères d'évaluation pour une catégorie. Comme les examinateurs ne peuvent manipuler qu'un petit nombre de catégories, il faut parvenir à des compromis au cours de la démarche. L'élaboration de types pertinents d'activités communicatives de la Section 4.4 et la liste des types différents de compétence fonctionnelle esquissée dans la Section 5.2.3.2 peuvent permettre l'identification de tâches adaptées à une évaluation par séries.

9.3.13 Évaluation mutuelle/Auto-évaluation

• **L'évaluation mutuelle** est le jugement porté par l'enseignant ou l'examinateur.

• **L'auto-évaluation** est le jugement que l'on porte sur sa propre compétence.

On peut impliquer les apprenants dans la plupart des techniques d'évaluation évoquées ci-dessus. La recherche tend à prouver que, dans la mesure où l'enjeu n'est pas trop important (par exemple être reçu ou pas), l'auto-évaluation peut s'avérer un complément utile à l'évaluation par l'enseignant et par les examens. La justesse de l'auto-évaluation augmente

a. si elle se fait en référence à des descripteurs qui définissent clairement des normes de capacité et/ou

b. si l'évaluation est en relation avec une expérience particulière – qui peut être celle de la passation de tests.

Elle est probablement d'autant plus exacte que les apprenants reçoivent une formation adéquate. Une auto-évaluation structurée peut se rapprocher de l'évaluation magistrale ou apportée par les tests dans la même proportion que se rapprochent habituellement les évaluations des enseignants, des tests ou des enseignants et des tests.

Toutefois le plus grand intérêt de l'auto-évaluation réside dans ce qu'elle est un facteur de motivation et de prise de conscience : elle aide les apprenants à connaître leurs points forts et reconnaître leurs points faibles et à mieux gérer ainsi leur apprentissage.

Les utilisateurs du *Cadre de référence* envisageront et expliciteront selon le cas
- quels sont les types d'évaluation parmi ceux présentés qui sont
  - les mieux appropriés aux besoins des apprenants dans leur système
  - les plus appropriés et les plus réalisables dans la culture pédagogique de leur système
  - les plus productifs, par leurs « retombées », pour la formation des enseignants
- la façon dont s'équilibrent et se complètent dans leur système l'évaluation du savoir (*achievement*) (centrée sur l'école et l'apprentissage) et l'évaluation de la capacité (centrée sur la mise en œuvre de la compétence à communiquer dans la vie réelle), et dans quelle mesure sont évalués la performance communicative et le savoir linguistique
- dans quelle mesure les résultats de l'apprentissage sont évalués en fonction des normes et des critères définis (référence aux critères) et dans quelle mesure les notes et appréciations sont attribuées en fonction de la classe dans laquelle l'apprenant se trouve (référence à la norme)
- la façon dont
  - on informe les enseignants sur les normes (par exemple les descripteurs communs, des échantillons de performances)
  - on les encourage à prendre connaissance d'un certain nombre de techniques d'évaluation
  - on les forme aux techniques et à l'interprétation
- dans quelle mesure il est souhaitable et faisable de mettre en place un système articulé de contrôle continu du travail de classe et des évaluations ponctuelles en fonction de normes et de définitions de critères
- dans quelle mesure il est souhaitable et faisable d'impliquer les apprenants dans une auto-évaluation en fonction des descripteurs de tâches et des différentes capacités à différents niveaux ainsi qu'à l'opérationalisation de ces descripteurs dans une évaluation par série par exemple
- quelle est la pertinence des spécifications et des échelles proposées dans le *Cadre de référence* et comment les compléter ou les développer.

On trouvera des grilles d'évaluation pour l'auto-évaluation et pour l'examinateur dans les Tableaux 2 et 3 du Chapitre 3. La différence la plus frappante entre les deux (mise à part la formulation « *Je peux faire…* » ou « *Est capable de…* ») réside dans le fait que, tandis que le Tableau 2 se concentre sur les activités communicatives, le Tableau 3 se concentre, lui, sur les aspects génériques de la compétence apparents dans toute performance orale. On peut toutefois imaginer une version légèrement modifiée de la version pour l'auto-évaluation du Tableau 3. L'expérience tend à prouver qu'au moins les apprenants adultes se révèlent capables de tels jugements qualitatifs sur leur compétence.

9.4 ÉVALUATION PRATIQUE ET MÉTASYSTÈME

Les échelles qui émaillent les Chapitres 4 et 5 apportent un exemple de batterie de catégories opérationnelles simplifiées en rapport avec le schéma descriptif plus complet du texte de ces mêmes chapitres. Il n'est pas dans l'intention des auteurs que quiconque utilise simultanément toutes les échelles à tous les niveaux dans une pratique d'évaluation. Les examinateurs éprouvent des difficultés à mettre en œuvre en même temps un nombre important de catégories et, en outre, il se peut que la gamme complète des niveaux présentés ne soit pas appropriée au contexte donné. La batterie se veut plutôt **outil de référence**.

Quelle que soit l'approche adoptée, toute pratique de l'évaluation doit **réduire le nombre de catégories** possibles à un nombre manipulable. L'expérience montre qu'au-delà de quatre ou cinq catégories on est cognitivement saturé et que sept catégories constituent un seuil psychologique à ne pas dépasser. Il faut donc **faire des choix**.

Si l'on prend l'exemple de l'évaluation de l'oral et si, comme indiqué plus haut, on considère que les stratégies d'interaction sont un aspect qualitatif de la communication pertinent dans l'évaluation de l'oral, alors les exemples d'échelles contiennent quatorze catégories qualitatives relatives à l'évaluation de l'oral.

- Stratégies de prises de parole
- Stratégies de coopération
- Demande de clarification
- Aisance
- Souplesse
- Cohérence
- Développement thématique

- Précision
- Compétence sociolinguistique
- Domaine général
- Étendue du vocabulaire
- Exactitude grammaticale
- Contrôle du vocabulaire
- Contrôle phonologique

Il est évident que, même si des descripteurs relevant de la plupart des traits ci-dessus peuvent entrer dans une liste de contrôle générale, quatorze est un nombre beaucoup trop élevé de catégories pour l'évaluation de quelque performance que ce soit. En conséquence, dans toute pratique, on aborderait de manière sélective une liste semblable de catégories ; on combinerait, réduirait et redéfinirait les traits pour en faire un ensemble moins élaboré de critères d'évaluation approprié aux besoins des apprenants en question, aux exigences de l'activité d'évaluation et au style de la culture pédagogique propre au contexte. On pourrait également affecter les critères ainsi obtenus du même coefficient ou donner un coefficient plus élevé à certains considérés comme plus importants.

Les **quatre exemples** ci-dessous illustrent la manière de faire. Les trois premiers montrent brièvement comment utiliser des catégories comme critères d'évaluation dans des systèmes existants. Le quatrième exemple présente plus en détail comment les échelles du *Cadre de référence* ont été fondues et reformulées afin de fournir une grille d'évaluation pour un objectif donné dans un cas précis.

Exemple 1

Cambridge Certificate in Advanced English (CAE), épreuve 5 : Critères d'évaluation (1991).

Critères d'évaluation	Échelles en annexe	Autres catégories*
Aisance	Aisance	
Exactitude et étendue	Domaine général Étendue du vocabulaire Exactitude grammaticale Contrôle du vocabulaire	
Prononciation	Contrôle phonétique	
Réalisation de la tâche	Cohérence (Adéquation sociolinguistique)	Réussite de la tâche Besoin de l'aide de l'interlocuteur
Communication interactive	Stratégies de prise de parole Stratégies de coopération Développement thématique	Aisance et étendue de la participation

* Dans les exemples d'échelles, la notion de réussite de la tâche se trouve en relation avec les *Activités communicatives*. *Facilité et étendue de la participation* entre dans la catégorie *Aisance* de ces échelles. La tentative de rédaction et d'étalonnage des descripteurs correspondant à *Besoin de l'aide de l'interlocuteur* a échoué.

Exemple 2

International Certificate Conference (ICC) : Certificat d'anglais des affaires, Test 2 ; Conversation professionnelle (1987)

Critères d'évaluation	Échelles en annexe	Autres catégories
Échelle 1 (sans titre)	Adéquation sociolinguistique Exactitude grammaticale Contrôle du vocabulaire	Réussite de la tâche
Échelle 2 (Utilisation des éléments discursifs pour lancer et poursuivre une conversation)	Stratégies de prise de parole Stratégies de coopération Adéquation sociolinguistique	

Exemple 3

Eurocentres : évaluation de l'interaction en sous-groupes (RADIO) (1987)

Critères d'évaluation	Échelles en annexe	Autres catégories
Étendue	Domaine général Étendue du vocabulaire	
Exactitude	Exactitude grammaticale Contrôle du vocabulaire Adéquation sociolinguistique	
Débit	Aisance Contrôle phonétique	
Interaction	Stratégie de prise de parole Stratégie de coopération	

Exemple 4

Fonds national suisse de recherche scientifique : Évaluation de performances vidéo

Le contexte : ainsi que cela est précisé dans l'introduction de l'Annexe A, les descripteurs présentés ont été étalonnés au cours d'un projet de recherche en Suisse. À l'issue de ce travail, les professeurs qui y avaient participé ont été invités à un colloque pour la présentation des résultats et le lancement de l'expérimentation en Suisse d'un *Portfolio européen* des langues. Deux des sujets de débat du colloque furent **a.** le besoin de mettre en relation l'évaluation continue et les listes de contrôle pour l'auto-évaluation avec un cadre de référence général et, **b.** les moyens d'exploiter de différentes manières en évaluation les descripteurs étalonnés dans le projet. Au cours de cette discussion, on a visionné des vidéos d'apprenants réalisées pendant l'enquête et on les a évalués suivant la grille d'évaluation correspondant au Tableau 3 du Chapitre 3. Elle présente une sélection des exemples de descripteurs fusionnés et récrits.

Critères d'évaluation	Échelles en annexe	Autres catégories
Étendue	Domaine général Étendue du vocabulaire	
Exactitude	Exactitude grammaticale Contrôle du vocabulaire	
Aisance	Aisance	
Interaction	Interaction globale Tours de parole Coopération	
Cohérence	Cohérence	

Des systèmes différents, avec des apprenants différents, dans des contextes différents simplifient, choisissent et combinent les éléments de manière différente pour des types différents d'évaluation. En fait, non seulement la liste de quatorze catégories n'est pas trop longue, mais elle ne peut vraisemblablement pas tenir compte de toutes les variantes disponibles et elle devrait être augmentée pour devenir vraiment exhaustive.

Les utilisateurs du *Cadre de référence* envisageront et expliciteront selon le cas
- la façon dont les catégories théoriques sont simplifiées pour se transformer en approches opératoires dans leur système
- dans quelle mesure les principes essentiels utilisés comme critères d'évaluation dans leur système peuvent se situer, après adaptation locale, afin de tenir compte des domaines spécifiques d'utilisation, dans l'ensemble des catégories présentées au Chapitre 8 et pour lesquelles des échantillons d'échelles sont donnés en Annexe.

Cette annexe traite des aspects techniques de la description des niveaux de résultats en langues. On y débat de la **formulation des critères des descripteurs**, puis on y inventorie les méthodologies d'**élaboration des échelles**.

PANORAMA

FORMULATION DES DESCRIPTEURS

L'expérience de l'étalonnage en évaluation des langues, la théorie de l'étalonnage dans le champ plus étendu de la psychologie expérimentale et les préférences des enseignants lorsqu'ils sont consultés (par exemple, les schémas d'objectifs gradués du Royaume Uni ou le projet suisse) suggèrent la mise en œuvre des lignes directrices suivantes pour l'élaboration de descripteurs.

Lignes directrices

• **L'affirmation positive** : les échelles de compétences centrées sur l'examinateur, comme les barèmes de notation des examens, ont pour caractéristique commune une **formulation négative** des niveaux inférieurs qui sont ceux où se trouvent la majorité des apprenants. Il est, certes, plus difficile de définir un faible niveau de capacité en disant ce que l'apprenant est capable de faire plutôt que ce qu'il ne sait pas faire. Mais si l'on veut qu'une batterie d'échelles de compétences serve non seulement à répartir et classer des candidats mais aussi à définir des objectifs, il est alors préférable d'en avoir une **formulation positive**. On peut, dans certains cas, formuler le même point de manière négative et de manière positive, par exemple en relation avec *l'Étendue du discours* (voir Tableau A1).

Formulation positive	Formulation négative
– possède un répertoire de base de discours et de stratégies qui le rendent capable de faire face aux situations prévisibles de la vie quotidienne. *(Eurocentres Niveau 3 : certificat)* – possède un répertoire de base de discours et de stratégies suffisant pour la plupart des besoins de la vie quotidienne, mais doit généralement compromettre sur le message et chercher ses mots. *(Eurocentres Niveau 3 : grille de l'examinateur)*	– possède un répertoire de discours étroit qui l'oblige à reformuler et à chercher ses mots constamment. *(ESU Niveau 3)* – une compétence limitée provoque des ruptures de communication fréquentes et des malentendus dans les situations inhabituelles. *(Finlande Niveau 2)* – ruptures de communication dues aux contraintes que la langue impose au message. *(ESU Niveau)*
– le vocabulaire tourne autour de domaines tels que les objets usuels, les lieux et les liens de parenté les plus courants. *(ACTFL Débutant)*	– ne possède qu'un vocabulaire limité. *(Néerlandais Niveau 1)* – des mots et expressions de portée limitée gênent la communication de pensées et d'idées. *(Gothenburg U)*
– produit et reconnaît un ensemble de mots et de phrases appris par cœur. *(Trim 1978 Niveau 1)*	– ne peut produire que des énumérations de mots et des énoncés tout faits. *(ACTFL Débutant)*
– peut produire des expressions quotidiennes brèves afin de satisfaire des besoins concrets (dans le domaine de salutations, de l'information, etc.). *(Elviri – Milan Niveau 1 1986)*	– ne possède que le répertoire de langue le plus élémentaire sans aucune preuve ou peu de preuves de la maîtrise fonctionnelle du discours. *(ESU Niveau 1)*

Tableau A1 - Évaluation : critères positifs et négatifs

Une difficulté supplémentaire à éviter les formulations négatives provient du fait que certains traits de la compétence communicative langagière ne sont pas cumulatifs : moins il y en a, mieux c'est. L'exemple le plus évident peut être trouvé dans ce que l'on nomme quelquefois **l'Indépendance**, c'est-à-dire la mesure dans laquelle l'apprenant dépend **a.** de l'adaptation du discours de l'interlocuteur ; **b.** de la possibilité de faire clarifier et, **c.** de la possibilité de se faire aider pour dire ce qu'il/elle veut dire. Ces points peuvent souvent apparaître sous forme de conditions rattachées à des descripteurs formulés de manière positive, par exemple :
« *En règle générale, peut comprendre un discours clair et standard sur des sujets familiers et qui lui est destiné, à condition de pouvoir faire répéter ou reformuler de temps en temps.*
Peut comprendre ce qui lui est dit directement, clairement et lentement dans une conversation quotidienne courante ; peut être aidé à comprendre si l'interlocuteur s'en donne la peine. »
ou
« *Peut interagir avec une relative aisance dans des situations structurées et de courtes conversations, à condition d'être aidé par l'interlocuteur le cas échéant.* »

• **La précision** : les descripteurs doivent décrire les traits concrets de la performance, des tâches concrètes et/ou des niveaux concrets de capacité à réaliser les performances. Il faut ici noter deux points. D'abord, le descripteur doit éviter le flou comme, par exemple « *Peut utiliser une gamme de stratégies appropriées* ». Comment entend-on « stratégie » ? « Appropriées » à quoi ? Quel sens devons-nous donner à « gamme » ? Le problème des descripteurs flous réside dans leur facilité de lecture qui les rend aisément acceptables et peut cacher le fait que chacun les interprète différemment. En second lieu, le principe est admis depuis les années 1940 que la distinction des degrés sur une échelle ne saurait dépendre du remplacement d'un qualificatif comme « quelques » ou « certain » par « de nombreux » ou « la plupart », ou encore « assez large » par « très large » ou « moyen » par « bon » au niveau supérieur. Les distinctions doivent être réelles, pas seulement verbales, et cela peut signifier que des différences concrètes et significatives ne puissent pas toujours être marquées.

• **La clarté** : les descripteurs doivent être transparents et non jargonnants. Mise à part la barrière de la compréhension, on se rend quelquefois compte que lorsqu'on a débarrassé un descripteur impressionnant de son jargon, il n'en reste pas grand-chose. Ils doivent aussi être rédigés en phrases simples et avoir une structure logique explicite.

• **La brièveté** : il y a deux écoles de pensée, dont l'une est associée aux échelles holistiques, notamment celles que l'on utilise aux États-Unis et en Australie. On essaie de produire un long paragraphe qui couvre, de manière exhaustive, ce que l'on considère être les traits essentiels. Ces échelles parviennent à la « précision » à l'aide d'un inventaire exhaustif qui a pour but de faire un portrait détaillé de l'apprenant-type à un niveau donné et que l'examinateur puisse reconnaître. En conséquence, elles constituent des sources particulièrement riches de descriptions. Les deux inconvénients d'une approche de ce type sont, toutefois, d'une part, qu'aucun individu ne saurait être effectivement « typique » car les traits isolés se combinent toujours de façon différente et, d'autre part, qu'il est pratiquement impossible de se référer à un descripteur de plus de deux phrases pendant les opérations d'évaluation. Finalement, il apparaît que les enseignants préfèrent logiquement des descripteurs courts : lors du travail de production qui a débouché sur les exemples d'échelles, les enseignants avaient tendance à rejeter les descripteurs de plus de 25 mots (environ deux lignes dactylographiées normales) ou à les découper.

• **L'indépendance** : les descripteurs courts ont deux avantages supplémentaires. D'abord, il est probable qu'ils décrivent un comportement fondamental – c'est-à-dire pour lequel on puisse dire si oui ou non la personne est capable de faire. En conséquence, ils peuvent être utilisés comme critères dans des aide-mémoire ou des questionnaires à l'usage de l'enseignant pour une évaluation continue et/ou une auto-évaluation. Ce type d'indépendance indique qu'un descripteur dit vraiment quelque chose et peut servir d'objectif sans être obligatoirement lié à la formulation d'autres descripteurs de l'échelle. Cette caractéristique ouvre un champ de possibilités d'exploitation dans différentes formes d'évaluation (voir Chapitre 9).

Les utilisateurs du *Cadre de référence* envisageront et expliciteront selon le cas
- quels sont les critères les plus pertinents et quels sont ceux qui sont implicitement ou explicitement utilisés dans leur situation
- dans quelle mesure il est souhaitable et faisable que les formulations, dans leur système, correspondent à des critères tels que ceux que l'on vient d'énoncer.

MÉTHODOLOGIES DE L'ÉLABORATION DES ÉCHELLES

L'existence d'une série de niveaux présuppose que certaines choses peuvent être placées à un niveau plutôt qu'à un autre et que les descriptions d'un niveau donné d'habileté dans la performance de ces choses appartiennent à ce niveau plutôt qu'à un autre. Ceci suppose que l'on applique de manière consistante une forme d'étalonnage. Il existe plusieurs façons possibles de placer des descriptions de compétence langagière à des niveaux différents.

Les méthodes existantes peuvent se répartir en trois groupes ; méthodes intuitives, méthodes qualitatives et méthodes quantitatives. La plupart des échelles de compétence langagière disponibles, ainsi que d'autres ensembles hiérarchisés de niveaux, ont été élaborées selon l'une des trois méthodes intuitives du premier groupe. Le mieux est de combiner les trois approches dans un processus cumulatif de complémentarité. Les méthodes qualitatives nécessitent la préparation et la sélection intuitives du matériel et l'interprétation intuitive des résultats. Les méthodes quantitatives devront quantifier de manière qualitative un matériel prétesté et elles nécessiteront l'interprétation intuitive des résultats. Ainsi une **combinaison des approches** intuitive, qualitative et quantitative a présidé à l'élaboration des *Niveaux communs de référence*.

Points de départ possibles

Si l'on utilise les méthodes qualitative et quantitative il y a alors deux points de départ possibles ; les descripteurs ou les échantillons de performances.

• **Descripteurs comme point de départ** ; un point de départ possible consiste à examiner ce que l'on souhaite décrire puis écrire, recueillir ou mettre en forme des ébauches de descripteurs pour les catégories qui serviront de support à la phase qualitative. **Les méthodes 4 et 9**, la première et la dernière dans le groupe qualitatif ci-après, sont des exemples de cette approche, approche particulièrement adaptée pour l'élaboration de descripteurs de catégories liées à un programme telles que les activités langagières communicatives, mais qui peut aussi servir à élaborer des descripteurs pour les aspects de la compétence. L'avantage de prendre les catégories et les descripteurs comme points de départ est de permettre de parvenir à des définitions théoriquement équilibrées.

• **Échantillons de performances comme points de départ** : l'alternative, dont on ne peut se servir que pour l'élaboration de descripteurs d'évaluation de performances, est de prendre un échantillon représentatif de performances comme point de départ. On peut, dans ce cas, demander à des examinateurs représentatifs ce qu'ils constatent en travaillant sur les échantillons (plan qualitatif). **Les méthodes 5 à 8** ci-dessous sont des variantes de cette idée. On peut aussi se contenter de demander aux examinateurs d'évaluer les échantillons et d'utiliser ensuite une méthode statistique appropriée pour identifier quels sont les traits fondamentaux sur lesquels ils fondent leurs décisions (plan quantitatif). **Les méthodes 10 et 11** fournissent des exemples de cette approche. L'avantage de l'analyse d'échantillons de performances est de pouvoir parvenir à des descriptions très concrètes fondées sur des données.

La méthode 12, (la dernière) est en fait la seule qui étalonne les descripteurs au sens mathématique du terme. C'est celle que l'on a utilisée pour l'élaboration des *Niveaux communs de référence*, après la **méthode 2** *(intuitive)* et les **méthodes 8 et 6** *(qualitatives)*. Cependant, la même méthode statistique peut être également utilisée après l'élaboration d'une échelle afin de valider son usage dans la pratique et de repérer les besoins de révision.

Méthodes intuitives

Ces méthodes n'exigent aucun recueil méthodique de données. Elles ont seulement pour principe l'**interprétation de l'expérience**.

N° 1 **Expert** : on demande à quelqu'un de rédiger une échelle, ce qui peut être fait par la consultation d'échelles existantes, de programmes et de toute autre source de matériel pertinent, vraisemblablement après avoir entrepris une analyse des besoins du groupe cible en question. On peut alors expérimenter et réviser l'échelle en interrogeant des informateurs.

N° 2 Commission : il s'agit d'un petit groupe d'experts, entouré d'un groupe plus important de consultants. Les ébauches font l'objet de commentaires de la part des consultants. Ces derniers peuvent fonctionner intuitivement sur la base de leur expérience et/ou sur la base de la comparaison d'apprenants ou d'échantillons de performances. Les faiblesses des échelles du programme d'apprentissage des langues vivantes dans les écoles secondaires produites par des Commissions au Royaume-Uni et en Australie sont commentées par Gipps (1994) et Scarino (1996/1997).

N° 3 Expérimentation : un petit groupe de gens se réunit en commission (mais la procédure prend un temps considérable dans le cadre d'une institution et/ou d'un contexte d'évaluation spécifique avant que se développe un « consensus maison ») afin de parvenir à une même compréhension des niveaux et des critères. L'expérimentation systématique et le feed-back peuvent permettre ensuite un affinement de la formulation. Des groupes d'évaluateurs peuvent discuter des performances en regard des définitions, et des définitions en regard des échantillons de performances. C'est de cette façon qu'ont été traditionnellement élaborées les échelles de compétence ; Wilds, 1975 ; Ingram, 1985 ; Liskin-Gasparro, 1984 ; Lowe, 1985/1986.

Méthodes qualitatives

Toutes ces méthodes impliquent des ateliers de travail réduits avec des groupes d'informateurs et une **interprétation qualitative** plutôt que statistique des informations recueillies.

N° 4 Concept-clé : formulation. Une fois que l'on dispose d'une ébauche d'échelle, une technique simple consiste à la découper et à demander à des informateurs représentatifs des utilisateurs
a. de **classer** les définitions dans ce qu'ils jugent être l'ordre convenable
b. de **justifier** ce jugement puis, une fois révélée la différence entre l'ordre qu'ils ont choisi et l'ordre prévu
c. d'**identifier** quels sont les points clés qui les ont aidés ou embrouillés.
On peut quelquefois raffiner en supprimant un niveau et en donnant une tâche secondaire là où la distance entre deux niveaux révèle la suppression d'un niveau entre les deux. Les échelles de certification des Eurocentres ont été élaborées ainsi.

N° 5 Concept-clé : performances. On apparie les descripteurs et des performances types dans le cadre de chaque niveau afin d'assurer la cohérence entre ce qui a été décrit et ce qui s'est passé. Quelques-uns des *Guides de l'examinateur* de Cambridge font passer les professeurs par ces opérations en comparant la formulation des échelles aux notes attribuées à un certain nombre de copies. Les descripteurs de *l'International English Language Testing System* (IELTS) ont été élaborés en demandant à des groupes de correcteurs expérimentés d'identifier des « échantillons de copies-clés » pour chaque niveau et de se mettre d'accord sur les « points-clés » de chaque copie ; les traits considérés comme caractéristiques de niveaux différents sont alors identifiés au cours de discussions et entrent dans les descripteurs ; Alderson, 1991 ; Shohamy *et al.*, 1992.

N° 6 Trait primaire. Des informateurs individuels classent des productions (généralement écrites), puis se négocie un classement commun. Le principe selon lequel les écrits ont été effectivement triés est alors identifié et décrit pour chaque niveau – en prenant soin de mettre en évidence les traits marquants de chaque niveau. Ce que l'on a décrit, c'est le trait (construct) qui détermine le classement (Mullis, 1980).
Une variante courante consiste à trier en piles plutôt que selon le rang. Il existe aussi une variante multidimensionnelle intéressante de l'approche classique. On y détermine d'abord quels sont les traits les plus significatifs par l'identification des concepts-clés (n° 5 ci-dessus). On met ensuite les échantillons en ordre pour chaque trait séparément. On a ainsi, à la fin, **une échelle analytique à traits multiples** plutôt qu'une échelle globale avec un trait principal.

N° 7 Décisions binaires. Une autre variante de la méthode fondée sur un trait principal consiste à trier d'abord les échantillons représentatifs en *piles par niveaux*. On identifie ensuite les concepts-clés (comme au n° 5 ci-dessus) au cours d'un débat focalisé sur la limite entre les niveaux. Cependant, le trait en question est alors formulé comme une brève question critériée de type Oui/Non. On construit ainsi **une arborescence de choix binaires**. Cette méthode fournit à l'examinateur un algorithme de décisions à suivre (Upshur et Turner, 1995).

N° 8 Jugements comparatifs. Des groupes discutent deux performances et explicitent laquelle est la meilleure et pour quelles raisons afin de repérer le métalangage utilisé par les correcteurs et les traits marquants de chaque niveau. Ces traits peuvent alors apparaître dans les descripteurs (Pollitt et Murray, 1996).

N° 9 Tri de tâches. Lorsqu'on dispose d'une ébauche des descripteurs, on peut demander aux informateurs de les classer selon les catégories et/ou les niveaux qu'ils sont censés décrire. On peut également demander aux informateurs de commenter les façons possibles d'ajuster, amender et/ou de rejeter les descripteurs et d'identifier ceux qui sont particulièrement clairs, utiles, pertinents, etc. Le fonds de descripteurs d'où ont été extraites les échelles illustratives a été élaboré, sélectionné et préparé de cette manière (Smith et Kendall, 1963 ; North, 1996/2000).

Méthodes quantitatives

Ces méthodes supposent une quantité importante d'**analyse statistique** et une **interprétation prudente** des résultats.

N° 10 Analyse discriminante. Dans un premier temps, on soumet à une analyse de discours détaillée un échantillon de performances qui ont déjà été notées (de préférence par un groupe). Cette analyse qualitative identifie l'incidence de différents traits qualitatifs et en fait le décompte. On utilise alors la régression multiple afin de décider lesquels des traits identifiés sont significatifs en ce qu'ils déterminent apparemment la note attribuée par les examinateurs. Ces **traits-clés** entrent alors dans la formulation des descripteurs à chaque niveau (Fulcher, 1996).

N° 11 Étalonnage multidimensionnel. En dépit de son nom, il s'agit là d'une technique descriptive pour identifier les **concepts-clés** et leurs relations. On évalue les performances avec une échelle analytique de plusieurs catégories. Le produit de la technique d'analyse montre quelles catégories ont effectivement servi à déterminer le niveau et fournit un diagramme dessinant la proximité ou l'éloignement des différentes catégories entre elles. Il s'agit là d'une technique de recherche pour identifier et valider les critères saillants (Chaloub-Deville, 1995).

N° 12 Analyse théorique de réponse aux items (*Item Response Theory* – IRT). L'IRT est une théorie relativement récente qui propose un ensemble apparenté de modèles de mesure ou d'étalonnage dont le plus simple et le plus solide est le modèle de Rasch, du nom de George Rasch, mathématicien danois. L'IRT, développement de la théorie des probabilités, est essentiellement utilisée pour déterminer la difficulté d'items isolés dans une banque d'items. Si vous êtes à un niveau avancé, vos chances de répondre à une question élémentaire sont élevées ; si vous êtes débutant, vos chances de répondre à un item avancé sont très faibles. Le modèle de Rasch a permis de convertir ce fait très simple en une **méthodologie de l'étalonnage** qui peut être utilisée pour calibrer des items sur une même échelle. Une utilisation de cette approche permet de l'utiliser pour étalonner aussi bien des descripteurs de compétence communicative que des items de tests.

Avec le modèle de Rasch, on peut constituer une chaîne de tests et de questionnaires différents en utilisant des « **items d'ancrage** » communs à deux parties de la chaîne. Dans le diagramme ci-dessous, ces items d'ancrage apparaissent en grisé. Ainsi, chaque partie peut avoir pour cible un groupe particulier d'apprenants et être néanmoins reliée à une échelle commune. Il faut toutefois se méfier de cette méthode qui déforme les résultats pour les notes les plus élevées et les notes les plus faibles de chaque test ou questionnaire.

L'avantage du modèle de Rasch est de pouvoir fournir une mesure indépendante des échantillons et de l'échelle, c'est-à-dire un échelonnage indépendant des échantillons ou des tests/questionnaires utilisés pour l'analyse : les valeurs de l'échelle sont fournies et restent constantes pour tous les groupes à venir, à condition que ces sujets à venir soient traités comme de nouveaux groupes dans le cadre de la même population statistique. Les glissements automatiques de valeurs qui ont lieu avec le temps (par exemple à cause d'un changement de programme ou dans la formation des examinateurs) peuvent être pris en compte, quantifiés et réajustés. De même, la variation automatique entre les types d'apprenants ou d'examinateurs peut être quantifiée ou ajustée (Wright et Masters, 1982 ; Lincare, 1989).

On peut appliquer l'analyse de Rasch aux échelles de descripteurs de différentes façons.
a. Avec le modèle de Rasch, les données qualitatives des techniques numéros 6, 7 ou 8 peuvent être reportées sur une échelle arithmétique.
b. On peut s'appliquer à élaborer des tests afin de rendre opérationnels les descripteurs de compétence, notamment dans les items. On peut alors étalonner ces items en s'appuyant sur Rasch et prendre leur valeur sur l'échelle pour indiquer la difficulté relative des descripteurs (Brown et *al*. 1992 ; Carroll, 1993 ; Masters, 1994 ; Kirsch, 1995 ; Kirsch et Mosenthal, 1995).
c. On peut utiliser les descripteurs comme items de questionnaire pour l'évaluation des apprenants par leur enseignant (« *Est-il/elle ou non capable de faire ceci ou cela ?* »). Les descripteurs peuvent être ainsi calibrés directement sur une échelle arithmétique, de la même façon que les items d'évaluation sont étalonnés dans des banques d'items.
d. Les échelles de descripteurs des Chapitres 3, 4 et 5 ont été élaborées de cette façon. Les trois projets décrits dans les Annexes B, C et D ont utilisé le modèle de Rasch pour étalonner les descripteurs et pour comparer les échelles ainsi obtenues entre elles.

Outre son utilité pour l'établissement d'une échelle, le modèle de Rasch peut aussi servir à l'analyse de la façon dont les degrés d'une échelle d'évaluation sont effectivement utilisés. Cela peut aider à mettre en évidence une formulation relâchée, un degré trop ou insuffisamment développé et apporter des données en vue d'une révision (Davidson, 1992 ; Milanovic et *al*. 1996 ; Stansfield et Kenyon, 1996 ; Tyndall et Kenyon, 1996).

Les utilisateurs du *Cadre de référence* envisageront et expliciteront selon le cas
- **dans quelle mesure les notes attribuées dans leur système d'évaluation ont le même sens, par le biais de définitions communes**
- **lesquelles des méthodes décrites ci-dessus – ou quelles autres méthodes – sont utilisées pour parvenir à de telles formulations.**

BIBLIOGRAPHIE SÉLECTIVE COMMENTÉE :
ÉCHELLES DE COMPÉTENCES LANGAGIÈRES

ALDERSON J. C., Bands and scores, *in* Alderson J.C & North B. (sous la direction de): *Language Testing in the 1990s,* London, British Council / Macmillan, Developments in ELT, 71-86 (1991).
> Traite des problèmes soulevés par la confusion des objectifs et de l'orientation ainsi que de l'élaboration des échelles de production orale de l'IELTS.

BRINDLEY G., Defining language ability: the criteria for criteria, *in* Anivan, S. (sous la direction de) *Current Developments in Language Testing*, Singapore, Regional Language Centre (1991).
> Critique raisonnée de la revendication des échelles de compétences à refléter une évaluation critériée.

BRINDLEY, G., Outcomes-based assessment and reporting in language learning programmes, a review of the issues, *Language Testing* 15 (1), 45-85 (1998).
> Critique la centration sur les productions en termes de ce que les apprenants sont capables de faire plutôt que sur les aspects de la mise en place de la compétence.

BROWN A., ELDER C., LUMLEY T., MCNAMARA T. & MCQUEEN J., *Mapping abilities and skill levels using Rasch techniques*, Paper presented at the 14th Language Testing Research Colloquium, Vancouver, Reprinted in *Melbourne Papers in Applied Linguistics* 1/1, 37-69 (1992).
> Utilisation classique du modèle de Rasch pour des items de tests afin de produire une échelle de compétence des activités de compréhension de l'écrit évaluées dans les différents items.

CARROLL J.-B., Test theory and behavioural scaling of test performance, *in* Frederiksen N., Mislevy R.J. & Bejar I.I. (sous la direction de) *Test theory for a new generation of tests*, Hillsdale N.J. Lawrence Erlbaum Associates, 297-323 (1993).
> Article fondateur qui recommande l'utilisation du modèle de Rasch pour étalonner les items de tests et produire ainsi une échelle de compétence.

CHALOUB-DEVILLE M., Deriving oral assessment scales across different tests and rater groups, *Language Testing* 12 (1), 16-33 (1995).
> Étude qui met à jour les critères auxquels se réfèrent les locuteurs natifs d'arabe quand ils évaluent les apprenants. C'est en fait l'unique application d'un étalonnage multi-dimensionnel à l'évaluation en langues.

DAVIDSON F., Statistical support for training in ESL composition rating, *in* Hamp-Lyons (sous la direction de), *Assessing second language writing in academic contexts,* Norwood N.J. Ablex, 155-166 (1992).
> Compte rendu très clair de la façon de valider une échelle d'évaluation selon une démarche cyclique avec le modèle de Rasch. Défend une approche « sémantique » de l'étalonnage plutôt que l'approche « concrète » des exemples de descripteurs, par exemple.

FULCHER, Does thick description lead to smart tests? A data-based approach to rating scale construction, *Language Testing* 13 (2), 208-38 (1996).
> Approche systématique de l'élaboration des descripteurs et des échelles fondée sur une analyse appropriée de ce qui se passe réellement lors de la performance. Méthode particulièrement lourde.

GIPPS C., *Beyond testing*, London, Falmer Press (1994).
> Présentation de « l'évaluation centrée sur la norme » assurée par l'enseignant en relation à des points de référence communs établis par le maillage d'un réseau. Étude des problèmes que causent des descripteurs imprécis dans le Programme national anglais. Croisement de référentiels.

KIRSCH I.S., Literacy performance on three scales: definitions and results, *in Literacy, economy and society: Results of the first international literacy survey*, Paris, Organisation for Economic Cooperation and development (OECD), 27-53 (1995).
> Compte rendu simple de vulgarisation sur une utilisation perfectionnée du modèle de Rasch afin de produire une échelle de niveaux à partir de données de tests. Méthode mise en place pour prévoir et expliquer la difficulté d'items de tests nouveaux dans les tâches et les compétences concernées – c'est-à-dire en relation à un cadre de référence.

KIRSCH I.S. & MOSENTHAL P.B., Interpreting the IEA reading literacy scales, *in* Binkley M., Rust. K. & Wingleee M. (sous la direction de) *Methodological issues in comparative educational studies: The case of the IEA reading literacy study*, Washington D.C. – US Department of Education, National Center for Education Statistics, 135-192 (1995).
> Version plus détaillée et plus technique que celle de l'article ci-dessus retraçant la mise en place de la méthode à partir de trois projets convergents.

LINACRE J. M., *Multi-faceted Measurement*, Chicago, MESA Press (1989).
> Étude capitale en termes de statistiques permettant de tenir compte de la sévérité des examinateurs lorsqu'ils rendent compte des résultats d'une évaluation.
> Application au projet d'élaboration des exemples de descripteurs pour confronter la relation des niveaux et du niveau scolaire.

LISKIN-GASPARRO J. E., The ACTFL proficiency guidelines: Gateway to testing and curriculum, *in Foreign Language Annals* 17/5, 475-489 (1984).
> Exposition à grands traits des objectifs et de l'élaboration de l'échelle américaine de l'ACTFL à partir de l'échelle apparentée du Foreign Service Institute (FSI).

LOWE P., The ILR proficiency scale as a synthesising research principle: the view from the mountain, *in* James C.J. (sous la direction de), *Foreign Language Proficiency in the Classroom and Beyond,* Lincolnwood (Ill.), National Textbook Company (1985).
> Description détaillée de l'élaboration de l'échelle de l'US Interagency Language Roundtable (ILR) à partir de l'échelle originelle du FSI. Fonctions de l'échelle.

LOWE P., Proficiency: panacea, framework, process? A Reply to Kramsch, Schulz, and particularly, to Bachman and Savignon, in *Modern Language Journal* 70/4, 391-397 (1986).
> Défense d'un système qui a bien fonctionné – dans une situation donnée – malgré la critique universitaire provoquée par la diffusion de l'échelle et de sa méthodologie questionnante en éducation (avec l'ACTFL).

MASTERS G., Profiles and assessment. *Curriculum Perspectives* 14,1, 48-52 (1994).
> Bref compte rendu de l'utilisation du modèle de Rasch pour étalonner des résultats de tests et l'évaluation par les enseignants afin de créer un système descriptif de programme en Australie.

MILANOVIC M., SAVILLE N., POLLITT A. & COOK A., Developing rating scales for CASE: Theoretical concerns and analyses, in Cumming, A. and Berwick, R. *Validation in language testing,* Clevedon, Avon, Multimedia Matters, 15-38 (1996).
> Compte rendu classique de l'utilisation du modèle de Rasch afin d'affiner une échelle d'évaluation utilisée avec un test d'expression orale – et réduisant le nombre de niveaux sur l'échelle au nombre que les examinateurs peuvent effectivement maîtriser.

MULLIS I. V.S., *Using the primary trait system for evaluating writing,* Manuscript n° 10-W-51, Princeton N.J.: Educational Testing Service (1981).
> Compte rendu classique de la méthodologie fondamentale pour la production écrite en langue maternelle afin d'élaborer une échelle d'évaluation.

NORTH B., *The development of descriptors on scales of proficiency: perspectives, problems, and a possible methodology,* NFLC Occasional Paper, National Foreign Language Center, Washington D.C., April 1993.
> Critique du contenu et de la méthodologie d'élaboration des échelles de compétences traditionnelles. Proposition d'un projet d'élaboration, avec des enseignants, d'exemples de descripteurs et leur étalonnage selon le modèle de Rasch à partir des évaluations des enseignants.

NORTH B., *Scales of language proficiency: a survey of some existing systems,* Strasbourg, Council of Europe CC-LANG (94) 24 (1994).
> Vue d'ensemble des échelles de programmes et d'évaluation analysées et utilisées ultérieurement comme point de départ du projet d'élaboration d'exemples de descripteurs.

NORTH B., *The development of a common framework scale of language proficiency,* PhD Thesis, Thames Valley University, Reprinted 2000, New York, Peter Lang (1996/2000).
> Étude d'échelles de compétence et de leur relation aux modèles de compétence et à l'utilisation de la langue. Compte rendu détaillé des étapes de développement du projet qui a débouché sur les exemples de descripteurs, problèmes soulevés, solutions trouvées.

NORTH B., *Scales for rating language performance in language tests: descriptive models, formulation styles and presentation formats,* TOEFL Research Paper, Princeton NJ; Educational Testing Service (en préparation).
> Analyse détaillée et panorama historique des types d'échelles d'évaluation utilisées avec les tests d'expression orale et écrite: avantages, inconvénients, pièges, etc.

NORTH B. & SCHNEIDER G., Scaling descriptors for language proficiency scales. *Language Testing* 15/2: 217-262 (1998).
> Présentation d'ensemble du projet qui a débouché sur les exemples de descripteurs. Étude des résultats et de la stabilité des échelles. Exemples d'outils et de productions en annexe.

POLLITT A. & MURRAY N. L., What raters really pay attention to, *in* Milanovic M. & Saville N. (sous la direction de), *Performance testing, cognition and assessment,* Studies in *Language Testing* 3. Selected papers from the 15th Language Testing Research Colloquium, Cambridge and Arnhem, 2-4 August 1993, Cambridge, University of Cambridge Local Examinations Syndicate, 74-91 (1996).
> Article méthodologique intéressant qui établit un lien entre l'analyse de grilles classiques et une technique d'étalonnage simple afin de repérer ce sur quoi les correcteurs centrent leur attention à différents niveaux de compétence.

SCARINO A., Issues in planning, describing and monitoring long-term progress in language learning, *in* Proceedings of the AFMLTA 10th National Languages Conference: 67-75 (1996).
> Critique l'usage d'une formulation imprécise et l'absence d'information sur la qualité des performances des apprenants dans des spécifications de profils curriculaires caractéristiques au Royaume-Uni et en Australie pour l'évaluation par l'enseignant.

SCARINO A., Analysing the language of frameworks of outcomes for foreign language learning, *in* Proceedings of the AFMLTA 11th National Languages Conference, 241-258 (1997).
> Comme ci-dessus.

SCHNEIDER G. & NORTH B., « *In anderen Sprachen kann ich* » ...Skalen zur Beschreibung, Beurteilung und Selbsteinschätzung der fremdsprachlichen Kommunikationsfähigkeit, Bern/ Aarau, NFP 33 / SKBF (Umsetzungsbericht) (1999).
> Bref compte rendu du projet qui a produit les échelles de démonstration. Présente également la version suisse du Portfolio (40 pages A5).

SCHNEIDER G. & NORTH B., « Dans d'autres langues, je suis capable de …» Échelles pour la description, l'évaluation et l'auto-évaluation des compétences en langues étrangères, Berne/Aarau PNR33/CSRE (rapport de valorisation) (2000).
> Comme ci-dessus.

SCHNEIDER G. & NORTH B., *Fremdsprachen können – was heisst das? Skalen zur Beschreibung, Beurteilung und Selbsteinschätzung der fremdsprachlichen Kommunikationsfähigkeit,* Chur/Zürich, Verlag Rüegger AG (2000).
> Rapport complet du projet qui a produit les échelles de démonstration. Un chapitre simple et clair sur l'étalonnage en anglais. Présente également la version suisse du Portfolio.

SKEHAN P., Issues in the testing of English for specific purposes, in *Language Testing* 1/2, 202-220 (1984).
> Critique l'aspect normatif et la formulation imprécise des échelles de l'ELTS.

SHOHAMY E., GORDON C.M. & KRAEMER R., The effect of raters' background and training on the reliability of direct writing tests, *Modern Language Journal* 76, 27-33 (1992).
> Compte rendu très lisible de la méthode qualitative fondamentale d'élaboration d'une échelle analytique de l'écrit. A conduit à une fiabilité étonnante de correcteurs non professionnels et non formés entre eux.

SMITH P. C. & KENDALL J.M., Retranslation of expectations: an approach to the construction of unambiguous anchors for rating scales, *in Journal of Applied Psychology,* 47/2 (1963).
> La première approche de descripteurs étalonnés à la place d'échelles simples. Article fondateur. Lecture très difficile.

STANSFIELD C.W. & KENYON D.M., Comparing the scaling of speaking tasks by language teachers and the ACTFL guidelines, *in* Cumming A. & Berwick R. *Validation in language testing,* Clevedon, Avon, Multimedia Matters, 124-153 (1996).
> Utilisation du modèle de Rasch pour confirmer l'ordre de classement de tâches qui apparaissent dans les instructions de l'ACTFL. Étude méthodologique intéressante dont s'est inspiré le projet dans son approche pour l'élaboration des exemples de descripteurs.

TAKALA S. & KAFTANDJIEVA F., Council of Europe scales of language proficiency: A validation study, *in* Alderson J.C. (sous la direction de), *Case studies of the use of the Common European Framework,* Council of Europe (en préparation).
> Rapport sur l'utilisation d'un développement du modèle de Rasch pour étalonner des auto-évaluations en langue en relation à des adaptations des exemples de descripteurs. Contexte: le projet DIALANG; expérimentations relatives au finlandais.

TYNDALL B. & KENYON D., Validation of a new holistic rating scale using Rasch multifaceted analysis, *in* Cumming,A. & Berwick R., *Validation in language testing,* Clevedon, Avon, Multimedia Matters, 9-57 (1996).
> Compte rendu simple de la validation d'une échelle pour des entretiens de sélection en anglais seconde langue (ESL) pour l'entrée à l'université. Utilisation traditionnelle de certains aspects du modèle de Rasch pour identifier les besoins de formation.

UPSHUR J. & TURNER C., Constructing rating scales for second language tests, *English Language Teaching Journal* 49 (1), 3-12(1995).
> Développement élaboré de la technique du trait primaire pour produire des tableaux de décisions binaires. Très approprié au secteur scolaire.

WILDS C.P., The oral interview test, *in* Spolsky B. & Jones R. (sous la direction de), *Testing language proficiency,* Washington D.C., Center for Applied Linguistics, 29-44 (1975).
> La publication originale de l'échelle originale de compétence en langue. Mérite une lecture attentive pour retrouver les nuances perdues depuis dans la plupart des approches sur entretiens.

Cette annexe présente une **description du projet suisse** au cours duquel ont été élaborées les échelles de démonstration du *Cadre européen commun de référence*. On y trouvera également la liste des catégories étalonnées avec renvoi à la page du présent document où elles se trouvent. Les descripteurs de ce projet ont été étalonnés et utilisés pour créer les niveaux du *Cadre européen commun de référence* en suivant la méthode n° 12 c (modèle de Rasch) exposée à la fin de l'Annexe A.

PANORAMA

LE PROJET DE RECHERCHE SUISSE

Origine et contexte

Les échelles de descripteurs contenues dans les Chapitres 3, 4 et 5 ont été conçues sur la base de l'ensemble des résultats de la recherche menée entre 1993 et 1996 dans le cadre d'un projet du Fonds national suisse de recherche scientifique. Ce projet a été lancé à la suite du Symposium de Rüschlikon de 1991 pour énoncer clairement les compétences de différents aspects du schéma descriptif du *Cadre européen commun de référence* et, éventuellement, préparer le terrain pour l'élaboration d'un « **Portfolio européen des langues** ».

Une étude datée de 1994 portait sur *Interaction* et *Production* et se limitait à l'anglais langue étrangère et à l'évaluation assurée par les enseignants. En 1995, une deuxième étude reprend partiellement la précédente en y ajoutant la *Réception* mais, outre l'anglais, les capacités en français et en allemand y sont étudiées et l'on ajoute à l'évaluation par les enseignants, l'auto-évaluation et des informations provenant d'examens divers (Cambridge ; Gœthe ; DELF/DALF).

Environ 300 professeurs et 2 800 apprenants, représentant approximativement 500 classes, ont été impliqués dans les deux études. La population faisant l'objet de l'étude comprenait des apprenants du premier et du second cycles du secondaire, de l'enseignement technique et de la formation continue dans les proportions suivantes.

	Premier cycle du secondaire	Second cycle du secondaire	Enseignement technique	Formation continue
1994	35 %	19 %	15 %	31 %
1995	24 %	31 %	17 %	28 %

Des professeurs enseignant dans les régions germanophone, francophone, italophone et romanophone de la Suisse ont également participé, même si les chiffres traités pour ces deux dernières régions ne sont pas très élevés. Pour chacune des deux années, environ un quart des professeurs enseignaient leur langue maternelle. Les enseignants ont rempli des questionnaires dans la langue cible. Ainsi donc si, en 1994, les descripteurs n'ont été utilisés que pour l'anglais, en 1995 ils ont été complétés pour le français et l'allemand.

Méthodologie

En bref, le projet s'est déroulé selon la méthodologie suivante.

Étape intuitive

1. Analyse détaillée des **échelles de compétence** en langues du domaine public, accessibles grâce aux contacts du Conseil de l'Europe en 1993 ; la liste en est donnée plus loin.
2. Déconstruction de ces échelles afin de créer un **fonds initial de descripteurs** rédigés et classés selon les catégories descriptives des Chapitres 4 et 5.

Étape qualitative

3. Analyse du contenu d'enregistrements d'enseignants traitant et comparant les capacités manifestées lors d'enregistrements vidéo afin de vérifier que le métalangage des praticiens est bien celui des descripteurs.
4. Trente-deux ateliers de travail d'enseignants pour
   a. répartir les descripteurs dans les catégories qu'ils étaient censés décrire
   b. émettre des jugements qualitatifs sur la clarté, l'exactitude et la pertinence de la description et
   c. trier les descripteurs selon des degrés de capacité.

Étape quantitative

5. À la fin de l'année, évaluation par les enseignants d'apprenants représentatifs en utilisant des séries de questionnaires qui se chevauchaient et composés des descripteurs que les enseignants, lors des ateliers avaient trouvés les plus clairs, les mieux ciblés et les plus pertinents. La première année, on a utilisé une série de sept questionnaires composés de 50 descripteurs chacun pour couvrir l'étendue des compétences d'apprenants ayant eu 80 heures d'apprentissage de l'anglais jusqu'à des locuteurs avancés.
   La deuxième année, on a utilisé une série différente de cinq questionnaires. Les deux enquêtes étaient liées par le fait que les descripteurs d'interaction orale étaient réutilisés la deuxième année. Les apprenants ont été évalués pour chaque descripteur sur une échelle de 0 à 4 qui décrivait la relation aux conditions d'exécution dans lesquelles on pouvait attendre que leur performance soit celle décrite dans le descripteur. On a analysé l'interprétation que les enseignants avaient des descripteurs selon le modèle de Rasch. Cette analyse avait un double but.
   a. Classer mathématiquement, pour chaque descripteur, un « indice de difficulté ».
   b. Identifier statistiquement la variation significative de l'interprétation des descripteurs par rapport aux différents secteurs éducatifs, régions linguistiques et langues cibles afin de repérer les descripteurs ayant un indice de stabilité élevé dans les contextes différents à utiliser pour l'élaboration d'échelles globales qui résument les *Niveaux communs de référence*.
6. Évaluation, par tous les enseignants participant à la recherche, de performances d'apprenants enregistrés en vidéo. Cette évaluation avait pour but de quantifier les différences de sévérité dont les enseignants examinateurs faisaient preuve afin de les prendre en compte et de donner sens à l'éventail des résultats selon les secteurs éducatifs en Suisse.

Étape d'interprétation

7. Identification de « seuils fonctionnels » sur l'échelle des descripteurs afin de produire la batterie de *Niveaux communs de référence* présentée dans le Chapitre 3. Résumé de ces niveaux sur une **échelle globale** (Tableau 1, voir p. 25), une **grille d'auto-évaluation** décrivant les activités langagières (Tableau 2, voir p. 26) et une **grille d'évaluation de la performance** décrivant différents aspects de compétence de communication langagière (Tableau 3, voir p. 28).
8. Présentation d'échelles de démonstration dans les Chapitres 4 et 5 pour les catégories qui s'étaient avérées étalonnables.
9. Adaptation des descripteurs à l'auto-évaluation afin de produire une version expérimentale suisse du *Portfolio européen des langues*. Ce qui se compose
   a. d'une grille d'auto-évaluation pour la compréhension de l'écrit et la compréhension de l'oral, l'interaction orale, la production orale et la production écrite (Tableau 2)
   b. d'une liste de contrôle pour l'auto-évaluation à chacun des *Niveaux communs de référence*.
10. Colloque final pour la présentation des résultats de la recherche et la discussion de l'expérimentation du *Portfolio*. À cette occasion, les *Niveaux communs de référence* ont été présentés aux enseignants.

Résultats

L'étalonnage des descripteurs d'habiletés différentes et de compétences variées (linguistique, socioculturelle) se complique lorsqu'il s'agit de savoir si les évaluations de ces domaines différents se combineront ou non en une seule mesure. Ce problème n'est ni causé par le modèle de Rasch ni exclusivement associé à ce modèle ; on le retrouve dans toute analyse statistique. Toutefois, Rasch ne néglige pas l'émergence d'un problème. Les résultats d'un test, les données de l'évaluation par l'enseignant et celles de l'auto-évaluation peuvent fonctionner différemment à cet égard. Avec l'évaluation assurée par les enseignants au cours de ce projet, certaines catégories se sont avérées moins rentables et ont dû être éliminées afin de sauvegarder l'exactitude des résultats. Parmi les catégories ainsi supprimées de la batterie originale de descripteurs se trouvaient les suivantes.

Compétence socioculturelle

Ceux des descripteurs qui décrivent explicitement la compétence socioculturelle et la compétence sociolinguistique. On ne sait pas clairement dans quelle mesure ce problème vient du fait

a. qu'on a là un construct indépendant de la compétence langagière

b. de descripteurs trop vagues identifiés lors des ateliers de travail ou

c. de réponses inconséquentes données par des enseignants à qui manquait la nécessaire connaissance de leurs étudiants.

Ce problème s'étendait aux descripteurs relatifs à la capacité de lire et d'apprécier la littérature et les œuvres de fiction.

Professionnalisation

Ceux des descripteurs qui demandaient aux enseignants de faire des hypothèses à propos d'activités (en général de type professionnel) autres que celles qu'ils pouvaient observer en direct en classe comme, par exemple, téléphoner ; participer à une réunion institutionnelle ; faire un exposé formel ; écrire des essais et des rapports ; rédiger des lettres officielles. Et ceci en dépit du fait que les secteurs adulte et professionnel étaient bien représentés.

Notion négative

Ceux des descripteurs relatifs à un besoin de simplification ; nécessité de faire répéter ou clarifier, qui véhiculent implicitement une notion négative. De tels aspects fonctionnaient mieux sous forme de conditions dans des formulations positives, par exemple : « *En règle générale, peut comprendre un discours clair et courant sur des sujets familiers et qui lui soit directement adressé, à condition de pouvoir demander de temps en temps qu'on répète ou reformule.* »

Pour ces enseignants, il s'est avéré que la compréhension de l'écrit se situait dans un système de mesure différent de celui de l'interaction et de la production orales. Néanmoins, le projet de recueil de données a rendu possible l'étalonnage indépendant de la compréhension de l'écrit que l'on a ensuite mis en parallèle avec l'échelle principale. L'étude ne se concentrait pas sur l'expression écrite et les descripteurs de la production écrite du Chapitre 4 ont été essentiellement élaborés à partir de ceux de la production orale. La stabilité relativement élevée des valeurs de l'étalonnage du *Cadre européen commun de référence* pour l'expression écrite et l'expression orale, reconnue à la fois par DIALANG et par ALTE (voir respectivement Annexes C et D), permet de penser que les approches adoptées pour la compréhension de l'oral et celle de l'écrit ont été raisonnablement rentables.

Tout ce qui complique les catégories commentées ci-dessus est en relation avec la question d'un étalonnage mono- ou multidimensionnel. **La multidimensionnalité** se révèle en fonction de la population des apprenants dont on décrit la compétence. Dans un certain nombre de cas, la difficulté d'un descripteur tenait au secteur éducatif en question. Par exemple, les enseignants considèrent que les apprenants adultes trouvent les tâches « authentiques » beaucoup plus simples que ne le font des adolescents. Intuitivement, cela parait raisonnable. On appelle « **Fonction différentielle d'item** » une variation de ce type. Lors de la rédaction des résumés des *Niveaux communs de référence* présentés dans les Tableaux 1 (voir p. 26) et 2 (voir p. 27) du Chapitre 3, on a évité autant que faire se pouvait les descripteurs contenant une *Fonction différentielle d'item*. On n'a pas constaté d'effets significatifs en termes de langue cible, et aucun en termes de langue maternelle, si ce n'est qu'il se peut que les enseignants de la langue maternelle aient une interprétation plus stricte du verbe « comprendre » à un niveau avancé, notamment en ce qui concerne la littérature.

Exploitation

Les exemples de descripteurs des Chapitre 4 et 5 ont été

a. placés au niveau auquel on les avait empiriquement étalonnés lors de l'étude ou

b. rédigés en recombinant des éléments de descripteurs calibrés à ce niveau (c'est le cas de quelques catégories comme *Annonces publiques* qui n'apparaissaient pas dans l'enquête initiale) ou encore

c. sélectionnés sur la base des résultats de la phase qualitative du travail (ateliers) ou rédigés pendant la phase interprétative pour combler une lacune de la sous-échelle empiriquement calibrée. Ce dernier point s'applique presque entièrement aux descripteurs de la *Maîtrise* dont le nombre était limité dans l'étude.

Suivi

Une recherche menée pour l'Université de Bâle en 1999-2000 a adapté les descripteurs du *Cadre européen commun de référence* à un outil d'auto-évaluation conçu pour l'entrée à l'université. On y a ajouté des descripteurs relatifs à la compétence sociolinguistique et à la prise de note en milieu universitaire. Ces nouveaux descripteurs ont été étalonnés sur les niveaux du *Cadre commun* selon la méthodologie utilisée dans le projet original et sont intégrés à la présente édition. La corrélation des valeurs de référence des descripteurs du *Cadre européen commun de référence* entre leurs valeurs de référence originale et leurs valeurs dans l'étude est de 0,899.

Références

North B.,*The development of a common framework scale of language proficiency,* PhD Thesis, Thames Valley University, New York, Peter Lang (1996, Reprinted 2000).

North B., Developing descriptor scales of language proficiency for the CEF Common Reference Levels. *In* Alderson J.-C. (sous la direction de), *Case studies of the use of the Common European Framework*, Conseil de l'Europe (en préparation).

North B., A CEF-based self-assessment tool for university entrance, *in* Alderson J.-C. (sous la direction de), *Case studies of the use of the Common European Framework*, Conseil de l'Europe (en préparation).

North B. et Schneider G., Scaling descriptors for language proficiency scales. *Language Testing* 15/2 ; 217-262 (1998).

Schneider et North, « *In anderen Sprachen kann ich* » … *Skalen zur Beschreiben, Beurteilung und Selbsteinschätzung der fremdspachlichen Kommunikationmsfähigkeit.* Berne, Project Report, National Research Programme 33, Swiss National Science Research Council (1999).

LES DESCRIPTEURS DANS LE *CADRE DE RÉFÉRENCE*

Outre les tableaux du Chapitre 3 qui résument les *Niveaux communs de référence*, des exemples de descripteurs sont donnés au courant du texte des Chapitre 4 et 5 comme suit :

Document B1
Échelles de démonstration du Chapitre 4 : *Activités communicatives*

R É C E P T I O N	**Oral**	– Compréhension générale de l'oral	Page 55
		Comprendre une interaction entre locuteurs natifs	Page 55
		Comprendre en tant qu'auditeur	Page 56
		Comprendre des annonces et instructions	Page 56
		Comprendre des émissions de radio et des enregistrements	Page 56
	Audiovisuel	– Comprendre des émissions de télévision et des films	Page 59
	Écrit	– Compréhension générale de l'écrit	Page 57
		Comprendre la correspondance	Page 58
		Lire pour s'orienter	Page 58
		Lire pour s'informer et discuter	Page 58
		Lire des instructions	Page 59
I N T E R A C T I O N	**Oral**	– Interaction orale générale	Page 61
		Comprendre un locuteur natif	Page 62
		Conversation	Page 62
		Discussion informelle (entre amis)	Page 63
		Discussions formelles et réunions	Page 64
		Coopération à visée fonctionnelle	Page 65
		Obtenir des biens et services	Page 66
		Échanges d'information	Page 67
		Interviewer et être interviewé	Page 68
	Écrit	– Interaction écrite générale	Page 68
		Correspondance	Page 69
		Notes messages et formulaires	Page 69
P R O D U C T I O N	**Oral**	– Production orale générale	Page 49
		Monologue suivi ; décrire l'expérience	Page 49
		Monologue suivi ; argumenter (Débat)	Page 50
		Annonces publiques	Page 50
		S'adresser à un auditoire	Page 50
	Écrit	– Production écrite générale	Page 51
		Écriture créative	Page 52
		Essais et rapports	Page 52

Document B2
Échelles de démonstration du Chapitre 4 : *Stratégies communicatives*

RÉCEPTION	Reconnaître des indices et faire des déductions (oral et écrit)	Page 60
INTERACTION	Tours de parole	Page 70
	Coopérer	Page 71
	Faire clarifier	Page 71
PRODUCTION	Planification	Page 53
	Compensation	Page 54
	Contrôle et correction	Page 54

Document B3
Échelles de démonstration du Chapitre 4 : *Travail discursif*

| TEXTE | Prendre des notes (au cours de séminaires ou de conférences) | Page 77 |
| | Traiter un texte | Page 77 |

Document B4
Échelles de démonstration du Chapitre 5 : *Compétence communicative langagière*

LINGUISTIQUE		
Étendue	Étendue générale	Page 87
	Étendue du vocabulaire	Page 88
Maîtrise	Maîtrise du vocabulaire	Page 89
	Correction grammaticale	Page 90
	Maîtrise du système phonologique	Page 92
	Maîtrise de l'orthographe	Page 93
SOCIOLINGUISTIQUE	Correction sociolinguistique	Page 95
PRAGMATIQUE	Souplesse	Page 97
	Tours de parole	Page 97
	Développement thématique	Page 97
	Cohérence et cohésion	Page 98
	Aisance à l'oral	Page 100
	Précision	Page 101

Document B5
Cohérence dans le calibrage des descripteurs

La position occupée sur l'échelle par certains éléments de contenu manifeste un niveau élevé de cohérence. On peut prendre comme exemple les sujets ou thèmes pour lesquels il n'existe pas de descripteurs mais auxquels on fait allusion dans des descripteurs de différentes catégories. Dans ce cas particulier, les trois catégories les plus pertinentes sont *Description et narration* ; *Échange d'information* et *Étendue*.

Les tableaux qui suivent comparent la façon dont les sujets (ou thèmes) sont traités dans ces trois domaines. Bien que le contenu des trois tableaux ne soit pas, bien évidemment, identique, leur comparaison atteste un degré élevé de cohérence, cohérence que l'on retrouve dans toute la batterie des descripteurs calibrés. C'est une analyse de ce type qui a servi de base à la rédaction de descripteurs pour des catégories non incluses dans la première recherche (par exemple *Annonces publiques*) en faisant des combinaisons nouvelles d'éléments des descripteurs existants.

DESCRIPTION ET NARRATION					
A1	**A2**	**B1**	**B2**	**C1**	**C2**
Lieu de vie	– Les gens, leur apparence, – Formation, métier – Lieux et conditions de vie – Objets personnels, animaux familiers – Événements et activités – Ce qui plaît/ ne plaît pas – Projets/ organisation – Habitudes/ coutumes – Expérience personnelle	– Intrigue d'un livre/film – Expériences – Réactions – Rêves, espoirs et ambitions – Raconter une histoire – Détails de base dans une circonstance imprévisible, par exemple un accident		– Description claire et détaillée de sujets complexes	

TRANSACTION : ÉCHANGE D'INFORMATIONS					
A1	**A2**	**B1**	**B2**	**C1**	**C2**
– Soi et les autres – Maison – Temps	– Simple, prévisible, direct – Limité sur travail et loisirs	– Directives et instructions simples – Habitudes de loisir – Activités passées	– Information factuelle cumulée sur des sujets familiers dans son domaine		
		– Directives détaillées			

ÉTENDUE : SITUATIONS					
A1	**A2**	**B1**	**B2**	**C1**	**C2**
	– Besoins communicatifs élémentaires – Survie simple et prévisible – Besoins concrets simples : information sur soi, le quotidien, demande d'info	– Transactions quotidiennes courantes – Situations et sujets familiers – Situations quotidiennes au contenu prévisible	– La plupart des sujets relatifs à la vie quotidienne : loisirs familiaux, travail, voyage, actualité		

Document B6
Échelles de compétence langagières utilisées comme sources

• **Échelles globales de compétence générale en expression orale**
  – Hofmann : Levels of Competence in Oral Communication 1974
  – University of London School Examination Board : Certificate of Attainment – Graded Tests 1987
  – Ontario ESL Oral Interaction Assessment Bands 1990
  – Finnish Nine Level Scale of Language Proficiency 1993
  – European Certificate of Attainment in Modern Languages 1993

• **Échelles pour différentes activités communicatives**
  – Trim : Possible Scale for a Unit/Credit Scheme : Social Skills 1978
  – North : European Language Portfolio Mock-up : Interaction Scales 1991
  – Eurocentres/ELTDU Scale of Business English 1991
  – Association of Language Testers in Europe, Bulletin 3, 1994

• **Échelles pour les quatre aptitudes de base**
  – Foreign Service Institute Absolute Proficiency Ratings 1975
  – Wilkins : Proposals for Level Definitions for a Unit/Credit Scheme : Speaking 1978
  – Australian Second Language Proficiency Ratings 1982
  – American Council on the Teaching of Foreign Languages Proficiency Guidelines 1986
  – Elviri et al : Oral Expression 1986 (in Van Ek 1986)
  – Interagency Language Roundtable Language Skill Level Descriptors 1991
  – English Speaking Union (ESU) Framework Project : 1989
  – Australan Migrant Education Program Scale (Listening only)

• **Échelles de notation pour l'évaluation orale**
  – Dade County ESL Functional Levels 1978
  – Hebrew Oral Proficiency Rating Grid 1981
  – Carroll B.J. and Hall P. J Interview Scale 1985
  – Carroll B.J. Oral Interaction Assessment Scale 1980
  – International English Testing System (IELTS) : Band Descriptors for the Speaking & Writing 1990
  – Goteborgs Univeritet : Oral Assessment Criteria
  – Fulcher : The Fluency Rating Scale 1993

• **Sources**
Cadres de référence pour des critères de contenu de programmes et d'évaluation des étapes de l'enseignement/apprentissage
  – University of Cambridge/Royal Society of Arts Certificats in Communicative Skills in English 1990
  – Royal Society of Arts Modern Languages Examinations : French 1989
  – English National Curriculum : Modern Languages 1991
  – Netherlands New Examinations Programme 1992
  – Eurocentres Scale of Language Proficiency 1993
  – British Languages Lead Body: National Language Standard 1993

Cette annexe contient **une description du système d'évaluation** en langues vivantes DIALANG qui se présente comme une application du *Cadre européen de référence* à buts diagnostiques. L'accent est mis ici sur les spécifications pour l'auto-évaluation utilisée dans le système, et sur l'étude d'étalonnage auxquelles on les a soumises pour l'élaboration du système. On y trouve également deux échelles de démonstration apparentées, basées sur le *Cadre européen commun de référence* et utilisées pour le compte rendu et l'explicitation du diagnostic aux apprenants. Les descripteurs de ce projet ont été étalonnés et comparés aux niveaux du *Cadre commun* selon la Méthode n° 12 c (modèle de Rasch) présentée à la fin de l'Annexe A.

PANORAMA

LE PROJET DIALANG

Le système d'évaluation de DIALANG

DIALANG est un système d'évaluation à l'intention des apprenants en langues qui souhaitent avoir une information diagnostique sur leur compétence. Le projet DIALANG bénéficie du support financier de la Commission européenne, Direction générale pour l'éducation et la culture (Programme SOCRATES, LINGUA Action D).

Le système se compose d'auto-évaluation, de tests de langue et de feed-back disponibles pour quatorze langues européennes : allemand, anglais, danois, espagnol, finlandais, français, grec, irlandais, islandais, italien, néerlandais, norvégien, portugais et suédois. DIALANG peut être consulté gratuitement sur Internet (dialang@delle.sprachlabor.fu–berlin.de) et phase 2 websight : http://www.sprachlabor.fu–berlin.de//dialang

Le Cadre pour l'évaluation de DIALANG et les échelles descriptives utilisées pour rendre compte des résultats aux utilisateurs s'appuient directement sur le *Cadre européen commun de référence*. Les spécifications pour l'auto-évaluation utilisées par DIALANG proviennent également, pour l'essentiel, du *Cadre européen commun* et sont adaptées, le cas échéant, pour répondre aux besoins particuliers du système.

Le but de DIALANG

DIALANG s'adresse aux adultes qui veulent connaître leur niveau de compétence en langue et avoir une information sur les points forts et les points faibles de cette compétence. Le système fournit également aux apprenants des conseils sur la façon d'améliorer leur habileté langagière et essaie, en outre, d'accroître leur prise de conscience en ce qui concerne l'apprentissage des langues et la compétence. Le système DIALANG ne délivre pas de certifications.

Les principaux usagers du système seront les apprenants isolés qui apprennent les langues en autonomie ou dans un cursus formalisé. Toutefois, les enseignants de langue pourront aussi trouver que de nombreux constituants du système se révèlent utiles pour leur pratique.

La démarche d'évaluation de DIALANG

La démarche d'évaluation de DIALANG se déroule selon les étapes suivantes :
1. Choix de la langue de passation (14 possibilités)
2. Inscription
3. Choix de la langue du test (14 possibilités)
4. Test de niveau sur l'étendue du vocabulaire
5. Choix de l'habileté (compréhension de l'écrit, de l'oral, expression écrite, vocabulaire, structures)
6. Auto-évaluation (en compréhension de l'écrit et de l'oral et expression écrite seulement)
7. Pré-estimation par le système de la capacité de l'apprenant
8. Administration d'un test de difficulté appropriée
9. Feed-back

En entrant dans le système, les apprenants commencent par choisir la langue dans laquelle ils veulent recevoir les instructions et le feed-back. Après leur inscription, les utilisateurs sont soumis à un test de niveau qui évalue aussi l'étendue de leur vocabulaire. Ils choisissent l'habileté pour laquelle ils souhaitent être testés et on leur présente alors un certain nombre de spécifications pour l'auto-évaluation avant de passer le test choisi. Ces spécifications pour l'auto-évaluation couvrent l'habileté en question et l'apprenant doit décider si il/elle pense pouvoir réaliser l'activité décrite dans chaque énoncé. L'auto-évaluation n'est pas disponible pour les deux autres domaines évalués par DIALANG, à savoir vocabulaire et structures, parce que les spécifications nécessaires n'existent pas dans le *Cadre européen commun*. Après le test, et comme partie du feed-back, on dit aux apprenants si l'auto-évaluation qu'ils ont faite de leur niveau de compétence est différente de l'évaluation issue du système au vu de leur test. On propose alors aux utilisateurs d'examiner pour quelles raisons potentielles il y a disparité entre leur auto-évaluation et les résultats du test au moment du feed-back et du compte rendu explicatif.

Le but de l'auto-évaluation avec DIALANG

Les spécifications pour l'auto-évaluation sont utilisées pour deux raisons dans le système DIALANG.

Tout d'abord, on considère que l'auto-évaluation est une activité importante en elle-même. On pense que, par l'encouragement à l'apprentissage autonome, les apprenants renforcent la maîtrise ainsi que la conscience qu'ils ont de leur apprentissage.

Le deuxième but de l'auto-évaluation avec DIALANG est plus « technique » : le système utilise le **Test de niveau** sur l'*Étendue du vocabulaire* ainsi que les résultats de l'auto-évaluation pour faire une pré-estimation de la capacité de l'apprenant et l'orienter ensuite vers le test dont le niveau de difficulté correspond le mieux à sa capacité.

LES ÉCHELLES D'AUTO-ÉVALUATION DE DIALANG

Sources

La plupart des spécifications pour l'auto-évaluation utilisées dans DIALANG ont été puisées dans la version anglaise du *Cadre européen commun de référence* (Projet 2, 1996). En ce sens, DIALANG est l'application directe du *Cadre* eu égard à l'évaluation.

Développement qualitatif

Le Groupe de travail sur l'auto-évaluation de DIALANG[1] a examiné toutes les spécifications en 1998 et choisi celles qui semblaient les plus claires, simples et concrètes. On a également consulté les résultats empiriques de North (1996/2000) sur les spécifications. On a ainsi sélectionné plus de cent spécifications pour la compréhension de l'oral et de l'écrit et l'expression écrite. En outre, on a aussi choisi des spécifications relatives à l'expression orale mais, comme cette dernière n'appartient pas au système DIALANG actuel, on ne les a pas fait entrer dans l'étude de validation présentée ci-après et elles ne sont donc pas présentées en annexe.

Les spécifications ont été reformulées de « *Est capable de...* » en « *Je peux...* » puisqu'elles doivent servir à l'auto-évaluation plutôt qu'à l'évaluation par l'enseignant. Certains énoncés ont été modifiés afin de les rendre plus simples pour l'utilisateur potentiel ; lorsque le contenu du *Cadre de référence* était insuffisant, de nouveaux énoncés ont été rédigés (ils apparaissent en italiques dans les tableaux). Avant d'arriver à la formulation définitive, toutes les spécifications ont été soumises à Brian North, qui était à l'origine de celles du *Cadre de référence*, ainsi qu'à un groupe de quatre experts de l'enseignement et de l'évaluation.

---

1. Le groupe était composé de Alex Teasdale (Président), Neus Figueras, Ari Huhta, Fellyanka Kaftandjieva, Mats Oscarson et Sauli Takala.

Traduction

Comme DIALANG se veut **multilingue**, les spécifications ont alors été traduites de l'anglais dans les treize autres langues. La démarche de traduction a fait l'objet d'un consensus. Il y a eu accord sur les orientations à suivre pour la traduction et la négociation, le premier critère de qualité étant l'intelligibilité pour l'usager. Dans un premier temps, deux ou trois experts traduisaient indépendamment la spécification dans leur langue puis se concertaient pour se mettre d'accord sur une traduction unique. Les traductions étaient alors communiquées au Groupe de travail sur l'auto-évaluation dont les membres avaient la compétence linguistique pour faire une ultime vérification en neuf langues. Après consultation des traducteurs, on apportait les dernières modifications.

Calibrage des spécifications

À ce jour, le projet DIALANG a réalisé une étude de calibrage des spécifications (Le calibrage est la procédure par laquelle on fixe statistiquement la difficulté d'items, de spécifications, etc. afin de construire une échelle). Le calibrage a été fait sur la base de 304 sujets (conception complète du test) qui ont également passé un certain nombre de tests DIALANG en finlandais. Les spécifications leur étaient présentées soit en suédois (langue maternelle de 250 d'entre eux) soit en anglais. En outre, la plupart d'entre eux pouvaient consulter la version finlandaise des spécifications[2].

L'analyse a été conduite selon le programme OPLM (Verhelst *et al.* 1985 ; Verhelst et Glass 1995)[3]. Le résultat de l'analyse a été excellent ; plus de 90 % des énoncés ont pu être étalonnés (c'est-à-dire qu'ils concordaient avec le modèle statistique utilisé). Les trois échelles d'auto-évaluation construites sur la base de l'étalonnage des spécifications se sont révélées très homogènes comme l'indiquent les indices élevés de fiabilité (Cronbach's alpha) : 0,91 pour la compréhension de l'écrit, 0,93 pour la compréhension de l'oral et 0,94 pour la production écrite[4].

Des études semblables de calibrage seront effectuées lorsque les treize autres langues feront l'objet d'une expérimentation, toujours selon l'approche mise en place par le Groupe d'analyse de données. Elles montreront jusqu'à quel point on peut reproduire les excellents résultats de la première étude et si certaines spécifications tendent à rester toujours meilleures que d'autres pour l'auto-évaluation.

Bien que la première étude de calibrage soit la seule effectuée, il faut remarquer qu'elle informe sur la qualité de plus d'une version linguistique des spécifications d'auto-évaluation de DIALANG. C'est parce que la plupart des apprenants informateurs, même si les plus nombreux ont choisi le suédois, auraient pu choisir indifféremment n'importe laquelle des trois langues (suédois, anglais ou finlandais), voire les trois, pour remplir la partie d'auto-évaluation. Grâce au soin apporté à la traduction, nous pouvons affirmer que les énoncés d'auto-évaluation sont équivalents quelle que soit la langue – assertion qui sera bien évidemment vérifiée lors des études suivantes de calibrage.

Une preuve supplémentaire de la qualité des échelles d'auto-évaluation de DIALANG – et de celles du *Cadre de référence* – a été obtenue par F. Kaftandjieva qui a établi la corrélation des indices de difficulté des spécifications de cette étude avec ceux des mêmes spécifications qu'avait trouvées North (1996/2000) dans un contexte différent. La corrélation s'élève à 0,83 et même 0,897 si l'on exclut une spécification dont le comportement est étrange.

Le Document C1 (voir p. 165 à 168) présente les 107 énoncés d'auto-évaluation pour la compréhension orale et écrite et la production écrite qui ont survécu à l'étude de calibrage fondée sur les données finlandaises. Dans chaque tableau, les énoncés sont présentés selon leur difficulté, du plus simple au plus dur. Ceux qui n'ont pas été empruntés au *Cadre de référence* sont **en italiques**.

AUTRES ÉCHELLES DE DIALANG BASÉES SUR LE *CADRE EUROPÉEN COMMUN DE RÉFÉRENCE*

Outre les spécifications pour l'auto-évaluation, DIALANG utilise deux ensembles d'échelles de description basées sur le *Cadre de référence*. Ces échelles portent sur la *compréhension de l'écrit*, la *production écrite* et la *compréhension de l'oral*.
- La version abrégée accompagne les résultats du test.
- La version plus élaborée fait partie du « compte rendu et conseil ».

---

2. L'étude a eu lieu au Centre de linguistique appliquée de l'Université de Jyväskylä où le Groupe de travail pour l'analyse de données assurait la coordination du Projet en 1996-1999. Le Groupe était composé de Fellyanka Kaftandjieva (Président), Norman Verhelst, Sauli Takala, John de Jong et Timo Törmäkangas. Le Centre de coordination pour la Phase 2 de DIALANG est la Freie Universität Berlin.

3. OPLM est une extension du modèle de Rasch qui permet aux items d'être discriminatifs de façon différente. La différence avec le modèle à deux paramètres tient au fait que les paramètres de discrimination ne sont pas estimés mais intégrés comme des constantes connues.

4. La concordance globale avec le modèle a été également de haut niveau (p = 0,26) lorsque les spécifications étaient calibrées ensemble. La concordance statistique pour le calibrage fondé sur des habiletés était bonne aussi (p = 0,10 pour la compréhension de l'écrit, 0,84 pour la production écrite et 0,78 pour la compréhension de l'oral).

Échelles abrégées

DIALANG utilise les échelles générales abrégées pour la compréhension de l'écrit, la production écrite et la compréhension de l'oral afin de rendre compte des résultats du système DIALANG. Lorsque les apprenants sont informés de leur résultat, on le leur communique selon l'échelle du *Cadre de référence* de A1 à C2 et on leur en commente le sens en utilisant les échelles en question. Ces dernières ont été validées dans le contexte de DIALANG par douze experts examinateurs qui ont placé chacune des spécifications sur un des six niveaux. Ces échelles générales de résultats ont alors été utilisées par les experts examinateurs pour situer chaque item des tests finlandais de DIALANG à un niveau du *Cadre de référence*. L'échelle s'appuie sur le Tableau 2 du *Cadre de référence* ; on a légèrement modifié les descriptions comme on l'avait fait des spécifications pour l'auto-évaluation. Ces échelles sont présentées dans le Document C2 (voir p. 168 à 169).

Compte rendu et conseil

La séance de compte rendu et de conseil du système d'évaluation utilise les échelles qui contiennent des descriptions de compétence plus élaborées en compréhension de l'écrit, expression écrite et compréhension de l'oral. Dans cette partie, on apporte aux usagers le compte rendu plus détaillé de ce que les apprenants peuvent effectivement faire en langue à chacun des niveaux de capacité. Les apprenants peuvent aussi comparer la description d'un niveau donné à la description des niveaux les plus proches. Ces échelles plus détaillées se fondent également sur le Tableau 2 du *Cadre de référence*, mais les descripteurs y ont été développés à l'aide des autres parties de *Cadre de référence* ainsi que d'autres sources. Elles sont présentées dans le Document C3 (voir p. 170 à 172).

Les lecteurs intéressés par les résultats des études empiriques dont il est fait état ici trouveront plus d'information à ce sujet dans Takala et Kaftandjieva (en préparation) ; pour plus d'information sur le système en général et le feed-back qu'il apporte, consulter Huhta, Luoma, Oscarson, Sajavaara, Takala et Teasdale (en préparation).

Références

– Huhta A., Luoma S., Oscarson M., Sajavaara K., Takala S. & Teasdale A., DIALANG – A Diagnostic Language Assessment System for Learners, *in* Alderson J.-C. (sous la direction de), *Case Studies of the Use of the Common European Framework,* Conseil de l'Europe (en préparation).

– North B., *The Development of a Common Framework Scale of Language Proficiency Based on a Theory of Measurement,* Ph D Thesis, Thames Valley University, New York, Peter Lang (1996/2000).

– Takala S. & Kaftandjieva F., Council of Europe Scales of Language Proficiency ; A Validation Study, *in* Alderson J.-C. (sous la direction de), *Case Studies of the Use of the Common European Framework*, Conseil de l'Europe (en préparation).

– Verhelst N., Glass C., Verstralen C. & H., One-Parameter Logistic Model ; OPLM, Arnhem, CITO (1985).

– Verhelst N. & Glass C., The One-Parameter Logistic Model, *in* Fisher G. & Molenaar I. (sous la direction de), Modèles de Rasch, Foundations, Recent Development and Applications, New York, Springer-Verlag, 215-237 (1995).

Document C1
Les spécifications pour l'auto-évaluation de DIALANG

Niveau du CEF	COMPRÉHENSION DE L'ÉCRIT
A1	– Je suis capable de comprendre l'idée générale de textes simples donnant des informations et de descriptions courtes et simples, surtout si elles contiennent des images qui facilitent la compréhension.
A1	– Je peux comprendre des textes simples très courts en me servant des noms des mots et des phrases familiers et en relisant, par exemple, des parties du texte.
A1	– Je peux comprendre des instructions simples et courtes surtout si elles sont illustrées.
A1	– Je peux reconnaître des noms, des mots et des expressions familières simples sur des affiches dans les situations les plus fréquentes de la vie quotidienne.
A1	– Je peux comprendre des messages simples et courts, par exemple sur des cartes postales.
A2	– Je peux comprendre des textes courts et simples contenant les termes les plus fréquents, y compris quelques mots d'usage international.
A2	– Je peux comprendre des textes courts et simples écrits en langue quotidienne courante.
A2	– Je peux comprendre des textes courts et simples relatifs à mon travail.
A2	– Je peux trouver des informations précises dans des documents quotidiens comme des publicités, des brochures, des menus et des horaires.
A2	– Je peux identifier des informations précises dans des documents écrits simples tels que des lettres, des dépliants et des articles de presse courts décrivant des événements.
A2	– Je peux comprendre des lettres personnelles simples et courtes.
A2	– Je peux comprendre des lettres et des télécopies standard sur des sujets familiers.
A2	– Je peux comprendre des instructions simples pour utiliser des appareils de la vie quotidienne, comme un téléphone public par exemple.
A2	– Je peux comprendre des panneaux et des affiches dans les lieux publics tels que les rues, les restaurants, les gares et sur mon lieu de travail.
B1	– Je peux comprendre des textes clairs relatifs à mes centres d'intérêt.
B1	– Je peux trouver et comprendre l'information générale dont j'ai besoin dans des écrits quotidiens tels que lettres, dépliants et courts documents officiels.
B1	– Je peux chercher des informations spécifiques dont j'ai besoin pour accomplir une tâche dans un texte long ou plusieurs courts.
B1	– Je peux reconnaître des points significatifs dans des articles de journaux clairs traitant de sujets familiers.
B1	– Je peux reconnaître les conclusions principales de textes argumentatifs écrits clairement.
B1	– Je peux reconnaître les points importants de l'argumentation d'un texte mais pas forcément le détail.
B1	– Je peux comprendre suffisamment bien la description d'événements, de sentiments et de souhaits dans des lettres personnelles pour correspondre avec un(e) ami(e) ou connaissance.
	– Je peux comprendre des instructions claires pour l'utilisation d'un appareil.
B2	– Je peux lire différents écrits sur ce qui m'intéresse et en comprendre facilement les points essentiels.
B2	– Je peux comprendre des articles spécialisés hors de mon domaine à condition de pouvoir utiliser un dictionnaire pour vérifier la terminologie de certains termes spécialisés.
B2	– Je peux lire facilement différents textes à différentes vitesses et de façons différentes selon le but de ma lecture et le type de texte.
B2	– Je possède un vocabulaire étendu qui me permet de lire mais il m'arrive d'avoir des difficultés avec des mots et des expressions peu courants.
B2	– Je peux rapidement identifier le contenu et l'importance d'informations, d'articles et de rapports sur de nombreux sujets professionnels afin de décider si une étude plus approfondie est valable.
B2	– Je peux comprendre des articles et des rapports traitant de problèmes actuels dans lesquels les auteurs adoptent une position ou un point de vue particuliers.
C1	– Je peux comprendre différents écrits en utilisant le dictionnaire à l'occasion.
C1	– Je peux comprendre en détail de longues instructions complexes sur une nouvelle machine ou des opérations nouvelles même en dehors de mon domaine si je peux relire les parties difficiles.
C2	– Je peux comprendre et interpréter pratiquement toutes sortes de textes écrits y compris abstraits, structurellement complexes, littéraires avec des traits familiers ou des textes documentés.

Les spécifications pour l'auto-évaluation de DIALANG

Niveau du CEF	PRODUCTION ÉCRITE
A1 A1 A1 A1 A1 A1	– Je suis capable d'écrire des messages simples à des amis. – Je peux décrire le lieu où j'habite. – Je peux remplir une fiche de renseignements personnels. – Je peux écrire des expressions et des phrases isolées simples. – Je peux écrire une carte postale simple. – Je peux écrire des lettres et des messages courts à l'aide d'un dictionnaire.
A2 A2 A2 A2 A2 A2 A2	– Je peux donner une description simple d'événements et d'activités. – Je peux écrire des lettres personnelles très simples pour remercier ou m'excuser. – Je peux écrire des notes et des messages relatifs, simples et courts concernant la vie quotidienne. – Je peux décrire des projets et fixer par écrit les dispositions prises. – Je peux explique en quoi une chose me plaît ou me déplaît. – Je peux décrire ma famille, mon environnement, mon passé scolaire, mon travail actuel ou précédent. – Je peux décrire mes activités passées et mes expériences personnelles.
B1 B1 B1 B1 B1 B1 B1	– Je peux écrire des rapports courts qui rendent compte d'informations factuelles courantes et justifient une action. – Je peux écrire des lettres personnelles qui décrivent en détail mes expériences, mes sentiments et des événements. – Je peux donner des détails de base sur des événements imprévisibles comme, par exemple, un accident. – Je peux décrire mes rêves, mes désirs et mes ambitions. – Je peux comprendre des messages exprimant des demandes ou exposant des problèmes, etc. – Je peux raconter l'intrigue d'un livre ou d'un film et décrire ce que j'en pense. – Je peux brièvement justifier et expliquer mes opinions, mes projets et mes actes.
B2 B2 B2 B2	– Je peux juger des idées différentes ou des solutions liées à un problème. – Je peux faire une synthèse d'informations et d'arguments de sources différentes. – Je peux construire un raisonnement argumenté. – Je peux peser les causes et les conséquences et argumenter sur des situations hypothétiques
C1 C1 C1 C1* C1*	– Je peux développer et défendre mes points de vue en donnant d'autres arguments, raisons ou exemples appropriés. – Je peux développer méthodiquement un raisonnement en insistant sur les points significatifs et en fournissant des preuves à l'appui. – Je peux donner une information claire et détaillée sur des sujets complexes. – *Je peux habituellement écrire sans consulter un questionnaire.* – *Je n'ai pas besoins de faire vérifier ou relire ce que j'écris, sauf s'il s'agit d'un texte important.*
C2 C2 C2* C2*	– Je peux structurer ce que j'écris de manière adéquate afin de faciliter le lecteur à repérer les points significatifs. – Je peux écrire des rapports, des articles ou des dissertations complexes, logiques et clairs ou faire la critique de propositions ou d'œuvres littéraires. – *Je peux suffisamment bien écrire pour ne pas avoir besoin de l'aide de quelqu'un de langue maternelle.* – *J'écris si bien que mon texte ne puisse être amélioré de façon significative, même par un professionnel de l'écriture.*

* À valider.

Les spécifications pour l'auto-évaluation de DIALANG

Niveau du CEF	COMPRÉHENSION DE L'ORAL
A1	– Je suis capable de comprendre des expressions simples et concrètes de la vie de tous les jours lorsqu'elles sont dites clairement et lentement et lorsqu'elles sont répétées si nécessaire.
A1	– Je peux suivre ce qui est dit à débit très lent, avec une diction soignée et de longues pauses qui me laissent le temps d'en saisir le sens.
A1	– Je peux comprendre des questions et des instructions et suivre des consignes courtes et simples.
A1	– Je peux comprendre les chiffres, les prix et l'heure.
A2	– Je peux comprendre suffisamment pour échanger des propos habituels sans trop d'effort.
A2	– Je peux généralement comprendre le sujet d'une discussion claire et lente que j'écoute.
A2	– Je peux généralement comprendre ce qui est dit sur des sujets familiers dans un langage standard même si, en situation réelle, il se peut que j'aie à demander que l'on répète ou que l'on reformule.
A2	– Je peux comprendre suffisamment la langue pour être capable de me débrouiller dans la vie de tous les jours si cela est dit clairement et lentement.
A2	– Je peux comprendre des phrases et des expressions relatives à ce dont j'ai besoin.
A2	– Je peux me débrouiller dans les situations simples dans des magasins, un bureau de poste, une banque.
A2	– Je peux comprendre les directions simples que l'on me donne pour me rendre d'un endroit à un autre à pied ou par les transports en commun.
A2	– Je peux comprendre les points essentiels d'enregistrements courts relatifs à des questions quotidiennes prévisibles, exprimés lentement et clairement.
A2	– Je peux repérer les sujets principaux du journal télévisé traitant d'événements, d'accidents, etc. pour lesquels le support visuel illustre le commentaire.
A2	– Je peux saisir les points essentiels de messages et d'annonces courts, clairs et simples.
B1	– Je peux occasionnellement deviner le sens de mots inconnus à l'aide du contexte et comprendre le sens d'une phrase s'il s'agit d'un sujet familier.
B1	– Je peux saisir les idées principales d'une longue discussion que j'écoute à condition que le discours soit clair et standard.
B1	– Je peux suivre une conversation claire bien que, en situation réelle, il se peut que j'aie à demander que l'on répète certains mots ou expressions.
B1	– Je peux comprendre ce qui est dit sur la vie quotidienne ou le travail, d'une façon générale et en détail à condition que le discours soit clair et l'accent familier.
B1	– Je peux comprendre les idées principales d'un propos clair et standard sur des sujets familiers et habituels.
B1	– Je peux suivre une conférence ou un exposé dans mon domaine pourvu que le sujet me soit connu et la présentation claire et bien structurée.
B1	– Je peux comprendre des instructions techniques simples comme celles qui expliquent le fonctionnement d'un appareil ménager.
B1	– Je peux comprendre le contenu des informations audio diffusées ou enregistrées sur des sujets connus formulés de façon relativement claire et lente.
B1	– Je peux comprendre un grand nombre de films dans lesquels l'image et l'action portent l'histoire, et où l'intrigue est simple et directe et le discours clair.
B1	– Je peux saisir l'essentiel des programmes diffusés qui traitent de sujets connus ou intéressants pour moi si le débit est relativement lent et distinct.
B2	– Je peux comprendre en détail ce qu'on me dit en langue parlée standard et ce même avec un bruit de fond.
B2	– Je peux comprendre la langue parlée standard en direct ou à la radio sur des sujets familiers ou non que je rencontre dans la vie personnelle, professionnelle ou universitaire. Seuls des bruits de fond extrêmes, une structure opaque et/ou une langue trop familière peuvent poser problème.
B2	– Je peux comprendre l'essentiel d'un discours complexe sur des sujets concrets ou abstraits en langue standard, y compris des discussions techniques de ma spécialité.
B2	– Je peux suivre un long exposé et un raisonnement complexe à condition que le sujet soit raisonnablement connu et si la personne qui parle exprime le but de son énoncé de façon claire.
B2	– Je peux suivre l'essentiel de conférences, d'exposés et de rapports utilisant des idées et une langue complexes.
B2	– Je peux comprendre des annonces et des messages sur des sujets concrets et abstraits en langue standard à débit normal.
B2	– Je peux comprendre presque tous les documents diffusés ou enregistrés en langue standard et je peux saisir l'humeur et le ton du locuteur.
B2	– Je peux comprendre la plupart des journaux télévisés et des programmes d'actualité tels que les documentaires, les interviews, les débats, les pièces de théâtre et la majorité des films en langue standard.

Les spécifications pour l'auto-évaluation de DIALANG

Niveau du CEF	COMPRÉHENSION DE L'ORAL (suite)
C1	– Je peux suivre une conversation animée entre locuteurs natifs.
C1	– Je peux suivre de longs discours ou conversations sur des sujets abstraits et complexes hors de mon domaine bien qu'il se peut que j'aie à demander la confirmation occasionnelle de détails surtout si l'accent ne m'est pas familier.
C1	– Je peux reconnaître une gamme étendue d'expressions idiomatiques ou familières ainsi que les changements de style.
C1	– Je peux suivre un long propos même s'il n'est pas clairement structuré et que le lien entre les idées soit seulement implicite.
C1	– Je peux suivre assez aisément la plupart des conférences, discussions et débats.
C1	– Je peux extraire une information précise d'annonces de mauvaise qualité.
C1	– Je peux comprendre des informations techniques complexes telles que instructions pour faire fonctionner des appareils ou des indications sur des produits et des services courants.
C1	– Je peux comprendre de nombreux enregistrements audio même en langue non standard, et identifier des détails très pointus tels que des attitudes implicites et des relations entre les locuteurs.
C1	– Je peux suivre des films qui contiennent une part importante d'argot ou d'expressions familières.
C2	– Je peux suivre des conférences ou des exposés sur des sujets spécialisés dans une langue parlée régionale avec une terminologie non familière.

Document C2
Les échelles générales (abrégées) pour le compte rendu des résultats de DIALANG

Niveau du CEF	COMPRÉHENSION DE L'ÉCRIT
A1	Selon les critères du Conseil de l'Europe, les résultats au test suggèrent que, pour la compréhension écrite, vous êtes au niveau A1 ou au-dessous de ce niveau. Les personnes de ce niveau comprennent des phrases très simples, que ce soit sur des affiches, des notices ou dans des revues.
A2	Selon les critères du Conseil de l'Europe, les résultats au test suggèrent que, pour la compréhension écrite, vous êtes au niveau A2. Les personnes de ce niveau comprennent des textes très courts. Elles trouvent les informations spécifiques qu'elles recherchent dans des textes de tous les jours tels que publicité, brochures, menus et horaires ; elles comprennent également des lettres personnelles simples et courtes.
B1	Selon les critères du Conseil de l'Europe, les résultats au test suggèrent que, pour la compréhension écrite, vous êtes au niveau B1. Les personnes de ce niveau comprennent des textes en langue standard ou bien qui concernent leur métier. Elles comprennent des lettres personnelles dans lesquelles des événements, des sentiments, des souhaits sont décrits.
B2	Selon les critères du Conseil de l'Europe, les résultats au test suggèrent que, pour la compréhension écrite, vous êtes au niveau B2. Les personnes de ce niveau comprennent les articles et rapports qui traitent de sujets contemporains, lorsque l'auteur prend une position particulière ou bien exprime un point de vue personnel. Elles comprennent la plupart des textes littéraires et des romans populaires.
C1	Selon les critères du Conseil de l'Europe, les résultats au test suggèrent que, pour la compréhension écrite, vous êtes au niveau C1. Les personnes de ce niveau comprennent en lisant des textes littéraires ou non, longs, complexes et rédigés dans des styles différents. Elles comprennent également des articles « spécialisés » et des instructions techniques même si elles ne sont pas dans leur domaine.
C2	Selon les critères du Conseil de l'Europe, les résultats au test suggèrent que, pour la compréhension écrite, vous êtes au niveau C2. Les personnes de ce niveau comprennent toutes sortes de textes y compris les textes abstraits et qui contiennent une grammaire et un vocabulaire difficiles comme les manuels et les articles sur des sujets spécifiques ainsi que des textes littéraires.

Les échelles générales (abrégées) pour le compte rendu des résultats de DIALANG

Niveau du CEF	PRODUCTION ÉCRITE
A1	Selon les critères du Conseil de l'Europe, les résultats au test suggèrent que, pour l'expression, vous êtes au niveau A1. Les personnes de ce niveau peuvent écrire une carte postale simple, pour envoyer des nouvelles de vacances par exemple. Elles peuvent remplir des formulaires demandant des renseignements personnels comme par exemple à l'hôtel (nom, nationalité, adresse).
A2	Selon les critères du Conseil de l'Europe, les résultats au test suggèrent que, pour l'expression, vous êtes au niveau A2. Les personnes de ce niveau peuvent écrire des messages simples et courts sur des sujets ordinaires et des choses dont elles ont besoin dans la vie de tous les jours. elles peuvent écrire une lettre personnelle très simple, pour remercier quelqu'un par exemple.
B1	Selon les critères du Conseil de l'Europe, les résultats au test suggèrent que, pour l'expression, vous êtes au niveau B1. Les personnes de ce niveau peuvent écrire des textes simples sur des sujets qui leur sont familiers ou qui les intéressent. Elles peuvent écrire des lettres personnelles exprimant des expériences ou des impressions.
B2	Selon les critères du Conseil de l'Europe, les résultats au test suggèrent que, pour l'expression, vous êtes au niveau B2. Les personnes de ce niveau peuvent écrire des textes détaillés et clairs sur une quantité de sujets qui les intéressent. Elles arrivent à écrire un essai ou un rapport pour faire circuler l'information et pour donner des arguments pour ou contre une opinion. elles arrivent à écrire des lettres soulignant leurs réactions sur des événements et expériences vécues.
C1	Selon les critères du Conseil de l'Europe, les résultats au test suggèrent que, pour l'expression, vous êtes au niveau C1. Les personnes de ce niveau peuvent écrire des textes clairs et structurer leurs points de vue d'une manière assez étendue. elles arrivent à exprimer des sujets complexes dans une lettre, un essai, un rapport, sachant faire ressortir ce qui est essentiel. elles arrivent aussi à écrire différentes sortes de textes dans un style personnel et approprié à la personne à qui elles écrivent.
C2	Selon les critères du Conseil de l'Europe, les résultats au test suggèrent que, pour l'expression écrite, vous êtes au niveau C2. Les personnes de ce niveau écrivent clairement avec aisance, dans un style adapté, des lettres, des rapports ou des articles complexes en faisant toujours ressortir l'essentiel pour aider le lecteur. Elles arrivent à rédiger des résumés et des critiques de textes littéraires ou professionnels.

Niveau du CEF	COMPRÉHENSION DE L'ORAL
A1	Selon les critères du Conseil de l'Europe, les résultats au test suggèrent que, pour la compréhension de l'oral, vous êtes au niveau A1 ou au-dessous de ce niveau. Les personnes de ce niveau comprennent des phrases très simples les concernant ou concernant les gens qu'ils connaissent et les choses de la vie quotidienne quand ces phrases sont dites lentement et distinctement.
A2	Selon les critères du Conseil de l'Europe, les résultats au test suggèrent que, pour la compréhension de l'oral, vous êtes au niveau A2. Les personnes de ce niveau comprennent les expressions et les mots les plus courants concernant les choses qui leur sont importantes, par exemple celles concernant leur famille, les achats, leur métier. Elles arrivent à comprendre l'essentiel de messages courts, clairs et simples ainsi que des annonces simples faites au haut-parleur.
B1	Selon les critères du Conseil de l'Europe, les résultats au test suggèrent que, pour la compréhension de l'oral, vous êtes au niveau B1. Les personnes de ce niveau comprennent l'essentiel de sujets « standard » tels que l'école, le travail, les loisirs. Dans les programmes de télévision ou de radio qui traitent de sujets courants ou de sujets qui les intéressent personnellement ou professionnellement, elles arrivent à comprendre l'essentiel, du moment que le locuteur parle relativement lentement et distinctement.
B2	Selon les critères du Conseil de l'Europe, les résultats au test suggèrent que, pour la compréhension de l'oral, vous êtes au niveau B2. Les personnes de ce niveau comprennent la majeure partie des discours et des conférences et arrivent à suivre le fil de l'argumentation même quand elle est complexe pourvu que le sujet soit relativement familier. elles comprennent presque tous les détails des journaux télévisés et les émissions traitant de la vie quotidienne.
C1	Selon les critères du Conseil de l'Europe, les résultats au test suggèrent que, pour la compréhension de l'oral, vous êtes au niveau B2. Les personnes de ce niveau comprennent la langue parlée même si le discours n'est pas clairement structuré et même si les pensées et les idées ne sont pas exprimées explicitement. Elles comprennent les émissions de télévision et les films sans difficulté.
C2	Selon les critères du Conseil de l'Europe, les résultats au test suggèrent que, pour la compréhension de l'oral, vous êtes au niveau B2. Les personnes de ce niveau comprennent n'importe quelle personne qui parle, que ce soit en situation réelle ou dans les médias. Elles comprennent toute personne dont c'est la langue maternelle si elles ont du temps pour s'habituer à sa prononciation.

Document C3
Échelles de démonstration détaillées utilisées pour le Compte rendu et Conseil de DIALANG

COMPRÉHENSION DE L'ÉCRIT

	A1	A2	B1	B2	C1	C2
Les types de textes que je comprends	Textes très courts et simples, surtout des descriptions courtes et simples, notamment si elles sont illustrées. Instructions courtes et simples, par exemple, cartes postales et notices courtes et simples	Textes sur des sujets familiers et concrets. Textes courts et simples, par exemple, lettres ou télécopies personnelles ou d'affaires courantes, la plupart des panneaux et notices courants. Pages jaunes, petites annonces	Textes factuels simples et directs sur des sujets relatif à mes centres d'intérêt. Documents courants tels que lettres, dépliants et documents officiels courts. Articles de presse simples et directs sur des sujets familiers et la description de faits. Textes argumentatifs clairement rédigés. Lettres personnelles exprimant des sentiments et des souhaits. Instructions claires et directes, clairement rédigées pour du matériel	Correspondance relative à mon centre d'intérêt. Textes plus longs, y compris des articles spécialisés hors de mon domaine et sources très spécialisées dans mon domaine. Articles et comptes rendus sur des problèmes d'actualité écrits avec un point de vue spécial	Large gamme de textes longs et complexes de type social, professionnel ou universitaire. Instructions complexes sur une nouvelle machine inconnue ou sur une procédure hors de mon domaine	Large gamme de textes longs et complexes – pratiquement toutes les formes d'écrit. Écrits littéraires ou non, abstraits, structurellement complexes ou largement familiers
Ce que je comprends	Noms familiers, mots et expressions élémentaires	Brefs textes simples. Information spécifique dans des documents courants simples	Langue factuelle simple et directe. Raisonnement d'ordre général clairement rédigé (mais pas forcément tous les détails). Instructions simples et directes. Information générale nécessaire dans des documents courants. Repérage d'informations spécifiques dans un texte long ou plusieurs courts	Compréhension facilitée par un large vocabulaire de lecture ; difficulté avec des expressions et la terminologie. Compréhension du sens principal de la correspondance dans mon domaine et d'articles spécialisés hors de mon domaine (avec un dictionnaire). Information, idées et opinions extraites de sources très spécialisées dans mon domaine. Repérage des détails pertinents dans des textes longs	Identification de points de détails fins y compris attitudes et opinions non explicites. Compréhension en détail de textes complexes, y compris des points très fins, des attitudes et des opinions (voir conditions et limites)	Les subtilités de style et de sens qu'elles soient implicites ou explicites
Conditions et limites	Une seule phrase à la fois	Réduit essentiellement à la langue courante quotidienne et à celle de mon travail	Capacité à identifier les conclusions principales et à suivre un raisonnement réduit aux textes simples et directs	La variété et les types de textes ne sont pas qu'une limite mineure. Capacité de lire des textes de types différents et de façons différentes selon le but et le type du texte. Dictionnaire nécessaire pour les textes plus spécialisés ou moins familiers	Compréhension des détails de textes complexes seulement avec relecture des parties difficiles. Utilisation occasionnelle du dictionnaire	Peu de limites. Peut comprendre et interpréter pratiquement toute forme d'écrit. Un vocabulaire et des expressions très rares ou archaïques peuvent être inconnus mais sans que la compréhension en soit gênée

Échelles de démonstration détaillées utilisées pour le Compte rendu et Conseil de DIALANG

PRODUCTION ÉCRITE

	A1	A2	B1	B2	C1	C2
Les types de textes que je peux écrire	Très courts échantillons d'écrit ; mots isolés et phrases élémentaires très courtes. Par exemple, messages simples, notes, formulaires et cartes postales	Textes habituellement courts et simples. Par exemple, lettres personnelles simples, cartes postales, messages, notes et formulaires	Un texte suivi compréhensible dont les éléments sont connectés	Une variété de textes différents	Une variété de textes différents. Capacité à s'exprimer avec clarté et précision en utilisant la langue avec souplesse et efficacité	Une variété de textes différents. Capacité à transmettre des finesses de sens avec précision. Capacité à écrire de manière convaincante
Ce que je peux écrire	Chiffres et dates, mon propre nom, ma nationalité, mon adresse et autres informations personnelles nécessaires pour remplir un formulaire simple lors d'un voyage. Phrases simples et courtes coordonnées par « et » ou « et puis », par exemple	Textes qui décrivent normalement les besoins immédiats, des événements personnels, des lieux familiers, des loisirs, le travail, etc. Textes normalement composés de phrases élémentaires courtes. Capacité à utiliser les connecteurs les plus fréquents (par exemple et, mais, parce que) pour lier les phrases afin d'écrire une histoire ou de décrire quelque chose sous forme d'énumération	Capacité à transmettre une information simple à des amis, à du personnel, etc. dans la vie quotidienne. Capacité à transmettre des idées simples et directes sans rien omettre. Capacité à donner des nouvelles, exprimer sa pensée sur des sujets abstraits ou culturels tels que le cinéma, la musique, etc. Capacité à décrire dans le détail des expériences, des sentiments et des faits	Capacité à transmettre des nouvelles et des opinions efficacement et à répondre à celles des autres. Capacité à utiliser des mots de liaison variés pour indiquer clairement la relation entre les idées. Orthographe et ponctuation sont raisonnablement correctes	Capacité à produire des écrits clairs, fluides et bien structurés qui montrent un usage maîtrisé des modèles d'organisation, des connecteurs et des articulateurs. Capacité à caractériser avec précision des opinions et des assertions en relation aux degrés, par exemple, de certitude/incertitude, croyance/doute, similitude. La mise en page, le découpage et la ponctuation sont facilitants et cohérents. À l'exception de lapsus occasionnels, l'orthographe est correcte	Capacité à produire des textes cohérents et construits en utilisant de façon appropriée et complète toute la gamme des modèles d'organisation et celle des articulations. Il n'y a pas de fautes d'orthographe
Conditions et limites	À l'exception des mots et expressions les plus courants, il faut consulter un dictionnaire	Sur des sujets courants et familiers seulement	Il se peut que la gamme des textes se limite aux plus courants et familiers, tels que la description de choses ou d'actions ; mais le raisonnement et la contradiction, par exemple, restent difficiles	L'expression de fines nuances dans une prise de position ou l'évocation de sentiments ou d'expériences peut s'avérer difficile	L'expression de fines nuances dans une prise de position ou l'évocation de sentiments ou d'expériences peut s'avérer difficile	Aucun besoin de consulter un dictionnaire sauf pour quelques mots spécialisés dans un domaine peu connu

Échelles de démonstration détaillées utilisées pour le Compte rendu et Conseil de DIALANG

COMPRÉHENSION DE L'ORAL

	A1	A2	B1	B2	C1	C2
Les types de textes que je peux comprendre	Des expressions très simples, sur moi, les gens que je connais et ce qui m'entoure. Questions, instructions et consignes. Par exemple, expressions quotidiennes, questions, instructions, consignes brèves et simples	Des expressions et phrases simples sur des sujets qui me concernent. Des conversations et des discussions quotidiennes simples. Les questions courantes dans les médias. Par exemple, messages, échanges courants, consignes, nouvelles télévisées ou radio diffusées	Discours sur des sujets familiers et information factuelle. Conversations et discussions quotidiennes. Programmes des médias et films. Par exemple, modes d'emploi, conférences et exposés courts	Toutes sortes de discours sur des sujets familiers. Conférences, programmes des médias et films. Par exemple, discussions techniques, comptes rendus, interviews en direct	Discours oral en général. Conférences, discussions et débats. Annonces publiques. Information technique complexe. Documents enregistrés et films. Par exemple, des conversations de locuteurs natifs	Toute langue parlée en direct ou enregistrée. Conférences et présentations spécialisées
Ce que je comprends	Noms et mots simples. Idées générales. Assez pour répondre ; donner des renseignements sur soi, suivre des instructions	Langue quotidienne courante. Discussions et conversations quotidiennes simples. Le point important. Assez pour suivre	Le sens de quelques mots inconnus, en le devinant. Sens général et détails Idées spécifiques Idées générales et information spécifique.	Idées et langue complexes. Le point de vue et les attitudes du locuteur	Assez pour participer activement à la conversation. Sujets abstraits et complexes. Attitudes et relations implicites entre les locuteurs	Compréhension globale et détaillée sans aucune difficulté
Conditions et limites	Discours clair, lent et diction soignée. À condition que l'interlocuteur soit bienveillant	Discours clair et lent. Aura besoin de la bienveillance de l'interlocuteur (trice) ou d'illustrations. Devra quelquefois demander que l'on répète ou reformule	Discours clair standard. Aura besoin d'un support visuel et d'action. Devra quelquefois demander que l'on répète une phrase ou une expression	Langue standard avec quelques usages idiomatiques et même dans un environnement relativement bruyant	A besoin de confirmer occasionnellement des détails si l'accent est inhabituel	Aucune à condition d'avoir le temps de s'habituer à ce qui n'est pas courant

LES SPÉCIFICATIONS DE ALTE

Cette annexe présente **les spécifications en termes de « capacités de faire »** et **les seuils fonctionnels d'apprentissage** de l'Association des centres d'évaluation en langue en Europe ALTE (*Association of Language Teachers in Europe*). Le but et la nature de ces spécifications y sont décrits. On y rend compte ensuite de la façon dont elles ont été formulées et définies en relation aux certifications de ALTE, et ancrées sur le *Cadre européen commun de référence*. Les descripteurs de ce projet ont été étalonnés et comparés aux niveaux du *Cadre commun* selon la Méthode n° 12 c. (modèle de Rasch) présentée dans l'Annexe A.

PANORAMA

LE CADRE DE RÉFÉRENCE DE ALTE ET LE PROJET DES SEUILS FONCTIONNELS D'APPRENTISSAGE

Le Cadre de référence de ALTE

La définition des « capacités de faire » et des seuils fonctionnels d'apprentissage de ALTE se trouve au cœur d'un projet de recherche à long terme, mis en place par ALTE, dont le but est de créer un Cadre de référence de niveaux clés de performance en langues dans lequel les examens puissent être décrits et situés objectivement.

Un travail important, basé sur l'analyse du contenu des examens et des types de tâches exigées ainsi que celle du profil des candidats, a déjà été réalisé pour situer les systèmes d'examen des membres de ALTE en fonction du *Cadre de référence*. On trouvera une présentation plus complète de ces systèmes d'examens dans le manuel des *Examens européens de langue et systèmes d'évaluation* (voir p. 2 à 3).

Les spécifications de ALTE sont centrées sur l'utilisateur

Le projet de recherche sur les « **capacités de faire** » a pour but de développer et de valider un ensemble d'échelles relatives à la performance qui décriraient ce que les apprenants peuvent effectivement faire dans la langue étrangère.

Selon la distinction que fait Alderson (1991) entre les échelles centrées sur le **concepteur**, sur l'**examinateur** et sur l'**utilisateur**, les « capacités de faire » et les seuils fonctionnels d'apprentissage, dans leur conception initiale, sont centrés sur l'utilisateur. Ils facilitent la communication entre les partenaires concernés par le processus d'évaluation et, notamment, l'interprétation des résultats par des non spécialistes. En tant que tels, ils fournissent

    a. un outil pratique pour ceux qui sont engagés dans l'enseignement et l'évaluation d'étudiants en langues. Ils peuvent être utilisés comme une liste de contrôle de ce que les utilisateurs de la langue sont capables de faire et définir ainsi à quelle étape ils en sont

b. une base pour la conception de tâches d'évaluation diagnostique, de programmes fondés sur des activités et de matériel pédagogique

c. un moyen pour mener à bien un audit linguistique fondé sur des activités, utile pour les gens chargés de formation en langues et de recrutement dans les compagnies

d. un moyen pour comparer des objectifs de cours et de matériels pédagogiques pour des langues différentes mais cohabitant dans le même contexte.

Ils seront utiles pour le personnel en formation et la gestion de ce personnel car ils fournissent des descriptions de performances aisément compréhensibles et que l'on peut utiliser lorsqu'on précise aux formateurs en langues les qualités attendues, ou que l'on décrit les postes de travail, ou que l'on spécifie les exigences en langues pour de nouvelles fonctions.

Les spécifications de ALTE sont multilingues

Une dimension importante des « capacités de faire » est leur **multilinguisme**. En effet, elles ont été, à ce jour, traduites en douze langues représentées dans l'association ALTE. Ces langues sont : l'allemand, l'anglais, le catalan, le danois, l'espagnol, le finlandais, le français, l'italien, le néerlandais, le norvégien, le portugais et le suédois. En tant que descriptions de niveaux de compétence indépendants de la langue considérée, ces spécifications constituent un Cadre de référence auquel peuvent se rattacher des examens de différentes langues à des niveaux différents. Ils donnent la possibilité de montrer les équivalences des différents systèmes et de dire, en termes compréhensibles et concrets, quelles sont les capacités que les candidats ayant passé ces examens avec succès sont susceptibles de manifester.

Organisation des « capacités de faire »

Les **seuils fonctionnels d'apprentissage** sont composés actuellement d'**environ 400 spécifications** de « capacités de faire » organisées autour de trois pôles ; *Vie sociale et tourisme, Travail* et *Études*. Ce sont les trois domaines qui intéressent la majorité des apprenants en langues. Chacun d'entre eux recouvre des situations particulières, par exemple *Vie sociale et tourisme* regroupe *Faire des achats, Manger à l'extérieur, Loger à l'hôtel*, etc. **Pour chaque situation**, on trouvera jusqu'à **trois échelles** correspondant aux habiletés de *Compréhension de l'oral/Expression orale, Compréhension de l'écrit et Expression écrite. Compréhension de l'oral/Expression orale* combine les échelles relatives à l'interaction. Chaque échelle contient des spécifications qui couvrent une gamme de niveaux. Certaines échelles ne couvrent qu'une partie de l'étendue de la compétence car il existe de nombreuses situations dans lesquelles on n'exige qu'une compétence de base pour réussir à communiquer.

Le processus d'élaboration

Le processus initial d'élaboration s'est déroulé selon les étapes suivantes :

a. description (portrait) des utilisateurs des tests de langues de ALTE à l'aide de questionnaires, de rapports scolaires, etc.

b. utilisation de cette information pour apporter des précisions sur la variété des besoins des candidats et repérer leurs préoccupations principales

c. utilisation de spécifications d'évaluations et de niveaux internationalement reconnus tels que *Waystage* et un *Niveau seuil* pour rédiger les premières spécifications

d. harmonisation des spécifications et estimation de leur pertinence pour les candidats

e. expérimentation des spécifications auprès des élèves et des enseignants afin d'évaluer leur pertinence et leur transparence

f. en fonction de **e.**, correction, révision et simplification de la formulation des spécifications.

Validation empirique des « capacités de faire » de ALTE

Les échelles ainsi élaborées ont été soumises à des opérations de validation empirique approfondies. Le but de ce processus de validation est de transformer les spécifications d'un ensemble de descriptions de niveaux essentiellement subjectives en un outil de mesure étalonné. Il s'agit là d'un processus à long terme qui se poursuit et qui se poursuivra au fur et à mesure que des données complémentaires seront fournies par les différentes langues que ALTE regroupe.

À ce jour, le recueil de données s'est fondé surtout sur des comptes rendus fournis par les intéressés, les échelles de « capacités de faire » étant présentées aux partenaires sous la forme d'une batterie de questionnaires associés. Pour nombre de ces partenaires, des données complémentaires sont disponibles sous la forme de résultats à des examens de langue. Il y a tout lieu de penser que l'on dispose là du recueil de données de très loin le plus important qui permette de valider une échelle pour la description de la compétence langagière.

On a commencé le travail empirique en examinant la cohérence interne des échelles de spécifications elles-mêmes, avec pour buts

1. de vérifier la fonction de chaque spécification dans le cadre de chaque échelle

2. de comparer les différentes échelles de spécifications afin de définir leur relative difficulté

3. d'étudier la neutralité de la formulation des « capacités de faire ».

On a administré les questionnaires dans la première langue des sujets partenaires, sauf aux niveaux les plus avancés, et essentiellement dans des pays d'Europe. On a apparié les partenaires de l'expérience aux questionnaires appropriés – les échelles *Travail* aux candidats qui utilisent professionnellement la langue, les échelles *Études* à ceux qui étaient engagés dans un programme d'études utilisant une langue étrangère comme langue d'enseignement ou qui se préparaient à le faire. Les échelles *Vie sociale et tourisme* ont été données aux autres partenaires tandis qu'une sélection d'échelles de ce domaine a été ajoutée, comme ancrage, aux questionnaires *Travail et Études*.

On utilise des **items d'ancrage** dans un recueil de données pour une analyse selon le modèle de Rasch afin d'associer différents tests ou questionnaires. Comme on l'a exposé dans l'Annexe A, l'analyse de Rasch crée un seul cadre de mesure en utilisant un schéma de recueil de données ou une série de tests qui se chevauchent et sont reliés par des items communs que l'on appelle « items d'ancrage ». Une telle utilisation systématique de spécifications d'ancrage est nécessaire afin de mettre en évidence la difficulté relative des domaines d'utilisation et notamment des échelles. L'utilisation pour l'ancrage de *Vie sociale et tourisme* a été fondée sur l'hypothèse que ces domaines font appel à un fonds commun de compétence langagière et que l'on peut s'attendre à ce qu'ils fournissent le point de référence le plus adéquat pour comparer les échelles *Travail et Études*.

Révision de la formulation

Une des conséquences de cette première étape a été la révision textuelle des spécifications des échelles. On a supprimé, notamment, les formulations négatives qui s'avéraient problématiques d'un point de vue statistique et ne paraissaient pas totalement appropriées à la description des niveaux de résultats. Voici deux exemples des types de changements effectués :

1. Les formulations négatives ont été récrites positivement, tout en gardant le sens original.
   – N'EST CAPABLE DE répondre QU'à des questions simples et prévisibles
   est devenu
   – EST CAPABLE DE répondre à des questions simples et prévisibles.
2. Les formulations utilisées comme des qualifications négatives pour un niveau inférieur de spécification ont été transformées en formulations positives visant à décrire un niveau supérieur.
   – *NE PEUT PAS décrire des symptômes non apparents comme les différentes sortes de douleur, par exemple ; sourde, lancinante,* etc.
   est devenu
   – *PEUT décrire des symptômes non apparents comme les différentes sortes de douleur, par exemple ; sourde, lancinante,* etc.

Mise en relation des seuils fonctionnels d'apprentissage et des examens de ALTE

À la suite de l'étalonnage initial des spécifications et de la révision textuelle décrite ci-dessus, l'attention s'est focalisée sur l'établissement d'un lien entre les échelles de spécifications et d'autres indicateurs de niveau de langue. Nous avons examiné notamment la performance dans les examens de ALTE et la relation entre les spécifications des seuils fonctionnels d'apprentissage et les niveaux du *Cadre de référence* du Conseil de l'Europe.

À partir de décembre 1998, on a recueilli des données pour associer les auto-évaluations des « capacités de faire » et les résultats aux examens d'Anglais Langue Étrangère à différents niveaux de UCLES (*University of Cambridge Local Examination Syndicate*). Une relation claire s'en est dégagée qui a permis de décrire le sens d'un résultat d'examen en termes de « capacités de faire », autrement dit selon les spécifications qui constituent les seuils fonctionnels d'apprentissage.

Toutefois, lorsque les évaluations des spécifications sont basées sur des rapports individuels et proviennent d'un nombre important de pays et de partenaires, on trouve des variations dans la perception générale que les correspondants ont de leurs propres capacités. Autrement dit, la compréhension de la « capacité de faire » peut être sensiblement différente pour des raisons qui tiennent sans doute partiellement à des facteurs tels que l'âge ou la culture de base. Pour certains correspondants, cela affaiblit la corrélation avec leurs résultats d'examen. On a choisi des démarches analytiques pour déterminer aussi clairement que possible la relation entre les auto-évaluations sur spécifications et les critères de niveaux de capacité mesurés par les résultats d'examen. Il faudra probablement que des examinateurs expérimentés poursuivent la recherche sur l'évaluation des spécifications avant de pouvoir caractériser pleinement la relation entre résultats d'examen et profils de capacité fondés sur les spécifications des seuils fonctionnels d'apprentissage.

Dans ce contexte, il faudra traiter le problème conceptuel relatif à la notion de maîtrise – à savoir, **qu'entendons-nous exactement par « capacité de faire »** ? Il faudra définir quelle qualité (*comment ?*) est attendue d'un sujet à un certain niveau pour mener certaines tâches à bien. Est-il certain que la personne en question réalisera toujours parfaitement cette tâche ? Ce serait là une exigence trop stricte. D'un autre côté, 50 % de chances de succès seraient un pourcentage trop faible pour parler de maîtrise.

On a choisi 80 % car on utilise couramment une note de 80 % dans l'évaluation domaniale ou critériée pour parler de maîtrise dans un domaine donné. Ainsi, des candidats qui sont admissibles avec juste la note requise à un examen de ALTE à un niveau donné devraient avoir 80 % de chances de réussite pour les tâches qui servent à définir ce niveau. Les données recueillies à ce jour sur les candidats aux examens de Cambridge indiquent que ce chiffre concorde bien avec la probabilité moyenne d'enregistrer les spécifications de « capacité de faire » au niveau approprié. Il est apparu que cette relation restait constante quel que soit le niveau de l'examen.

Une telle définition de la « capacité de faire » nous donne une base pour interpréter certains niveaux de ALTE dans les mêmes termes.

Tandis que la relation aux résultats d'examens a été jusqu'ici fondée sur les examens de Cambridge, on continue à recueillir les données qui associent les spécifications de « capacité de faire » aux autres examens de ALTE, ce qui permet de vérifier que ces différents systèmes d'évaluation sont en relation au *Cadre de référence* sur cinq niveaux de ALTE fondamentalement de la même façon.

Ancrage au *Cadre de référence* du Conseil de l'Europe

En 1999, des données ont été recueillies pour lesquelles les ancrages étaient fournis par des spécifications parues en 1996 dans le document du *Cadre de référence* du Conseil de l'Europe. Ces ancrages comprenaient
1. les descripteurs des catégories principales de l'utilisation de la langue par niveau de la grille d'auto-évaluation présentée comme Tableau 2 du Chapitre 3
2. 16 descripteurs relatifs aux aspects communicatifs de l'*Aisance* tirés des échelles de démonstration du Chapitre 5.

On a choisi le Tableau 2 à cause de son usage étendu puisqu'il propose, en pratique, une description résumée des niveaux. La capacité de ALTE à recueillir des données dans un grand nombre de langues et de pays lui a permis de contribuer à la validation des échelles du Tableau 2.

L'usage des spécifications relatives à l'*Aisance* avaient été conseillé car on avait trouvé, lors de mesures effectuées dans des contextes variés dans le cadre du projet suisse (North 1996/2000), qu'elles avaient les indices de difficulté les plus stables. On s'attendait donc à ce qu'elles permettent une bonne comparaison des spécifications sur la « capacité de faire » de ALTE et du *Cadre de référence* du Conseil de l'Europe. Les difficultés anticipées des spécifications relatives à l'*Aisance* se sont avérées très proches de celles données (North 1996/2000) avec une corrélation de 0,97. Ce qui constitue un excellent ancrage entre les « capacités de faire » et les échelles utilisées pour illustrer le *Cadre européen commun de référence*.

Néanmoins, l'utilisation du modèle de Rasch pour **comparer** entre eux **des ensembles de spécifications (les échelles)** n'est pas simple. Les données ne répondent jamais exactement au modèle ; il y a des problèmes d'extension, de discrimination et de fonction différenciatrice des items (variation d'interprétation systématique selon les groupes) que l'on doit identifier et traiter afin que la relation la plus exacte des échelles entre elles puisse émerger.

• **L'extension** est relative au fait que les aptitudes à la *Compréhension de l'oral/Expression orale*, à la *Compréhension de l'écrit/Expression écrite* sont encore distinctes bien qu'en forte corrélation ; les analyses dans lesquelles elles sont séparées débouchent sur des distinctions de niveaux plus cohérentes et plus discriminantes.

• **La discrimination variable** est évidente lorsqu'on compare le Tableau 2 et les spécifications de « capacités à faire ». Il apparaît que le Tableau 2 produit une échelle plus longue (qui distingue plus finement les niveaux) que ne le font les spécifications des « capacités à faire ». Il est probable que la raison en est que le Tableau 2 présente le produit fini d'un processus de longue durée de sélection, d'analyse et d'affinement. Le résultat de ce processus est que la description de chaque niveau est la résultante d'éléments remarquables soigneusement sélectionnés ce qui facilite, pour les partenaires à un niveau donné, la reconnaissance du niveau qui les décrit le mieux. Cela produit un schéma de réponses plus cohérent qui, à son tour, produit une échelle plus longue. Il y a là contraste avec la forme actuelle des spécifications de la « capacité de faire » qui ont des formulations courtes et éclatées pas encore regroupées en descriptions de niveaux globales et synthétiques.

• **Les effets de groupe** (fonction différentielle d'item) sont évidents par le fait que certains groupes partenaires (c'est-à-dire ayant répondu aux questionnaires relatifs à *Vie sociale et tourisme, Travail* ou *Études*) font une discrimination des niveaux infiniment plus fine sur certaines des échelles utilisées comme ancrage pour des raisons que l'on n'est pas parvenu à reconnaître.

Lorsqu'on utilise le modèle de Rasch pour comparer des étalonnages, aucun de ces effets n'est inattendu. Ils rappellent qu'une révision qualitative systématique des énoncés des spécifications prises une à une reste une étape importante et nécessaire pour arriver à une comparaison « finale » des échelles.

Niveaux de compétence dans le Cadre de référence de ALTE

À l'heure actuelle, le Cadre de référence de ALTE est **un système à cinq niveaux**. La validation décrite plus haut confirme que ceci correspond en gros aux niveaux A2 à C2 du *Cadre européen commun de référence*. Le travail de définition d'un niveau initial (*Breakthrough*) est en cours et la recherche sur les « capacités de faire » contribue à la caractérisation de ce niveau. On peut donc voir la relation entre les deux cadres de référence comme suit :

Niveaux du Conseil de l'Europe	A1	A2	B1	B2	C1	C2
Niveaux de ALTE	ALTE Niveau 1 *Breakthrough*	ALTE Niveau 1	ALTE Niveau 2	ALTE Niveau 3	ALTE Niveau 4	ALTE Niveau 5

Les traits principaux de chacun des niveaux de ALTE sont les suivants

- **ALTE Niveau 5 (Locuteur autonome ou de niveau de maîtrise)**
  Capacité de traiter des documents universitaires ou exigeants au plan cognitif et à savoir tirer avantage de la langue à un niveau de performance qui peut, à certains égards, être supérieur à celui d'un locuteur natif moyen.
  Exemple : *EST CAPABLE DE parcourir des textes pour en tirer l'information pertinente et en saisir l'essentiel en lisant presque aussi vite qu'un locuteur natif.*

- **ALTE Niveau 4 (Locuteur compétent ou de niveau supérieur)**
  Capacité de communiquer en mettant l'accent sur ce qui compte en termes de pertinence et de sensibilité et à traiter des sujets inhabituels.
  Exemple : *EST CAPABLE DE répondre avec assurance à des questions inamicales. EST CAPABLE DE prendre et de garder son tour de parole.*

- **ALTE Niveau 3 (Locuteur indépendant ou de niveau avancé)**
  Capacité à atteindre la plupart de ses buts et de s'exprimer sur une variété de sujets.
  Exemple : *EST CAPABLE DE conduire des visiteurs et de faire une description détaillée d'un lieu.*

- **ALTE Niveau 2 (Locuteur de Niveau seuil ou niveau intermédiaire)**
  Capacité à s'exprimer de manière limitée dans des situations courantes et de traiter en gros une information inhabituelle.
  Exemple : *EST CAPABLE DE demander l'ouverture d'un compte en banque à condition que la démarche soit simple.*

- **ALTE Niveau 1 (Locuteur débutant ou de niveau élémentaire, Waystage)**
  Capacité à traiter une information directe et simple et à s'exprimer en contexte connu.
  Exemple : *EST CAPABLE DE participer à une conversation courante sur des sujets simples et prévisibles.*

- **ALTE Niveau *Breakthrough***
  Capacité élémentaire à communiquer et à échanger simplement des informations.
  Exemple : *EST CAPABLE DE poser des questions simples au sujet d'un menu et de comprendre des réponses simples.*

Références

Alderson J.-C., Bands and scores, *in* Alderson J.-C. and North B. (sous la direction de), *Language testing in the 1990s,* London, British Council/Macmillan, Developments in ELT, 71-86 (1991).

North B., *The development of a commun framework scale of language proficiency,* PhD Thesis, Thames Valley University, New York, Peter Lang, 1996, rééd. 2000.

Document ALTE : Descriptif des examens et systèmes d'évaluation organisés par l'Association des Centres d'Évaluation en Langues en Europe (ALTE) (disponible auprès du secrétariat de ALTE à UCLES ou à L'Alliance française de Paris).

Pour plus d'information sur le projet ALTE, s'adresser à :
Marianne Hirtzel, Hirtzel.m@ucles.org.uk
ou à la Direction de l'École de Paris de l'Alliance française
101, boulevard Raspail 75006 Paris. Tél. ; 01 42 84 90 00

LES DESCRIPTEURS DU PROJET

Document D1
Résumé des niveaux d'habiletés de ALTE

NIVEAU DE ALTE	Compréhension de l'oral/ Expression orale (Écouter/parler)	Compréhension de l'écrit (Lire)	Expression écrite (Écrire)
ALTE Niveau 5	EST CAPABLE DE s'exprimer sur des points complexes ou sensibles et de donner des conseils, de comprendre des allusions familières et de traiter avec assurance des questions inamicales	EST CAPABLE DE comprendre des documents, de la correspondance et des rapports, y compris les points les plus fins de textes complexes	EST CAPABLE DE rédiger des lettres sur n'importe quel sujet ainsi que des notes prises en réunion ou en séminaire avec exactitude et une expression convenable
ALTE Niveau 4	EST CAPABLE DE participer effectivement à des réunions et des séminaires dans son domaine professionnel ou d'entretenir une conversation informelle avec un niveau d'aisance satisfaisant et en se débrouillant avec les expressions abstraites	EST CAPABLE DE lire assez rapidement pour faire face à un cours universitaire, de lire les médias pour information ou de comprendre une correspondance non courante	EST CAPABLE DE préparer/ébaucher une correspondance professionnelle, de prendre des notes suffisamment exactes dans des réunions ou d'écrire un essai qui montre une capacité à communiquer
ALTE Niveau 3	EST CAPABLE DE suivre ou faire un exposé sur un sujet courant ou entretenir une conversation sur une gamme relativement large de sujets	EST CAPABLE DE parcourir des textes pour relever l'information pertinente et de comprendre des instructions détaillées ou des conseils	EST CAPABLE DE prendre des notes pendant que quelqu'un parle ou d'écrire une lettre comprenant des demandes inhabituelles
ALTE Niveau 2	EST CAPABLE D'exprimer des opinions sur des sujets abstraits ou culturels dans certaines limites ou de donner son avis dans une domaine connu et de comprendre des instructions et des annonces publiques	EST CAPABLE DE comprendre une information et des articles courants ainsi que le sens général d'une information inhabituelle dans un domaine familier	EST CAPABLE D'écrire des lettres ou de prendre des notes sur des sujets prévisibles ou familiers
ALTE Niveau 1	EST CAPABLE D'exprimer des opinions ou des demandes simples en contexte connu	EST CAPABLE DE comprendre une information simple et directe dans un domaine connu tel que produits et panneaux ainsi que des manuels simples ou des rapports sur des sujets familiers	EST CAPABLE DE remplir des formulaires et d'écrire des lettres simples ou des cartes postales relatives à une information personnelle
ALTE Niveau Breakthrough	EST CAPABLE DE comprendre une information de base ou de prendre part à une conversation élémentaire factuelle sur un sujet prévisible	EST CAPABLE DE comprendre des notices, instructions ou informations élémentaires	EST CAPABLE DE remplir des formulaires élémentaires et d'écrire des notes pour indiquer la date, le lieu et l'heure

Document D2
Résumé des spécifications de ALTE relatives à *Vie sociale et tourisme*

NIVEAU DE ALTE	Compréhension de l'oral/ Expression orale (Écouter/parler)	Compréhension de l'écrit (Lire)	Expression écrite (Écrire)
ALTE Niveau 5	EST CAPABLE DE traiter sans maladresse des questions complexes ou sensibles	EST CAPABLE (à la recherche d'un hébergement) DE comprendre un contrat de location dans le détail, par exemple précisions techniques et les conséquences légales principales	EST CAPABLE DE rédiger des lettres sur n'importe quel sujet avec précision et une expression convenable
ALTE Niveau 4	EST CAPABLE D'entretenir des conversations informelles assez longues et de discuter sur des sujets abstraits ou culturels avec une aisance convenable et une expression variée	EST CAPABLE DE comprendre des arguments et des opinions complexes tels que la presse sérieuse les présente	EST CAPABLE DE rédiger des lettres sur la plupart des sujets. Les difficultés que le lecteur pourra rencontrer seront probablement d'ordre lexical
ALTE Niveau 3	EST CAPABLE D'entretenir une conversation sur un large éventail de sujets tels que des expériences personnelles et professionnelles, des événements de l'actualité	EST CAPABLE DE comprendre des informations détaillées, par exemple une gamme étendue de termes culinaires sur un menu de restaurant ainsi que des mots et abréviations dans les petites annonces de logement	EST CAPABLE D'écrire à un hôtel pour s'informer sur diverses possibilités, par exemple l'accès des handicapés ou un régime alimentaire spécial
ALTE Niveau 2	EST CAPABLE D'exprimer des opinions sur des questions abstraites ou culturelles dans certaines limites et de saisir des nuances de sens ou d'opinion	EST CAPABLE DE comprendre des articles de journaux factuels, des lettres courantes en provenance d'hôtel(s) et des lettres exprimant une opinion personnelle	EST CAPABLE DE rédiger des lettres dans une gamme limitée de sujets prévisibles relatifs à l'expérience personnelle et d'exprimer des opinions dans une langue prévisible
ALTE Niveau 1	EST CAPABLE DE dire ce qu'il/elle aime ou n'aime pas dans un contexte familier en utilisant une langue simple comme « J'aime/je n'aime pas... »	EST CAPABLE DE comprendre une information simple et directe comme, par exemple, les étiquettes sur les produits alimentaires, des menus courants, les panneaux routiers et les messages sur les distributeurs automatiques	EST CAPABLE DE remplir la plupart des formulaires relatifs à des renseignements personnels
ALTE Niveau Breakthrough	EST CAPABLE DE poser des questions factuelles et de comprendre les réponses exprimées dans une langue simple	EST CAPABLE DE comprendre des notices et de l'information simples, par exemple dans les aéroports, sur les plans de magasins et sur les menus EST CAPABLE DE comprendre des instructions simples sur des médicaments et des indications simples d'orientation	EST CAPABLE DE laisser un message très simple chez un hôte ou d'écrire une brève carte simple de remerciement

Document D3
Spécifications de ALTE relatives à *Vie sociale et tourisme*
Panorama des intérêts et activités traités

INTÉRÊT	ACTIVITÉ	ENVIRONNEMENT	HABILETÉ EXIGÉE
Vie quotidienne	1. Faire des achats	Grandes surfaces, petits commerces, marchés	Écouter/parler Lire
	2. Manger à l'extérieur	Restaurants, self-services (cantines, restauration rapide, etc.)	Écouter/parler Lire
	3. Loger à l'hôtel	Hôtels, chambres d'hôte, etc.	Écouter/parler Lire, écrire (remplir des formulaires)
	4. Louer provisoirement (appartement, chambre, maison)	Agence, propriétaire privé	Écouter/parler Lire, écrire (remplir des formulaires)
	5. S'installer dans un logement	Familles d'accueil	Écouter/parler Lire, écrire (des lettres)
	6. Utiliser les services bancaires et postaux	Banques, poste, bureaux de change	Écouter/parler Lire, écrire
Santé	Se soigner	Pharmacie Cabinets médicaux Hôpital Cabinet de dentiste	Écouter/parler Lire
Voyages	Arriver dans un pays Faire des excursions Obtenir/donner des indications Louer	Aéroport/port Gares (trains, cars, bus Rue, garage, agence de voyage Agence de location	Écouter/parler Lire, écrire (remplir des formulaires)
Urgences	Se débrouiller dans des situations d'urgence (accident, maladie, infraction, panne de voiture, etc.)	Lieux publics Lieux privés (chambre d'hôtel par exemple) Hôpital Commissariat de police	Écouter/parler Lire
Tourisme	S'informer Aller en excursion Faire une visite guidée	Agence de tourisme Agence de voyage Sites touristiques (monuments, etc.) Villes et villages Écoles, lycées, universités	Écouter/parler Lire
Vie en société	Se réunir entre amis Se divertir avec les autres Recevoir	Discothèque, fêtes, écoles, hôtels, terrains de camping, restaurants, etc. Chez soi/ailleurs	Écouter/parler
Médias/ manifestations culturelles	Regarder la télévision, des films, des pièces de théâtre, etc. Écouter la radio Lire des journaux et des magazines	Chez soi, au cinéma, au théâtre Spectacles « Son et lumière »	Écouter/parler
Relations personnelles (à distance)	Écrire des lettres, des cartes postales, etc.	Chez soi, ailleurs	Écouter/parler (téléphone), Lire, Écrire

Document D 4
Résumé des spécifications de ALTE relatives au *Travail*

NIVEAU DE ALTE	Compréhension de l'oral/ Expression orale (Écouter/parler)	Compréhension de l'écrit (Lire)	Expression écrite (Écrire)
ALTE Niveau 5	EST CAPABLE DE traiter des questions délicates ou litigieuses complexes d'ordre juridique ou financier ou de conseiller sur ces questions pour autant qu'il/elle en ait la connaissance spécialisée nécessaire	EST CAPABLE DE comprendre des rapports et des articles qu'il/elle est susceptible de rencontrer dans son travail et exprimant des idées complexes dans une langue complexe	EST CAPABLE DE prendre des notes exhaustives et exactes sans cesser de participer à une réunion ou à un séminaire
ALTE Niveau 4	EST CAPABLE DE participer effectivement à des réunions ou à des séminaires en rapport avec son domaine professionnel et de plaider pour ou contre un cas d'espèce	EST CAPABLE DE comprendre une correspondance dont l'expression est inhabituelle	EST CAPABLE DE faire face à une grande variété de situations courantes ou non dans lesquelles des services professionnels sont demandés à des collègues ou à des contacts extérieurs
ALTE Niveau 3	EST CAPABLE DE prendre et transmettre la plupart des messages requérant une certaine attention durant une journée de travail normale	EST CAPABLE DE comprendre l'essentiel de la correspondance, des rapports et des textes factuels relatifs aux produits qu'il/elle rencontre	EST CAPABLE DE faire face à toutes les demandes courantes pour des produits ou des services
ALTE Niveau 2	EST CAPABLE DE conseiller les clients sur des questions simples dans le cadre de son travail	EST CAPABLE DE comprendre le sens général de lettres inhabituelles et d'articles théoriques dans le cadre de son travail	EST CAPABLE DE prendre des notes raisonnablement justes lors d'une réunion ou d'un séminaire si le sujet traité est familier et prédictible
ALTE Niveau 1	EST CAPABLE DE formuler des demandes simples dans le cadre de son travail telles que « Je voudrais commander 25 unités de... »	EST CAPABLE DE comprendre la plupart des rapports ou des modes d'emploi de nature prévisible dans son propre domaine de compétence, à condition d'avoir assez de temps	EST CAPABLE DE formuler de manière compréhensible une brève demande à un collègue ou un contact connu dans une autre société
ALTE Niveau *Breakthrough*	EST CAPABLE DE prendre et de transmettre des messages simples courants tels que « Vendredi, réunion à 10 heures »	EST CAPABLE DE comprendre de brefs rapports ou la description de produits sur des sujets familiers à condition qu'ils soient formulés simplement et que le contenu en soit prédictible	EST CAPABLE DE formuler une demande simple à un collègue telle que « Puis-je avoir 20 X, s'il vous plaît ? »

Document D5
Spécifications de ALTE relatives au *Travail*
Panorama des intérêts et activités traités

INTÉRÊT	ACTIVITÉ	ENVIRONNEMENT	HABILETÉ EXIGÉE
Services liés au travail	1. Demander des services liés au travail	Lieu de travail (bureau, usine, etc.)	Écouter/parler Écrire
	2. Fournir des services liés au travail	Lieu de travail (bureau, usine, etc.), domicile du client	Écouter/parler Écrire
Réunions et séminaire	Participer aux réunions et séminaires	Lieu de travail (bureau, usine, etc.), centre de conférence	Écouter/parler Écrire (notes)
Présentations et démonstrations formelles	Suivre et faire une présentation ou une démonstration	Centre de conférence, salon d'exposition, usine, laboratoire, etc.	Écouter/parler Écrire (notes)
Courrier	Comprendre et écrire des faxes, lettres, mémos, courrier électronique	Lieu de travail (bureau, usine, etc.)	Lire Écrire Lire
Rapports	Comprendre et écrire des rapports (relativement longs et formels)	Lieu de travail (bureau, usine, etc.)	Lire Écrire
Information disponible au public	Trouver la bonne information (dans des descriptifs de produits, des revues professionnelles, commerciales, des publicités, sur la toile, etc.)	Lieu de travail (bureau, usine, etc.)	Lire
Instructions et directives	Comprendre des notices (de sécurité par exemple) Comprendre et écrire des instructions (manuels d'installation, de fonctionnement et de maintenance, par exemple)	Lieu de travail (bureau, usine, etc.)	Lire Écrire
Téléphone	Passer des appels Recevoir des appels (prendre des messages et écrire des notes)	Lieu de travail, domicile, hôtel, etc.	Écouter/parler Écrire (notes)

Document 6
Résumé des spécifications de ALTE relatives aux *Études*

NIVEAU DE ALTE	Compréhension de l'oral/ Expression orale (Écouter/parler)	Compréhension de l'écrit (Lire)	Expression écrite (Écrire)
ALTE Niveau 5	EST CAPABLE DE comprendre des plaisanteries, des sous-entendus familiers et des allusions culturelles	EST CAPABLE D'accéder rapidement et sûrement à toute source d'information	EST CAPABLE DE prendre des notes précises et complètes au cours d'une conférence, d'un séminaire ou d'un tutorat
ALTE Niveau 4	EST CAPABLE DE suivre une argumentation abstraite, par exemple la présentation d'une alternative et la conclusion qu'on en tire	EST CAPABLE DE lire assez rapidement pour faire face aux exigences d'un cours universitaire	EST CAPABLE DE rédiger un essai qui montre sa capacité à communiquer, sans présenter au lecteur de grosses difficultés
ALTE Niveau 3	EST CAPABLE DE faire un exposé clair sur un sujet connu et de répondre à des questions factuelles prévisibles	EST CAPABLE DE parcourir un texte pour retrouver l'information pertinente et d'en saisir l'essentiel	EST CAPABLE DE prendre des notes simples dont il/elle pourra faire un raisonnable usage pour écrire une dissertation ou faire une révision
ALTE Niveau 2	EST CAPABLE DE comprendre les instructions que donne un enseignant ou un conférencier sur les cours et devoirs à faire	EST CAPABLE DE comprendre, avec de l'aide, des instructions et des messages élémentaires, par exemple un catalogue informatisé de bibliothèque	EST CAPABLE DE noter quelques informations lors d'un cours à condition qu'elles soient plus ou moins dictées
ALTE Niveau 1	EST CAPABLE DE formuler des opinions simples en utilisant des expression comme « Je ne suis pas d'accord »	EST CAPABLE DE comprendre le sens général d'un manuel de classe ou d'un article simplifiés, en lisant très lentement	EST CAPABLE D'écrire une description ou un récit très court tel que, par exemple, « Mes dernières vacances »
ALTE Niveau Breakthrough	EST CAPABLE DE comprendre des instructions élémentaires sur les horaires de cours, les dates et les numéros de salles et sur les devoirs à faire	EST CAPABLE DE lire des instructions et des notices élémentaires	EST CAPABLE DE copier les horaires, les dates et les lieux indiqués sur le tableau noir ou le panneau d'information

Document D7
Spécifications de ALTE relatives aux *Études*
Panorama des intérêts et activités traités

INTÉRÊT	ACTIVITÉ	ENVIRONNEMENT	HABILETÉ EXIGÉE
Conférences, exposés, présentations et démonstrations	1. Assister à des conférences, exposés, présentations et démonstrations 2. Donner une conférence, faire un exposé, une présentation ou une démonstration	Salle de conférence, de classe, laboratoire	Écouter/parler Écrire (notes)
Séminaires et travaux dirigés	Participer à des séminaires et des travaux dirigés	Salle de cours, salle d'études	Écouter/parler Écrire (notes)
Manuels, articles, etc.	Rassembler des informations	Salle d'études, bibliothèque, etc.	Lire Écrire (notes)
Dissertations	Rédiger des dissertations	Salle d'études, bibliothèque, salle d'examens, etc.	Écrire
Comptes rendus	Rédiger des comptes rendus (d'une expérience, par exemple)	Salle d'études, laboratoire	Écrire
Documentation	Accéder à l'information (à partir de l'ordinateur, d'une bibliothèque, d'un dictionnaire, etc.)	Bibliothèque, centre de documentation, etc.	Lire Écrire (notes)
Organisation des études	Prendre des dispositions, par exemple avec les enseignants sur des délais de remise de travaux	Salle de conférence, de cours, d'études	Écouter/parler Lire Écrire

BIBLIOGRAPHIE GÉNÉRALE

Ouvrages de référence généraux

Les ouvrages suivants constituent des références pour de nombreuses sections du *Cadre de référence*.

Bussmann, Hadumond, *Routledge dictionary of language and linguistics*, London, Routledge (1996).

Byram M., *The Routledge encyclopedia of language teaching and learning*, London, Routledge (à paraître).

Clapham C. & Corson D. (sous la direction de) *Encyclopedia of language and education*, Dordrecht, Kluwer (1998).

Crystal D. (sous la direction de), *The Cambridge encyclopedia of language*, Cambridge, CUP, (1987).

Galisson R. et Coste D. (sous la direction de), *Dictionnaire de didactique des langages*, Paris, Hachette (1976).

Johnson K., *Encyclopedic dictionary of applied linguistics*. Oxford, Blackwells (1997).

Richards J.-C., Platt J. & Platt H., *Longman dictionary of language teaching and applied linguistics*, London, Longman (1993).

Spolsky B. (sous la direction de), *Concise encyclopedia of educational linguistics*, Amsterdam, Elsevier (1999)

Ouvrages de référence thématiques

Les ouvrages suivants constituent des références essentiellement pour le chapitre sous lequel ils apparaissent.

Chapitre 1

Conseil de l'Europe, « Recommandation n° R (82) 18 du Comité des Ministres aux États membres concernant les langues vivantes » (1982). Annexe A de Girard et Trim (1988).

Conseil de l'Europe, « Recommandation n° R (98) 6 du Comité des Ministres aux États membres concernant les langues vivantes », Strasbourg, Conseil de l'Europe (1998).

Conseil de l'Europe, *Rapport du Symposium sur la transparence et la cohérence dans l'apprentissage des langues en Europe : objectifs, évaluation, certification, (Rüschlikon 1991)*, Strasbourg, Conseil de l'Europe (1993).

Conseil de l'Europe, *Portfolio européen des langues. Propositions d'élaboration*, Strasbourg, Conseil de l'Europe (1997).

Conseil de l'Europe, *Apprentissage des langues et citoyenneté européenne : rapport final du Groupe de projet (activités 1989-1996)*, Strasbourg, Conseil de l'Europe (1997).

Girard D. et Trim J.L.M. (sous la direction de), *Projet n° 12 : Apprentissage et enseignement des langues vivantes aux fins de communication : Rapport final du Groupe de Projet*, Strasbourg, Conseil de l'Europe (1988).

Gorosch M., Pottier B. & Riddy D.C., *Modern languages and the world today. Modern languages in Europe, 3*, Strasbourg, AIDELA en coopération avec le Conseil de l'Europe (1967).

Malmberg P., *Towards a better language teaching : a presentation of the Council of Europe's language projects*, Uppsala, University of Uppsala, *in* service Training Department (1989).

Chapitre 2

a. Niveaux-seuils : spécifications d'objectifs parus à ce jour

Baldegger M., Müller M. & Schneider G., *in* Zusammenarbeit mit Näf A. *Kontaktschwelle Deutsch als Fremdsprache*, Berlin, Langenscheidt (1980).

Belart M. & Rancé L., *Nivell Llindar per a escolars (8-14 anys)*, Gener, Generalitat de Catalunya (1991).

Castaleiro J.-M., Meira A. & Pascoal J., *Nivel limiar (para o ensino/aprendizagem do Portugues como lingua segunda/lingua estrangeira)*, Strasbourg, Council of Europe (1988).

Coste D., Courtillon J., Ferenczi V., Martins-Baltar M. et Papo E., *Un niveau-seuil*, Paris, Didier (1976).

Dannerfjord T., *Et taerskelniveau for dansk – Appendix – Annexe – Appendiks*, Strasbourg, Council of Europe (1983).

Efstathiadis S. (sous la direction de), *Katofli gia ta nea Ellenika*, Strasbourg, Council of Europe (1998).

Ehala M., Liiv S., Saarso K., Vare S. & Õispuu J. (1997), *Eesti keele suhtluslävi*, Strasbourg, Council of Europe (1998).

Ek J.A.van, *The Threshold Level for modern language learning in schools*, London, Longman (1977).

Ek J.A.van & Trim J.L.M., *Threshold Level 1990*, Cambridge, CUP (1991).

Ek J.A.van & Trim J.L.M., *Waystage 1990*, Cambridge, CUP (1991).

Ek J.A.van & Trim J.L.M., *Vantage level*, Strasbourg, Council of Europe (1997, to be republished by CUP c. November 2000).

Galli de Paratesi N., *Livello soglia per l'insegnamento dell' italiano come lingua straniera*, Strasbourg, Council of Europe (1981).

Grinberga I., Martinsone G., Piese V., Veisberga A. & Zuicena I, *Latviesu valodas prasmes limenis*, Strasbourg, Council of Europe (1997).

Jessen J., *Et taerskelniveau for dansk*, Strasbourg, Council of Europĕ (1983).

Jones G.E., Hughes M. & Jones D., *Y lefel drothwy : ar gyfer y gymraeg*, Strasbourg, Council of Europe (1996).

Kallas E., *Yatabi lebaaniyyi : un « livello sogla » per l'insegnamento/apprendimento dell' arabo libanese nell' università italiana*, Venezia, Cafoscarina (1990).

King A. (sous la direction de), *Atalase Maila*, Strasbourg, Council of Europe (1988).

Mas M., Melcion J., Rosanas R. & Vergé M.H., *Nivell llindar per a la llengua catalana*, Barcelona, Generalitat de Catalunya (1992).

Mifsud M. & Borg A.J., *Fuq l-ghatba tal-Malti*, Strasbourg, Council of Europe (1997).

Narbutas E., Pribuöauskaite J., Ramoniene M., Skapiene S. & Vilkiene L., *Slenkstis*, Strasbourg, Council of Europe (1997).

Porcher L. (sous la direction de), *Systèmes d'apprentissage des langues vivantes par les adultes (option travailleurs migrants) : Un niveau-seuil intermediaire*, Strasbourg, Conseil de l'Europe (1980).

Porcher L., Huart M. et Mariet F., *Adaptation de « Un niveau-seuil » pour des contextes scolaires. Guide d'emploi*, Paris, Didier (1982).

Pushkin Russian Language Institute and Moscow Linguistic University, *Porogoviy uroveny russkiy yazik*, Strasbourg, Council of Europe (1966).

Salgado X.A.F., Romero H.M. & Moruxa M.P., *Nivel soleira lingua galega*, Strasbourg, Council of Europe (1993).

Sandström B. (sous la direction de), *Tröskelnivå : förslag till innehåll och metod i den grundläggande utbildningen i svenska för vuxna invandrare*, Stockholm, Skolöverstyrelsen (1981).

Slagter P.J., *Un nivel umbral*, Strasbourg, Council of Europe (1979).

Svanes B., Hagen J.E., Manne G. & Svindland A.S., *Et terskelnivå for norsk*, Strasbourg, Council of Europe (1987).

Wynants A., *Drempelniveau : nederlands als vreemde taal*, Strasbourg, Council of Europe (1985).

b. Autres publications

Hest E. van & Oud-de Glas M., *A survey of techniques used in the diagnosis and analysis of foreign language needs in industry*, Brussels, Lingua (1990).

Lüdi G. et Py B., *Être bilingue*, Bern, Lang (1986).

Lynch P., Stevens A. & Sands E.P., *The language audit*, Milton Keynes, Open University (1993).

Porcher L. et al., *Identification des besoins langagiers de travailleurs migrants en France*, Strasbourg, Conseil de l'Europe (1982).

Richterich R. & Chancerel J.-L., *Identifying the needs of adults learning a foreign language*, Oxford, Pergamon (1980).

Richterich R. et Chancerel J.-L., *L'identification des besoins des adultes apprenant une langue étrangère*, Paris, Didier (1981).

Richterich R. (sous la direction de), *Case studies in identifying language needs*, Oxford, Pergamon (1983).

Richterich R., *Objectifs d'apprentissage et besoins langagiers*, Paris, Col. F., Hachette (1985).

Trim J.L.M., *Developing a Unit/Credit scheme of adult language learning*, Oxford, Pergamon (1980).

Trim J.L.M., Richterich R., Ek J.A.van & Wilkins D.A., *Systems development in adult language learning*, Oxford, Pergamon (1980).

Trim J.L.M., *Developing a Unit/Credit scheme of adult language learning*, Oxford, Pergamon (1980).

Trim J.L.M., Holec H., Coste D. & Porcher L. (sous la direction de), *Towards a more comprehensive framework for the definition of language learning objectives. Vol I Analytical summaries of the preliminary studies. Vol II Preliminary studies*, (contributions en anglais et en français), Strasbourg, Conseil de l'Europe (1984).

Widdowson H.G. (1989), « Knowledge of language and ability for use », *Applied Linguistics* 10/2, 128-137.

Wilkins D.A., *Linguistics in language teaching*, London, Edward Arnold (1972).

Chapitre 3
Ek J.A.van, *Objectifs de l'apprentissage des langues vivantes* – Volume I : *Contenu et portée* (1988), Volume II : *Niveaux* (1989), Strasbourg, Conseil de l'Europe.

North B., *The Development of a common reference scale of language proficiency*, New York, Peter Lang (2000).

North B. & Schneider G., « Scaling descriptors for language proficiency scales » *in Language Testing* 15/2 : 217-262 (1998).

North B., *Perspectives on language proficiency and aspects of competence : a reference paper discussing issues in defining categories and levels*, Strasbourg, Council of Europe (1994).

Schneider G., North B., *Fremdsprachen können – was heisst das ? Skalen zur Becshreibung Beurteilung und Selbsteinschätzung der fremdsprachlichen Kommunikationsfähigkeit*, Chur/Zürich, Verlag Rüegger AG (2000).

Chapitre 4
Bygate M., *Speaking*, Oxford, OUP (1987).

Canale M. & Swain M. « A theoretical framework for communicative competence », *in* Palmer A.S., Groot P.G. & Trosper S.A. (sous la direction de), *The Construct validation of tests of communicative competence*, Washington, DC. TESOL (1981).

Carter R., Lang M.N., *Teaching literature*, London, Longman (1991).

Davies Alan, « Communicative competence as language use », *Applied Linguistics* 10/2, 157-170 (1989).

Denes P.B., Pinson E.N., *The Speech chain : the physics and biology of spoken language*, New York, Freeman (2nd. ed. 1993).

Faerch C. & Kasper G. (sous la direction de), *Strategies in interlanguage communication*, London, Longman (1983).

Firth J.-R., *The tongues of men and Speech*, London, OUP (1964).

Fitzpatrick A., *Competence for vocationally oriented language learning : descriptive parameters organisation and assessment*, Doc. CC-LANG (94) 6, Strasbourg, Council of Europe (1994).

Fry D.B., *Homo loquens*, Cambridge, CUP (1977).

Hagège C., *L'homme de paroles*, Paris, Fayard (1985).

Holec H., Little D. & Richterich R., *Stratégies dans l'apprentissage et l'usage des langues*, Strasbourg, Conseil de l'Europe (1996).

Kerbrat-Orecchioli C., *Les interactions verbales* (3 vol.), Paris, Collins (1990-1994).

Laver J. & Hutcheson S., *Communication in face-to-face interaction*, Harmondsworth, Penguin (1972).

Levelt W.J.M., *Speaking : from intention to articulation*, Cambridge, Mass MIT (1993).

Lindsay P.H. & Norman D.A., *Human information processing*, New York, Academic Press (1977).

Martins-Baltar M., Bourgain D.,Coste D., Ferenczi V. et Mochet M.A., *L'écrit et les écrits : problèmes d'analyse et considérations didactiques*, Paris, Didier (1979).

Swales J.-M., *Genre analysis : English in academic and research settings*, Cambridge, CUP (1990).

Chapitre 5

Allport G., *The Nature of prejudice*, Reading MA, Addison-Wesley (1979).

Austin J.-L., *How to do things with words*, Oxford, OUP (1962).

Cruttenden A., *Intonation*, Cambridge, CUP (1986).
Crystal D., *Prosodic systems and intonation in English*, Cambridge, CUP (1969).

Furnham A. & Bochner S., *Culture Shock : psychological reactions in unfamiliar environments*, London, Methuen (1986).

Gardner R.C., *Social psychology and second language learning : the role of attitude and motivation*, London, Edward Arnold (1985).

Grice H.P., « Logic and conversation », *in* Cole P., Morgan J.-L. (sous la direction de), *Speech acts*, New York, Academic Press 41-58 (1975).

Gumperz J.-J., *Language in social groups*, Stamford, Stamford University Press (1971).

Gumperz J.-J. & Hymes D., *Directions in sociolinguistics : the ethnography of communication*, New York, Holt, Rinehart & Wiston (1972).

Hatch E. & Brown C., *Vocabulary semantics and language education*, Cambridge, CUP (1995).

Hawkins E.W., *Awareness of language : an introduction, revised edn*, Cambridge CUP (1987).

Hymes D.H., « On communicative competence », *in* Pride and Holmes (1972).

Hymes D., *Foundations in sociolinguistics : an ethnographic approach*, Philadelphia, University of Pennsylvania Press (1974).

Hymes D.H., *Vers la compétence de communication*, Paris, Didier (1984).

Kingdon R., *The groundwork of English intonation*, London, Longman (1958).

Knapp-Potthoff A. & Liedke M. (sous la direction de), *Aspekte interkultureller Kommunikationsfähigkeit*, Munich : iudicium verlag (1997).

Labov W., *Sociolinguistic patterns*, Philadelphia, University of Pennsylvania Press (1972).

Lehrer A., *Semantic fields and lexical structure*, London & Amsterdam (1974).

Levinson S.C., *Pragmatics*, Cambridge, CUP (1983).

Lyons J., *Semantics* (vols I & II), Cambridge CUP (1977).

Mandelbaum D.G., *Selected writings of Edward Sapir*, Berkeley, University of California Press (1977).

Matthews P.H., *Morphology : an introduction to the theory of word-structure*, Cambridge, CUP (1974).

Matthews P.H., *Syntax*, Cambridge, CUP (1981).

Neuner G., *A socio-cultural framework for communicative teaching and learning of foreign languages at the school level*, Doc. CC-GP12 (87) 24, Strasbourg, Council of Europe (1988).

O'Connor J.-D. & Arnold G.F., *The intonation of colloquial English*, London, Longman (2nd. ed., 1973).

O'Connor J.-D., *Phonetics*, Harmondsworth, Penguin (1973).

Pride J.-B. & Holmes J. (sous la direction de), *Sociolinguistics*, Harmondsworth, Penguin (1972).

Rehbein J., *Komplexes Handeln : Elemente zur Handlungstheorie der Sprache*, Stuttgart, Metzler (1977).

Robinson G.L.N., *Crosscultural Understanding*, Oxford, Pergamon (1985).

Robinson W.P., *Language and social behaviour*, Harmondsworth, Penguin (1972).

Roulet E., *Théories grammaticales, descriptions et enseignement des langues*, Paris, Nathan (1972).

Sapir E., *Language*, New York, Harcourt Brace (1921).

Searle J., *Speech acts : an essay in the philosophy of language*, Cambridge, CUP (1969).

Searle J.-R., « The classification of illocutionary acts », *Language in society*, vol.51, n° 1, 1-24 (1976).

Trudgill P., *Sociolinguistics*, Harmondsworth, Penguin (2nd. ed., 1983).

Ullmann S., *Semantics : an introduction to the science of meaning*, Oxford, Blackwell (1962).

Wells J.-C. & Colson G., *Practical phonetics*, Bath, Pitman (1971).
Widdowson H.G., *Practical stylistics : an approach to poetry*, Oxford, OUP (1992).

Wray A., « Formulaic language in learners and native speakers », *Language teaching 32,4*, Cambridge, CUP (1999).

Wunderlich D. (sous la direction de), *Linguistische Pragmatik*, Frankfurt, Athenäum (1972).

Zarate G., *Enseigner une culture étrangère*, Paris, Hachette (1986).

Zarate G., *Représentations de l'étranger et didactique des langues*, Paris, Hachette (1993).

Chapitre 6

Berthoud A.-C. (sous la direction de), « Acquisition des compétences discursives dans un contexte plurilingue », *Bulletin Suisse de linguistique appliquée*, VALS/ASLA 64 (1996).

Berthoud A.-C. et Py B., *Des linguistes et des enseignants. Maîtrise et acquisition des langues secondes*, Bern, Lang (1993).

Besse H. et Porquier R., *Grammaire et didactique des langues*, Paris, Collection L.A.L, Didier (1984).

Bloom B.S., *Taxonomy of educational objectives*, London, Longman (1956).

Bloom B.S., *Human characteristics and school learning*, New York, McGraw (1976).

Broeder P. (sous la direction de), *Processes in the developing lexicon. Vol. III* of *Final Report of the European Science Foundation Project « Second language acquisition by adult immigrants »*, Strasbourg, Tilburg and Göteborg, ESF (1988).

Brumfit C., *Communicative Methodology in Language Teaching. The roles of fluency and accuracy*, Cambridge, CUP (1984).

Brumfit C., « Concepts and Categories in Language Teaching Methodology », *AILA Review* 4 25-31 (1987).

Brumfit C. & Johnson K (sous la direction de), *The communicative approach to language teaching*, Oxford, OUP (1979).

Byram M., *Teaching and assessing intercultural communicative competence*, Clevedon, Multilingual Matters (1997).

Byram M., *Cultural Studies and Foreign Language Education*, Clevedon, Multilingual Matters (1989).

Byram M., *Teaching and Assessing Intercultural Communicative Competence*, Clevedon, Multilingual Matters (1997).

Byram M., Zarate G. & Neuner G., *Sociocultural competences in foreign language teaching and learning*, Strasbourg, Council of Europe (1997).

Callamand M., *Méthodologie de la prononciation*, Paris, CLE International (1981).

Canale M. & Swain M., « Theoretical bases of communicative approaches to second language teaching and testing », *Applied linguistics*, vol. 1, n° 1 (1980).

Conférence suisse des directeurs cantonaux de l'instruction publique (sous la direction de), *Enseignement des langues étrangères – Recherche dans le domaine des langues et pratique de l'enseignement des langues étrangères, Dossier 52*. Berne, CDIP (1998).

Cormon F., *L'enseignement des langues*, Paris, Chronique sociale (1992).

Coste D., « Éduquer pour une Europe des langues et des cultures », *Études de linguistique appliquée 98* (1997).

Coste D. Moore D. & Zarate G., *Compétence plurilingue et pluriculturelle*, Strasbourg, Conseil de l'Europe (1997).

Cunningsworth A., *Evaluating and selecting EFL materials*, London, Heinemann (1984).

Dalgaian G., Lieutaud S. et Weiss F., *Pour un nouvel enseignement des langues*, Paris, CLE International (1981).

Dickinson L., *Self-instruction in language learning*, Cambridge, CUP (1987).

Gaotrac L., *Théorie d'apprentissage et acquisition d'une langue étrangère*, Collection L.A.L. Paris, Didier (1987).

Gardner R.C. & MacIntyre P.D., « A student's contribution to second language learning » : Part I « cognitive variables » & Part II « affective variables », *Language teaching*, Vol. 25, n° 4 & vol.26, n° 1 (1992-1993).

Girard D. (sous la direction de), *Choix et distribution des contenus dans les programmes de langues*, Strasbourg, Conseil de l'Europe (1988).

Girard D., *Enseigner les langues : méthodes et pratiques*, Paris, Bordas (1995).

Grauberg W., *The elements of foreign language teaching*, Clevedon, Multilingual Matters (1997).

Hameline D., *Les objectifs pédagogiques en formation initiale et en formation continue*, Paris, ESF (1979)

Hawkins E.W., *Modern languages in the curriculum, revised edn*, Cambridge, CUP (1987).

Hill J., *Literature in language teaching*, London, Macmillan (1986).

Holec H., *Autonomy and foreign language learning*, Oxford, Pergamon (1981).

Holec H., *Autonomie et apprentissage des langues étrangères*, Paris, Didier (1982).

Holec H. (sous la direction de), *Autonomie et apprentissage auto-dirigé : terrains d'application actuels (contributions en français et en anglais)*, Strasbourg, Conseil de l'Europe (1988).

Komensky J.A. (Comenius), *Orbis sensualium pictus*, Nuremberg (1658).

Kramsch C., *Context and Culture in Language Teaching*, Oxford, OUP (1993).

Krashen S.D., *Principles and practice of second language acquisition*, Oxford, Pergamon (1982)

Krashen S.D. & Terrell T. D, *The natural approach : language acquisition in the classroom*, Oxford, Pergamon (1983).

Little D., Devitt S. & Singleton D., *Authentic texts in foreign language teaching : theory and practice*, Dublin, Authentik (1988).

MacKay W.F., *Language teaching analysis*, London, Longman (1965).

McDonough S.H., *Psychology in foreign language teaching*, London, Allen & Unwin (1981).

Melde W., *Zur Integration von Landeskunde und Kommunikation im Fremdsprachenunterricht*, Tübingen, Gunter Narr Verlag (1987).

Pêcheur J. & Vigner G. (sous la direction de), *Méthodes et méthodologies*, Paris, Col. Recherches et applications, Le Français dans le monde (1995).

Piepho H.E., *Kommunikative Kompetenz als übergeordnetes Lernziel*, München, Frankonius (1974).

Porcher L., *Interrogations sur les besoins langagiers en contextes scolaires*, Strasbourg, Conseil de l'Europe (1980).

Porcher L. (sous la direction de), *Les auto-apprentissages*, Paris, Col. Recherches et applications, Le Français dans le monde (1992).

Py B. (sous la direction de), « L'acquisition d'une langue seconde. Quelques développements récents », *Bulletin suisse de linguistique appliquée*, VALS/ASLA (1994).

Rampillon U. & Zimmermann G. (sous la direction de), *Strategien und Techniken beim Erwerb fremder Sprachen*, Ismaning, Hueber (1997).

Savignon S. J., *Communicative competence : Theory and Classroom Practice*, Reading (Mass.), Addison-Wesley (1983).

Sheils J., *La communication dans la classe de langue*, (disponible également en allemand, lithuanien et russe) Strasbourg, Conseil de l'Europe (1988).

Schmidt R. W., « The Role of Consciousness in Second Language Learning », *Applied Linguistics* 11/2, 129-158 (1990).

Skehan P., *Individual differences in second language learning*, London, Arnold (1987).

Spolsky B., *Conditions for second language learning*, Oxford, OUP (1989).

Stern H.H., *Fundamental concepts of language teaching*, Oxford, OUP (1983).

Stern H.H. & Weinrib A., « Foreign languages for younger children : trends and assessment », *Language teaching and linguistics : Abstracts 10*, 5 – 25 (1977).

The British Council, *The teaching of comprehension*, London, British Council (1978).

Trim J.L.M., « Criteria for the evaluation of classroom-based materials for the learning and teaching of languages for communication », *in* Grebing R., *Grenzenlöses Sprachenlernen. Festschrift für Reinhold Freudenstein*, Berlin, Cornelsen (1991).

Williams E., *Reading in the language classroom*, London, Macmillan (1984).

Chapitre 7

Foster P. & Skehan P., *The Influence of Planning on Performance in Task-based Learning*, Paper presented at the British Association of Applied Linguistics, Leeds (1994).

Jones K., *Simulations in language teaching*, Cambridge, CUP (1982).

Nunan D., *Designing tasks for the communicative classroom*, Cambridge, CUP (1989).

Skehan P., *A Framework for the Implementatiion of Task-based Instruction*, in Applied Linguistics 16/4, 542-56 (1995).

Yule G., *Referential communication tasks*, Mahwah, N.J., Lawrence Erlbaum (1997).

Chapitre 8

Breen M.P., « Contemporary paradigms in syllabus design », Parts I & II, *Language Teaching*, vol. 20, nos 2 & 3, p. 81-92 & 157-174 (1987).

Burstall C., Jamieson M., Cohen S. & Hargreaves M. *Primary French in the balance*, Slough, NFER (1974).

Clark J. L., *Curriculum Renewal in School Foreign Language Learning*, Oxford, OUP (1987).

Coste D. (sous la direction de), *Contributions à une rénovation de l'apprentissage et de l'enseignement des langages. Quelques expériences en cours en Europe*, Paris, Hatier (1983).

Coste D. & Lehman D., « Langues et curriculum. Contenus programmes et parcours », *Études de linguistique appliquée* 98 (1995).

Damen L., *Culture Learning : the Fifth Dimension in the Language Classroom*, Reading, Mass : Addison Wesley (1987).

Fitzpatrick A., *Competence for vocationally oriented language learning : descriptive parameters organisation and assessment*, Doc. CC-LANG (94) 6, Strasbourg, Council of Europe (1994).

Johnson K., *Communicative syllabus design and methodology.*, Oxford, Pergamon (1982).

Labrie C., *La construction de la Communauté européenne*, Paris, Champion (1983).

Munby J., *Communicative syllabus design*, Cambridge, CUP (1972).

Nunan D., *The learner-centred curriculum : a study in second language teaching*, Cambridge, CUP (1988).

Roulet E., *Langue maternelle et langue seconde. Vers une pédagogie intégrée*, Paris, Col. L.A.L, Didier (1980).

Schneider G., NorthB., Flügel. Ch. & Koch L., *Europäisches Sprachenportfolio – Portfolio européen des langues – Portfolio europeo delle lingue – European Language Portfolio, Schweizer Version*, Bern, EDK (1999).
Also avaiable online : http//www.unifr.ch/ids/portfolio.

Schweizerische Konferenz der kantonalen Erziehungsdirektoren EDK, *Mehrsprachiges Land – mehrsprachige Schulen. 7. Schweizerisches Forum Langue 2.* Dossier 33, Bern, EDK (1995).

Vigner G. (sous la direction de), « Promotion réforme des langues et systèmes éducatifs ». *Études de linguistique appliquée, 103* (1996).

Wilkins D.A., *Notional syllabuses*, Oxford, OUP (1976).

Wilkins D., *The educational value of foreign language learning*, Doc. CC-GP (87) 10. Strasbourg, Conseil de l'Europe (1987).

Chapitre 9

Alderson J.-C., Clapham C. & Wall D., *Language Test Construction and Evaluation*, Cambridge, CUP (1995).

Alderson J.-C., *Assessing Reading*, Cambridge Language Assessment Series (sous la direction de J.-C. Alderson & L.F. Bachman). Cambridge, CUP (2000).

Bachman L.F., *Fundamental considerations in language testing*, Oxford, OUP (1990).

Brindley G., *Assessing Achievement in the Learner-Centred Curriculum*, NCELTR Research Series (National Centre for english language teaching and research), Sydney, Macquarie University (1989).

Coste D. & Moore D. (sous la direction de), « Autour de l'évaluation de l'oral ». *Bulletin CILA* 55 (1992).

Douglas D., *Assessing Languages for Specific Purposes*. Cambridge Language Assessment Series (sous la direction de J.-C. Alderson & L.F. Bachman), Cambridge, CUP (2000).

Lado R., *Language testing : the construction and use of foreign language tests*, London, Longman (1961).

Lussier D., *Évaluer les apprentissages dans une approche communicative*, Paris, Col. F. Hachette (1992).

Monnerie-Goarin A. et Lescure R. (sous la direction de) « Évaluation et certifications en langue étrangère ». *Recherches et applications*, numéro spécial, *Le Français dans le monde*, août-septembre 1993.

Oskarsson M., *Approaches to self-assessment in foreign language learning*, Oxford, Pergamon (1980).
Oskarsson M., *Self-assessment of foreign language skills : a survey of research and development work*, Strasbourg, Council of Europe (1984).

Reid J., *Assessing Vocabulary*, (Cambridge Language Assessment Series, sous la direction de J.-C. Alderson & L.F. Bachman), Cambridge, CUP (2000).

Tagliante C. (sous la direction de), *L'évaluation*, Paris, CLE International (1991).

University of Cambridge Local Examinations Syndicate, *The multilingual glossary of language testing terms (Studies in language testing 6)*, Cambridge, CUP (1998).

DVD Productions orales

Exemples de productions orales illustrant, pour le français, les niveaux du *Cadre européen commun de référence pour les langues*.

Ce DVD est le fruit d'un séminaire du Conseil de l'Europe organisé par le CIEP et la Fondation Eurocentres. La procédure utilisée durant le séminaire et les commentaires sur les productions orales sont disponibles sur le site :

www.coe.int/portfolio/fr

Nous remercions les 25 apprenants bénévoles et l'ensemble des centres de français langue étrangère qui nous ont gracieusement prêté leur concours.

L'utilisation de ce support dans des programmes de formation payants est soumise à une autorisation préalable à demander à :

decs-lang@coe.int

Aucune partie de ce support ne peut être reproduite, conservée, transmise ou vendue sans autorisation écrite préalable.

www.ciep.fr   www.eurocentres.com   www.coe.int/portfolio/fr

CIEP   **EUROCENTRES**   COUNCIL OF EUROPE   CONSEIL DE L'EUROPE
              Language Learning Worldwide

Division des Politiques Linguistiques